et les secrets
de leur réussite

Charles-Albert Poissant, F.C.A.
Christian Godefroy

et les secrets de leur réussite

Avec la collaboration de Jean Rozon B.A., M.A.

Catalogage avant publication (Canada)

Poissant, Charles Albert

Les dix hommes les plus riches du monde et les secrets de leur réussite

(Succès)

2-89111-260-1

1. Millionnaires — Biographies. 2. Richesse. 3. Succès. I. Godefroy, Christian H. II. Titre. III. Collection.

HC79.W4G62 1985 305.5'234'0922 C85-094249-7

Maquette de la couverture: France Lafond

Photocomposition et mise en pages: Helvetigraf, Québec

Dépôt légal:
4e trimestre 1985

ISBN 2-89111-260-1

CHARLES-ALBERT POISSANT

Président sortant de l'Ordre des comptables agréés du Québec, Charles-Albert Poissant est l'un des gouverneurs de l'Institut Canadien des comptables agréés. Il est en outre conseiller auprès du Comité sénatorial des Banques et du Commerce. Son influence n'a cessé de croître au cours des années dans des organismes prestigieux tant au niveau national qu'international. Membre du Conference Board of Canada, il est aussi premier vice-président de l'Association fiscale internationale (IFA) dont le siège social est situé à Amsterdam.

Au long de sa fructueuse carrière, Charles-Albert Poissant a exercé le rôle de conseiller financier auprès d'importants hommes d'affaires québécois et étrangers. Il a aussi conseillé plusieurs jeunes femmes et jeunes hommes en début de carrière. À travers ses conférences et ses cours, il a permis à des milliers d'étudiants de découvrir les grands principes du succès.

La minutieuse étude qu'il a conduite auprès des dix hommes du présent ouvrage l'a mené à la conclusion que les secrets de la réussite financière étaient universels. D'ailleurs son expérience auprès des femmes et des hommes d'affaires québécois lui a montré que ceux qui réussissaient appliquaient les mêmes principes fondamentaux.

Charles-Albert Poissant est l'auteur de *Taxation in Canada of Non-Residents* et *Commentary on Canada-Germany Tax Agreement*.

CHRISTIAN GODEFROY

Né le 25 octobre 1948, Christian Godefroy connaît une enfance sans histoire jusqu'à l'âge de quinze ans, alors que son père, petit entrepreneur, fait de mauvaises affaires et doit déposer son bilan. Privé de l'essentiel, Christian décide alors de «faire fortune». Sa première tentative lui permet de gagner, à vingt ans, 100 000 dollars en un an dans une organisation de vente de produits d'entretien, «SWIPE».

C'est alors qu'il découvre le pouvoir de la force mentale et les principes de la psycho-cybernétique.

L'entreprise ayant déposé son bilan, il met sur pied une affaire de cartes d'escompte honorées chez 2 000 commerçants. Échec.

On le retrouve ensuite dans une maison d'édition, comme animateur-formateur. En deux ans, il gravit les échelons et décide de s'établir à son compte. Il fonde une entreprise de formation du personnel. Ayant formé plus de 6 000 personnes, il monte sa propre maison d'édition. En huit ans, il fait de son entreprise, les Éditions Godefroy, la première entreprise de développement personnel du marché francophone.

Aujourd'hui, on estime sa fortune à plusieurs millions de dollars.

Auteur et coauteur de nombreux ouvrages: *La Dynamique mentale* (Éd. Robert Laffont, 1975), *La Maîtrise de vos pouvoirs intérieurs* (Tchou, 1977), *Les Pouvoirs de l'esprit* (Retz, 1978), *Comment avoir une petite affaire indépendante et lucrative à domicile* (Ed. Godefroy, 1984), *Comment écrire une lettre qui vend* — cours complet de copywriting (chez l'auteur, 1985), Christian Godefroy aime partager ses découvertes et son savoir. Des milliers de personnes lui doivent leur réussite.

JEAN ROZON

Jean Rozon est né le 15 juillet 1953, à Montréal. Il obtient un baccalauréat en sciences de l'Éducation et une maîtrise en Administration à l'Université de Montréal. Il enseigne depuis dix ans dans le domaine des sciences humaines et s'intéresse particulièrement aux mécanismes de la motivation personnelle et du succès.

Introduction

Comment nous est venue l'idée de ce livre?

Les hommes riches ont, de tout temps, exercé une fascination mystérieuse sur les êtres. Nous n'avons pas échappé à cette fascination. Mais nous avons voulu lever le voile et découvrir quels étaient les mécanismes secrets de leur richesse, comment ils avaient amassé leur fortune. Au fond, notre idée était simple. **Nous sommes partis avec l'hypothèse que non seulement aucun succès n'est attribuable au hasard** (même si le facteur chance paraît occasionnellement jouer dans une certaine mesure) **mais qu'il était le résultat de l'application de certains principes bien précis. Or, cette hypothèse s'est confirmée au-delà de nos espérances. Chacun des hommes que nous avons étudiés appliquait de manière plus ou moins délibérée** (en général plus que moins) **de grands principes.** Bien sûr, tous ne les appliquaient pas de la même façon, avec le même degré d'intensité. Chacun avait, pour ainsi dire, sa «spécialité». Chacun insistait davantage sur un principe, et l'application heureuse de ce même principe résultait chez lui en sa qualité la plus remarquable. Ainsi, Ray Kroc, le milliardaire du hamburger mondialement connu, est le plus édifiant exemple qui soit de la persévérance. Il n'a connu le succès qu'après cinquante ans, à l'âge où plusieurs songent déjà à la retraite. La persévérance était à ses yeux si importante qu'il la plaçait sans hésitation au-dessus du talent, voire du génie. Jean-Paul Getty, l'un des hommes les plus riches du monde, estime pour sa part que les affaires consistent surtout à savoir diriger les activités humaines. Définition fort simple, en apparence, pour ne pas dire banale, mais dont nous examinerons toute la profondeur dans les pages qui vont suivre. La qualité principale de ce milliardaire du pétrole fut sans doute celle de meneur d'hommes. Tous ses profonds secrets, qu'il a révélés dans une espèce de testament spirituel, et que l'on retrouve tout au long de sa vie, vous seront dévoilés au fil des différents chapitres. Ainsi donc, **chaque personnage de l'illustre galerie que nous vous présentons s'est fait le champion d'un principe majeur.** Leur exemple vous éclairera de manière éblouissante sur l'art caché de la réussite.

Chaque domaine de l'existence comporte des lois, des règles, qui constituent un art ou une science, que ce soit en musique, en affaire, en médecine, en droit, etc. Et dans chaque domaine, il existe pour ainsi dire des maîtres, des experts. Il s'agit d'êtres qui ont poussé leur science jusqu'au raffinement suprême. C'est à eux tout naturellement que nous nous adressons lorsque nous voulons nous perfectionner dans un domaine ou un autre. Bien sûr, on peut apprendre le violon ou les mathématiques seul. Mais cette entreprise risque d'être fort longue et pénible, et les chances d'atteindre les sommets sont minces, pour ne pas dire inexistantes. Un maître permet un apprentissage plus rapide. Ce livre contient les enseignements des maîtres de la richesse. Il vous évitera donc bien des erreurs et des piétinements, vous permettra de vous enrichir plus rapidement, plus facilement!

Ce livre est un raccourci vers la richesse. Il est en quelque sorte un passeport: votre passeport vers le mieux-être financier. Mais qui sont ces hommes qui ont accédé à ces sommets de richesse inégalés?

Des géants qui, au départ, étaient comme vous!

Il existe, en gros, deux catégories d'hommes riches. Ceux qu'on appelle les héritiers, c'est-à-dire ceux qui sont nés avec une cuillère d'argent dans la bouche et ont fait leur entrée dans le monde des affaires avec un pécule plus que confortable. Cette catégorie n'est pas en soi inintéressante. Seulement, il est évidemment beaucoup plus facile d'entrer dans la vie avec en poche quelques millions qu'on peut, généralement, faire prospérer pour peu qu'on soit bien conseillé.

La deuxième catégorie, qui nous intéresse, est celle que les Américains appellent les «self-made men». Ceux qui se sont faits eux-mêmes. Ceux qui, en aucune façon, ne doivent leur fortune au hasard de leur naissance. Cette catégorie est infiniment plus intéressante pour l'objet de notre étude. Car la première caractéristique de ces hommes, devenus des géants, est qu'au départ ils n'étaient guère différents de vous et de nous. Le portrait intime qu'illustre chacune de leur biographie vous le prouvera hors de tout doute. **Leur enfance fut en général bien banale, souvent pauvre, parfois misérable. À l'école, plusieurs furent des «cancres» notoires. Mais chacun, à un moment crucial de sa vie, décida de prendre son destin en main, et éclairé par un livre, par le conseil ou l'exemple d'un ami judicieux, ou par une puissante intuition intérieure, résolut de devenir riche.**

Une des plus grandes leçons que l'on puisse tirer de Socrate, le sage par excellence (qui n'a cessé de répéter à quel point sa nature originale comportait de défauts), est que **l'homme est perfectible**. Il peut s'améliorer. De même, **sa capacité de s'enrichir,** si incertaine et faible soit-elle à l'origine, **est perfectible. Le talent de tout homme pour s'enrichir peut se développer à n'importe quel moment de sa vie.**

En fait, même si vous n'en êtes pas encore conscient, vous êtes probablement actuellement rendu, peu importent votre âge et votre condition, à cette étape cruciale qui peut changer votre vie. Vous n'avez qu'à être attentif. Réceptif. **Les secrets décrits dans ces pages peuvent constituer pour vous le tournant décisif qu'ont connu la plupart des dix hommes riches.** Ces «self-made men», nous les avons choisis dans des domaines bien distincts, variés, de manière qu'ils puissent vous inspirer et vous servir d'exemples dans votre sphère. Bien entendu, il était impossible que dix hommes puissent embrasser à eux seuls tous les champs de l'activité économique. Cependant, ce qui est intéressant, c'est que **les qualités qui les caractérisent et les principes qui les animent valent pour toutes les activités humaines.** Il ne vous restera donc qu'à les mettre en application, ce en quoi nous vous aiderons. Notre galerie, vous le constaterez, est constituée en grande partie de noms que vous connaissez bien. Plusieurs sont si célèbres qu'ils sont, pour ainsi dire, «passées dans les mœurs» pour la simple et bonne raison qu'ils sont devenus des marques de commerce. Voici sans plus tarder cette liste. Henry Ford, Conrad Hilton, Thomas Watson, Ray Kroc, Soïchiro Honda, Walt Disney, Aristote Onassis, John Rockefeller, Jean-Paul Getty et Steven Spielberg.

Une «petite» idée de la fortune immense de ces hommes...

À combien s'élève la fortune de ces hommes? Exactement? Jean-Paul Getty a dit un jour, à raison, qu'un homme qui peut connaître la valeur exacte de sa fortune n'est pas un homme vraiment riche. Or, tous les hommes que nous avons analysés étaient vraiment riches. La question est donc loin d'être tranchée.

Ce qui rend l'estimation de cette fortune compliquée, c'est que la plupart de ces hommes possèdent ou ont possédé des portefeuilles d'actions fort complexes qui faisaient que leur fortune était fluctuante. Et évidemment, pour des raisons évidentes de nature fiscale, la plupart des hommes riches demeurent en général fort discrets au sujet de leur fortune. Plusieurs même ont tendance à cultiver le secret et fuient la publicité. L'exemple le plus éloquent de cette tendance qui, chez certains, ira jusqu'à la manie, comme dans le cas d'Howard Hughes, est celui de Jean-Paul Getty. Lorsque la prestigieuse revue américaine *Fortune* publia en 1957, à la suite d'une enquête minutieuse, la liste des hommes les plus riches du monde, il fut établi qu'il arrivait bon premier. Or, il avait réussi jusque-là à préserver l'anonymat. Le grand public ignorait tout de lui. On raconte qu'un de ses anciens camarades de collège l'ayant croisé un jour par hasard sur la rue lui demanda, alors qu'il était depuis longtemps multimillionnaire, pour qui il travaillait. L'anecdote est savoureuse.

Malgré cette discrétion quasi inévitable, il est établi que la fortune de ces gens est énorme, prodigieuse. Bien sûr, il existe vraisemblablement des hommes qui peuvent être considérés plus riches qu'eux. Tels magnats de l'OPEP, par exemple, dont le revenu hebdomadaire se chiffre par millions. Seulement, comme ces gens sont pour la plupart inconnus du grand public, ils risquaient de ne susciter qu'un intérêt fort mitigé. Ce qu'il y a de passionnant chez les dix hommes que nous avons choisis, c'est qu'ils ont fait la preuve que ce qu'on appelle communément «le rêve américain» était encore possible, que l'on pouvait partir de rien et amasser une fortune colossale par la seule force de son esprit et de sa détermination.

Bien que la plupart des hommes étudiés soient américains, les applications de leurs principes sont universelles et valables pour d'autres pays et d'autres cultures. Même en étudiant des millionnaires d'autres nationalités, nous en serions à coup sûr venus aux mêmes conclusions. D'ailleurs, l'ouvrage de Dominique Frischer, *Les faiseurs d'argent,* consacré à des hommes riches de nationalité française, confirme notre hypothèse au sujet de l'universalité fondamentale des principes menant à la richesse. Les Claude Bourg, Bernard Tapie, Marcel Dassault, Jean-Pierre Colbert, Maurice Bidermann, Yves Rousset-Rouard, Jean-Paul Bücher n'ont pas fait leur fortune en s'inspirant de principes différents de ceux des Américains.

Tous les hommes que nous avons choisis peuvent être considérés non seulement comme des multimillionnaires, mais comme des milliardaires. À l'exception de Ray Kroc, qui à sa mort valait 350 millions. Mais la croissance de McDonald est si prodigieuse qu'elle est exemplaire, comme celle de son promoteur. Comme certains auteurs ne s'entendent pas tout à fait sur la définition du terme milliardaire, disons que nous l'entendons ici dans le sens de quelqu'un qui est détenteur de mille millions de dollars. Certains des hommes que nous avons étudiés sont notoirement plusieurs fois milliardaires. Ainsi, les héritiers de Jean-Paul Getty se disputent actuellement la somme de 4 milliards. Ce qui n'est pas banal. En 1947, à sa mort, le génial inventeur Henry Ford possédait une fortune personnelle évaluée largement au-delà de 1 milliard. Si l'on considère le fait qu'il y a de cela près de 40 ans, cette somme est tout simplement phénoménale. D'ailleurs, la fortune de ses héritiers n'a cessé de prospérer. En 1960, la compagnie Ford était considérée comme la deuxième plus grande entreprise du monde. En 1970, elle comptait 432 000 employés, et sa seule masse salariale était de 3,5 milliards. Onassis, le riche armateur grec, était lui aussi plusieurs fois milliardaire. On pourrait dire la même chose de plusieurs des autres hommes que nous avons analysés.

Il faut que nous fassions ici une petite parenthèse pour vous donner une idée de la fortune de ces hommes. Il s'agit en fait de véritables méga-fortunes, dont il est difficile, voire impossible de concevoir l'ampleur. Un millionnaire simple, c'est-à-dire quelqu'un qui possède un million, vit en général sur un pied luxueux, qui le distingue de ceux qui l'entourent. Mais que dire d'une fortune de 10 millions? Saviez-vous que pour amasser une telle fortune, un simple salarié devrait économiser 100 000 dollars par année pendant 100 ans? Ce n'est pas une mince tâche surtout que, pour réaliser un tel exploit et continuer à vivre, après avoir payé ses impôts, il faut gagner près de 300 000 dollars.

Dix millions, c'est déjà une belle somme. Alors, que dire de 100 millions, puis de 1 000 millions, soit un milliard? Cela dépasse l'entendement. Ceci dit, le présent ouvrage n'a pas pour but d'étaler, comme le font les journaux à sensation, les extravagances de ces hommes, si du moins ils en eurent. Sur ce plan, **l'immensité de leur fortune n'a qu'un sens pour nous: elle prouve hors de tout doute leur capacité exceptionnelle à faire de l'argent, et l'efficacité de leurs méthodes.**

À cet égard, il faut ajouter la remarque suivante. Si la plupart des 10 hommes riches furent réservés quant à l'évaluation de leur fortune, ils furent en revanche très ouverts au sujet de la philosophie qui les a conduits au succès.

Plusieurs ont rédigé leurs Mémoires dans lesquelles ils ont consigné en quelque sorte leur testament spirituel. Ceux qui ne l'ont pas fait se sont en général ouverts aux reporters lors d'interviews en profondeur. Et leurs collaborateurs les plus intimes ont eu l'occasion de s'imprégner de leur philosophie.

Ceci a évidemment facilité notre tâche. Nous risquions moins des erreurs d'interprétation. Lorsque tel richissime confie que le grand secret qui l'a mené au succès tient dans telle formule, évidemment, nous écoutons. Ces paroles valent leur pesant d'or, c'est le cas de le dire. Joseph Kennedy, père du regretté Président des États-Unis, à qui un étudiant demandait un jour pour une enquête: «Pourquoi êtes-vous riche?» répliqua, administrant une véritable douche froide: «Je suis riche parce que j'ai beaucoup d'argent!» Et il est vrai qu'il l'était singulièrement, possédant une fortune évaluée à 360 millions. Mais il était peu loquace sur la manière dont il avait amassé cette somme. Heureusement, les hommes sur la vie desquels nous nous sommes penchés, avec une curiosité admirative, n'ont pas hésité, comme nous l'avons vu, à livrer l'essence de leur philosophie pour que le plus de gens possible en bénéficient.

Ce que ce livre peut faire pour vous!

«Un voyage de dix mille pas commence par un pas», a dit un vieux sage chinois. **En lisant ce livre, vous avez déjà fait le premier pas vers la richesse.** Et ce qu'il y a d'intéressant dans cet ouvrage, c'est qu'il vous apportera précisément ce que vous y cherchez. Tout le monde ne peut pas devenir millionnaire. Enfin, pour mieux nous exprimer, disons que tout le monde aimerait l'être mais que tous ne sont pas prêts à consentir les inévitables sacrifices pour le devenir. Inutile de dire que ceux qui sont devenus milliardaires, comme les hommes que nous avons étudiés, ont été des bourreaux de travail et ont dû bien souvent sacrifier une part des plaisirs ordinaires de l'existence. Mais tout est question de choix dans la vie. Et ce livre vous permettra non seulement de clarifier vos choix, de savoir **vraiment** ce que vous voulez faire mais de le réaliser.

Peut-être voulez-vous simplement doubler vos revenus en un an!

Bien des gens caressent le rêve de doubler leurs revenus. Ainsi, ils ne deviendraient pas nécessairement riches, mais ils seraient à l'aise, pourraient se payer un peu du luxe auquel ils ont droit, prendre des vacances plus souvent, changer de voiture tous les deux ans... Ce livre vous enseignera comment y arriver.

Peut-être êtes-vous sans emploi, comme hélas des milliers de gens, ou êtes-vous insatisfait du travail ou de la profession que vous exercez actuellement. Encore une fois, ce livre vous viendra en aide d'une manière claire et simple. Car quoi qu'on en pense généralement, malgré les temps «difficiles» que nous vivons (depuis que le monde est monde les hommes répètent cette expression «temps difficiles», à tort, comme nous le verrons), malgré le chômage et l'inflation, **vous pouvez trouver l'emploi idéal.** Plus rapidement que vous ne le croyez. Malgré le préjugé malheureusement fort répandu qui dit que, dans la vie, on ne peut pas toujours faire ce qui nous plaît, **vous pourrez exercer un métier qui vous comble vraiment.** Vous avez droit de le faire! Et au fond, nous verrons que **c'est même un devoir!**

Peut-être également ambitionnez-vous de devenir riche, très riche, d'accéder au rang des millionnaires. C'est légitime. Et c'est tout à fait possible. **Le Club des Millionnaires n'est pas un club fermé.** Il ne tient qu'à vous d'y accéder. **Chaque année, aux États-Unis et en France, des milliers d'individus franchissent allègrement le cap du premier million.** Les pages qui suivent vous permettront de vous joindre à eux. Dans bien des cas, en beaucoup moins de temps que vous ne le croyez. Car nous vivons à une époque merveilleuse. Les changements sont rapides, des besoins nouveaux sont constamment créés. Celui qui fait preuve d'opportunisme peut amasser rapidement une fortune.

Peut-être aussi aimeriez-vous enfin obtenir l'augmentation de salaire ou la promotion que vous attendez et que vous méritez depuis longtemps, et qui pourtant, mystérieusement, vous échappe, alors qu'autour de vous des collègues peut-être moins doués gravissent aisément les échelons et ont des rétributions généreuses. **Vous verrez ici comment mieux manoeuvrer,** et comment utiliser certains principes **pour obtenir quasi magiquement ce que vous désirez.** Vous obtiendrez alors dans le monde et dans la vie la place que vous méritez.

Et si vous êtes déjà fortuné et que vous vouliez faire prospérer votre capital, cet ouvrage vous sera également profitable. Sans doute appliquez-vous déjà certains des principes qui y sont exposés puisque vous avez aujourd'hui atteint un niveau appréciable de réussite. Mais l'exposé systématique des formules de succès vous permettra d'aller encore plus loin. Et plus rapidement. N'oubliez pas qu'en lisant ce livre, et en vous imprégnant des normes qui y sont édictées, vous bénéficierez de l'expérience des dix hommes les plus riches du monde. **Vous pourrez multiplier presque à l'infini votre potentiel et votre richesse. Ces hommes illustres et riches vous deviendront familiers au point que vous pourrez en tout temps leur demander conseil** (et vous serez fort bien avisé de le faire, pour la gouverne de vos affaires). Ainsi pourrez-vous vous demander devant telle situation épineuse: «Qu'aurait fait Onassis dans pareil cas?» Ou encore: «Comment Conrad Hilton aurait-il résolu ce problème de financement?» Et Rockefeller: «Comment aurait-il fait pour diminuer les coûts de telle opération?» Quant à Thomas Watson, de IBM: «Comment Watson serait-il parvenu à motiver mes vendeurs plus ou moins enthousiastes?»

Un nain qui grimpe sur l'épaule d'un géant voit plus loin que celui qui le porte. Malgré la modestie de votre état actuel, en prenant conseil des dix hommes que vous découvrirez, vous aurez la chance de vous hisser à des hauteurs inégalées. Du même coup, votre vision de la vie s'en trouvera profondément modifiée: élargie. Vous verrez plus loin. Vous deviendrez plus grand.

«Donnez-moi un point d'appui, a dit Archimède en faisant allusion au levier, et je soulèverai le monde.» **Pour faire fortune, il faut un levier.** Mais peu de gens connaissent ce levier. **Vous le découvrirez dans ces pages** et mieux encore vous ne serez pas le seul à l'actionner. **Les dix hommes les plus riches du monde se pencheront avec vous et pèseront de tout leur poids sur ce levier, avec lequel vous pourrez soulever une montagne d'or!**

Ceci dit, avant que vous n'abordiez le premier chapitre de cet ouvrage, nous nous devons de faire une mise en garde. Vous trouverez ici de nombreux conseils pour faire démarrer des entreprises et développer ce qu'il est convenu d'appeler «l'entrepreneurship». Cependant, nous ne voulons en aucune manière pousser les lecteurs à tout quitter pour se mettre à leur compte. Ce n'est malheureusement pas tout le monde qui peut fonctionner aisément de cette façon. Il faut avoir une personnalité idoine et sentir une sorte de vocation. Si vous ressentez cet appel, aucun problème. Ce livre saura vous guider. Dans le cas contraire, **il vous permettra d'améliorer considérablement votre condition matérielle, sans compromettre votre sécurité fondamentale.**

Nous vous suggérons de lire ce bouquin d'abord d'un seul trait. Tous les chapitres vous intéresseront. Ils ont été conçus comme offrant une méthode progressive, c'est-à-dire que nous avons procédé par étapes, chaque étape conduisant à la suivante. Il est donc préférable de ne pas sauter de chapitre.

Après une première lecture, relisez-le, un crayon à la main. N'hésitez pas à vous y référer lorsque vous êtes en difficulté. Et même tout simplement pour vous rafraîchir la mémoire dès que vous en ressentez le besoin. Soulignez les passages et les principes qui ont retenu particulièrement votre attention.

Une deuxième remarque avant d'entreprendre la première étape. Si certains des conseils prodigués dans cet ouvrage vous paraissent originaux et surprenants, d'autres vous sembleront banals. Mais ne vous laissez pas duper par les apparences. Les dix grands hommes étudiés n'ont cessé de répéter ces conseils. Et surtout, ils n'ont cessé d'appliquer les principes qu'ils ont découverts. Mieux encore, c'est **dans la rigueur et l'intensité avec lesquelles ils ont appliqué ces principes qu'ils ont atteint le succès.** Vous devez faire de même si vous voulez améliorer votre condition financière. Alors, ne vous laissez pas rebuter par l'apparente simplicité de certains principes. Réfléchissez. Les appliquez-vous déjà? Font-ils vraiment partie de votre existence, de votre travail? Voilà sans doute une des meilleures dispositions d'esprit pour aborder la lecture de ce livre.

CHAPITRE 1

Par où commencer?

La condition sine qua non pour s'enrichir

La question qui figure en tête de ce chapitre (Par où commencer?) est sans doute celle qui vient le plus naturellement à l'esprit lorsqu'on veut s'enrichir, peu importe à quel degré, c'est-à-dire pour augmenter modestement ses revenus ou devenir carrément millionnaire. Par où commencer en effet? Le monde est si vaste. Et les questions qui se présentent à l'esprit sont si variées.

LA PREMIÈRE CONDITION EST DE CROIRE QU'ON PEUT S'ENRICHIR.

Cela peut vous sembler une vérité de La Palice, mais arrêtez-vous un instant pour y penser. L'éducation, la société, et notre propre conditionnement intellectuel, notre pensée, malheureusement en général plus teintée de négativisme que d'optimisme, nous inclinent à croire que la richesse, la belle vie, ce n'est que pour les autres. Il ne se passe pas une journée sans qu'on entende autour de soi des gens répéter qu'il ne faut pas rêver, qu'il faut être «réaliste», et d'autres formules du même acabit qui ont le plus déplorable des effets sur les esprits non prévenus. C'est d'ailleurs pour cette raison que le succès paraît réservé à une élite, et la richesse semble être une chasse gardée. Ce n'est pourtant pas le cas. Et si la richesse est une chasse gardée, ce n'est que dans l'esprit des gens qui s'en excluent eux-mêmes. De fait, il est évident que **tous ceux qui se sont enrichis ont d'abord cru qu'ils pouvaient le faire.**

Réfléchissez à cette pensée qui, comme nous vous avons prévenu dans l'introduction, peut sembler à première vue banale. Vous serez peut-être étonné des résultats de la brève introspection à laquelle nous vous suggérons de vous livrer. N'ayez pas peur d'aller en profondeur. En chaque être, il existe des régions d'ombre et de doute.

Non seulement vous devez vous convaincre profondément (nous découvrirons au prochain chapitre l'art merveilleux de l'autosuggestion) qu'il vous est possible de vous enrichir selon vos aspirations et vos besoins, mais qu'en plus, **c'est facile.** Beaucoup plus facile que vous ne le croyez. En fait, des dizaines d'occasions se présentent à vous tous les jours et vous passent sous le nez. Des idées lucratives traversent votre esprit sans que vous les saisissiez et surtout que vous les concrétisiez. Nous verrons comment développer votre flair et aiguiser la sorte de sixième sens financier qui a permis à tous les hommes riches d'amasser leur fortune. **Ces qualités, vous les avez en vous.** Seulement, vous ne connaissez pas leur existence et vous n'avez pas appris à les développer et à les utiliser.

Une autre observation vient tout naturellement se greffer à ce principe. Elle vous paraîtra surprenante. Et pourtant, elle est indéniable:

IL N'EST PAS PLUS DIFFICILE DE RÉUSSIR QUE D'ÉCHOUER.

Dans la vie de bien des gens (sinon de la grande majorité) **l'échec est devenu à leur insu une sorte d'habitude.** En fait, une habitude très puissante. Or, l'habitude devient véritablement une seconde nature. On s'attache à tout, même aux choses désagréables. Dans le cas d'une habitude d'échec, cela devient catastrophique. Il faut comprendre qu'au fond il n'est pas plus difficile d'avoir du succès. C'est tout simplement une programmation différente. Le subconscient n'y voit pas d'obstacle. Pour lui, le travail et l'effort sont les mêmes. Le programme est simplement différent. Arrêtez-vous un instant à y penser. Cela ne demande-t-il pas une opération fort complexe et un fantastique concours de circonstances pour arriver infailliblement à un échec, à chaque tentative qu'on entreprend? Pour ne pas voir toutes les bonnes occasions? Pour éviter de rencontrer toutes les personnes qui pourraient nous aider à gravir les échelons du succès? Pour juger mauvaises toutes les idées que nous avons et qui peuvent être infiniment lucratives? Pour faire à chaque moment les gestes qu'il faut pour échouer? Cela est aussi complexe. Votre subconscient n'y voit aucune difficulté supplémentaire. Dans le chapitre suivant, nous analyserons plus en détail le rôle infiniment important du subconscient dans le succès.

Pour vous aider à compléter votre introspection, voici une brève analyse des raisons (pour ne pas dire des excuses) qui sont généralement évoquées par ceux qui ne croient pas pouvoir s'enrichir.

C'était beaucoup plus facile avant!

Combien de fois n'entendons-nous pas répéter cette phrase? Chez certains, elle a quasiment valeur de dogme, elle excuse leur inaction et atténue, du moins à leurs yeux, leurs insuccès. Préjugé déplorable, s'il en est un, et qui se trouve démenti quotidiennement. Saviez-vous, en effet, que tous les jours, aux États-Unis, 40 personnes en moyenne deviennent millionnaires pour la première fois? Eh oui! 15 000 personnes par année joignent les rangs des millionnaires. En France et au Canada, l'enrichissement est légèrement inférieur, mais presque aussi spectaculaire. Ces chiffres portent à réfléchir, ne croyez-vous pas? Et si 15 000 personnes deviennent annuellement millionnaires aux États-Unis, combien y a-t-il de gens, à votre avis, qui atteignent le demi-million, ou le quart de million? Un nombre sans doute encore plus impressionnant.

Pourtant, la plupart des gens continuent de répéter que les conditions actuelles ne sont pas faciles, avec le chômage, l'inflation, et l'existence de multinationales omniprésentes qui accaparent tous les marchés. Autre préjugé erroné et que démentent, par exemple, les statistiques américaines. Ainsi, aux U.S.A., vers 1950, les petites entreprises étaient créées au rythme de 93 000 par année. En 1984, la création annuelle de petites entreprises s'élève au chiffre spectaculaire de 600 000. Ces nouvelles compagnies sont évidemment génératrices d'emplois et bénéficient à ceux qui ont le statut d'employés.

L'objection qui veut que c'était plus facile il y a 30 ou 50 ans, la plupart des gens qui ont réussi l'ont entendue, non seulement après avoir fait fortune, mais aussi à leur début. Heureusement, elle ne les a pas impressionnés. Jean-Paul Getty, dont nous découvrirons bientôt la fascinante existence, raconte dans son passionnant ouvrage *Devenir riche:*

«Toute personne qui a atteint le succès se fait régulièrement poser la même question par les gens qu'elle rencontre: «Comment moi — et toute autre personne — pourrions-nous aussi le faire?»

«Lorsque je leur raconte comment j'ai commencé à établir les bases de ma propre entreprise comme opérateur pratiquant le

forage sauvage il y a plus de quatre décennies, elles répliquent habituellement:

«Mais vous avez été chanceux, vous avez débuté vos affaires à une époque où il était encore possible de faire des millions, vous ne pourriez pas le faire aujourd'hui. Personne ne le pourrait.»

«Je ne puis m'empêcher d'être toujours confondu par la prédominance de cette attitude négative et, selon moi, erronée chez des personnes censément intelligentes. Assurément, il existe une masse énorme de faits prouvant que les jeunes gens dynamiques, imaginatifs et débrouillards ont plus d'occasions d'atteindre la richesse et le succès en affaires aujourd'hui que jamais auparavant dans notre histoire. D'innombrables jeunes hommes d'affaires éveillés et agressifs l'ont prouvé ces dernières années en faisant fortune dans une grande variété d'initiatives d'affaires.» D'ailleurs, Jean-Paul Getty confiera à un jeune auditoire, non sans une certaine nostalgie, qu'il aimerait être à leur place pour pouvoir tout recommencer à zéro, confirmant par là sa certitude qu'il est possible de devenir millionnaire aujourd'hui.

NON SEULEMENT EST-IL POSSIBLE MAIS IL EST PLUS FACILE DE DEVENIR RICHE AUJOURD'HUI QUE DANS LE PASSÉ.

Incidemment, tous les hommes qui ont réussi hier, réussiraient aujourd'hui, de la même manière, si ce n'est de façon encore plus spectaculaire. Comme nous le verrons plus loin, ce ne sont pas tant les circonstances extérieures (en tout cas, dans les sociétés libres) que l'attitude d'esprit et la force de caractère qui sont déterminantes dans le succès d'un homme. En fait, dans notre société, le changement est à ce point accéléré que les fortunes les plus prodigieuses, qui auraient pris dans le passé des décennies à se constituer, se bâtissent aujourd'hui en quelques années. Saviez-vous, par exemple, que la maison Apple, productrice des fameux ordinateurs, a un capital estimé à plus de un milliard sept cent millions de dollars (U.S.) après seulement sept années d'existence, et que son cofondateur et P.-D.-G., (détenteur de sept millions d'actions personnelles dans la société), Steven Paul Jobs, n'a que 27 ans! [1]

1. Au moment où nous écrivions ces lignes, la compagnie Apple connaissait certaines difficultés dues surtout à des problèmes de gestion. La rapidité de son succès n'en demeure pas moins étonnante.

Il est la preuve vivante que des fortunes colossales peuvent s'établir aujourd'hui encore et ce, à un rythme ahurissant. Les chiffres sont là pour prouver que le rêve est réalisable. Alors, **pourquoi en serait-il autrement pour vous?**

POURQUOI PAS VOUS?

Trouvez-nous une raison «raisonnable» pour laquelle vous ne pourriez pas faire de l'argent? En quantité importante?

Peut-être parce que, même si vous ne l'admettez pas ouvertement, vous pensez secrètement que...

Vous êtes trop jeune!

«Aux âmes bien nées, dit le vers fameux, la valeur n'attend pas le nombre des années.» L'exemple du P.-D.G. de Apple vient de vous prouver qu'on pouvait amasser plusieurs millions avant 30 ans. Jean-Paul Getty atteignit son premier million à l'âge de 23 ans. Quant à Steven Spielberg, l'actuel prince de Hollywood, le génial réalisateur de *Jaws, Close Encounter of Third Kind, (Les dents de la mer, Rencontre du 3ᵉ type)*, et *E.T.*, il devint milliardaire à 35 ans! Les exemples foisonnent de fortunes précoces. Que le jeune âge ne soit donc pas un obstacle. Il peut souvent être un atout. Votre manque d'expérience peut être compensé par votre audace, votre instinct et votre originalité.

Une des objections habituellement reliées au jeune âge est tout naturellement le manque d'expérience. On connaît l'embarrassant cercle vicieux: pour avoir de l'expérience, il faut travailler, mais pour pouvoir travailler, il faut avoir de l'expérience. Cependant, tous les employeurs ne partagent pas cette philosophie. Beaucoup font confiance à la jeunesse et sont prêts à donner leur chance à des jeunes. Plusieurs compagnies préfèrent assurer de façon complète la formation de leurs employés et ne se soucient guère qu'ils n'aient pas d'expérience adéquate. Quant à ceux qui entendent démarrer une affaire, et qui n'ont guère d'expérience, l'histoire montre que la plupart des hommes très riches ont, comme on dit, appris leur métier «sur le tas» et qu'ils n'avaient au départ aucune expérience.

Vous n'avez plus l'âge pour vous enrichir!

Savez-vous à quel âge Ray Kroc, le propriétaire de la chaîne McDonald, a commencé à faire beaucoup d'argent? À 50 ans passés. Cela peut surprendre. Mais une chose est certaine. S'il avait abandonné à 45 ans, s'il avait cessé de rêver et de croire en sa bonne étoile, non seulement n'aurait-il jamais été connu, mais il ne serait jamais devenu riche. Son exemple, que nous aurons l'occasion d'approfondir, a quelque chose l'éloquent, surtout pour ceux qui considèrent que, passé un certain âge, les chances de succès sont nulles. Malheureusement, des gens encore fort jeunes se considèrent trop vieux pour réussir. Ils ont l'impression qu'il n'y avait qu'un train et qu'ils l'ont raté. D'ailleurs, c'est un peu la réaction qu'ont les gens devant un succès tardif, comme celui de Ray Kroc. Ce dernier s'en confie, d'ailleurs, dans son autobiographie qu'il rédigea à la fin de ses jours et dans laquelle il expose sa philosophie de la vie qui place la persévérance au-dessus de tout, même du talent et du génie:

«Les gens sont émerveillés devant le fait que je n'ai pas commencé McDonald avant l'âge de 52 ans et que j'ai réussi du jour au lendemain. Mais j'étais simplement comme beaucoup de ces personnalités du monde du spectacle qui travaillent leur numéro dans l'ombre pendant des années, puis, soudainement, l'occasion se présente et c'est la gloire. Ce fut pour moi le succès du jour au lendemain, c'est exact, mes 30 ans de préparation représentent une longue, longue nuit!»

Dans son ouvrage *Les milliardaires,* Max Gunther fait, au sujet de la relation entre l'âge et le succès, une réflexion intéressante qui en surprendra plus d'un:

«Il se trouve, en règle générale, que les hommes qui ont connu de grandes réussites ont tendance à être des retardataires. L'attrait du succès existait probablement déjà en eux durant la période scolaire, mais elle n'a pas trouvé à s'exprimer dans l'atmosphère de l'école. Ils ont tendance, dans la meilleure des hypothèses, à être des enfants tranquilles, et, dans la pire, des cancres à l'école. Ce n'est que dans la troisième décennie de leur vie, entre 20 et 30 ans, que la plupart montrent les signes qui vont les différencier des autres. Il en est même qui somnolent jusqu'à l'approche de la quarantaine.»

Ces deux citations contiennent de grands enseignements que nous aurons l'occasion de développer dans les pages qui suivront. La confidence de Ray Kroc est évidemment un éloge de la persévérance. Mais cela en explique surtout les mécanismes secrets. **Dans une réussite, rien n'est le fruit du hasard.** Bien souvent, comme nous le verrons, une réussite spectaculaire suit un échec ou une série d'échecs. Dans presque tous les cas, c'est ainsi. Seulement voilà, les échecs qui précèdent l'accession au succès et à la fortune ne retiennent guère l'attention et sont vite oubliés. Il en est de même des longs efforts préparatoires au succès qui demeurent souvent obscurs. D'où l'impression, du reste fautive, que la fortune est venue du jour au lendemain.

Quant aux réflexions de Max Gunther, elles sont encourageantes, et montrent non seulement qu'on peut réussir tardivement, mais que bien des hommes qui ont réussi n'ont pas manifesté précocement leurs dispositions à faire de l'argent, ayant été des enfants souvent considérés «lents». Une enquête conduite par Napoléon Hill, auprès de milliers d'hommes, a établi que la plupart d'entre eux commençaient vraiment à faire de l'argent à partir de 40 ans. Que ceux qui n'ont pas encore réussi à cet âge se rassurent. C'est peut-être précisément à ce moment qu'ils commenceront à récolter les fruits de leurs efforts antérieurs.

Mais les vicissitudes de l'âge, nous objecterez-vous? La maladie, par exemple, n'est-elle pas un obstacle au succès? Bien entendu, elle peut l'être dans une certaine mesure. Mais permettez-nous de citer à nouveau Ray Kroc. Sa confession est ici extrêmement émouvante et devrait redonner courage à bien des gens.

«En revenant à Chicago, en ce jour fatidique de 1954, j'avais dans ma serviette un contrat fraîchement signé par les frères McDonald. J'étais un vétéran couvert de cicatrices, reliquats de la guerre des affaires, et néanmoins impatient d'entrer en action. J'avais 52 ans, j'étais diabétique, et souffrais d'un début d'arthrite. Lors de mes campagnes précédentes, j'y avais laissé ma vésicule biliaire et la majeure partie de ma glande thyroïde. Mais j'étais convaincu que mes meilleures années étaient encore devant moi.»

Avant de vous dire que vous êtes trop vieux pour réussir ou que vos ennuis de santé sont vraiment sérieux, relisez au moins une fois cette citation. Elle agira à la manière d'un tonus. Ray Kroc est mort à 75 ans et fut actif jusqu'à la veille de son décès. Le travail ne tue pas. L'oisiveté, elle, est souvent mortelle, comme en font foi les fréquents décès de ceux qui prennent prématurément leur retraite. Il est du reste de nombreux cas d'hommes et de femmes qui ont entrepris sur le tard une deuxième ou une troisième carrière fort lucrative, parfois la plus lucrative de toutes celles qu'ils avaient entreprises jusque-là. **Ne croyez donc jamais que vous êtes trop vieux. Ne faites pas en sorte que votre avenir soit derrière vous.** Peu importe votre âge, même s'il est très avancé, **chaque jour nouveau,** pour reprendre la vieille formule, **doit être le premier jour de tous ceux qu'il vous reste à vivre.** Vu sous cet angle, l'âge devient un facteur secondaire. D'ailleurs, les dix hommes que nous avons étudiés, à l'exception de Steven Spielberg qui est encore jeune, ont travaillé très tard dans leur vie.

NE FAITES PAS EN SORTE QUE VOTRE AVENIR SOIT DERRIÈRE VOUS.

Les années que vous avez vécues, les expériences que vous avez accumulées, même si certaines furent des échecs, sont un héritage dont vous sous-estimez probablement la valeur. Dans le best-seller international *Le plus grand vendeur du monde,* un passage inspiré traite de ce sujet. Nous nous permettons de le citer:

«Je vivrai ce jour comme si c'était mon dernier jour.

«Et que ferai-je de ce précieux jour qui me reste à vivre? Avant tout, je scellerai ce contenant afin que nulle goutte de vie ne se perde dans le sable. Je ne gaspillerai pas un seul moment de cette journée à me lamenter sur les malheurs d'hier, les défaites d'hier, les tourments d'hier, car le bien ne sort-il pas du mal?

«Le sable peut-il remonter dans le sablier? Le soleil peut-il se lever où il se couche? Et se coucher où il se lève? Puis-je effacer les erreurs d'hier et puis-je les corriger? Puis-je guérir la blessure d'hier et redevenir en bonne santé? Puis-je être plus jeune qu'hier? Puis-je annuler les mauvaises paroles qui ont été dites, les coups qui ont été assenés, les souffrances qui ont été infligées? Non! Hier est mort et enterré à jamais et je n'y penserai plus jamais.

«Je vivrai ce jour comme si c'était mon dernier jour.»

Je n'ai pas de capital!

Cette objection, combien de gens l'ont répétée? Pour plusieurs qui souhaitent monter une affaire, elle paraît être un obstacle majeur. Et pourtant, saviez-vous qu'à leur début les dix hommes les plus riches du monde n'avaient à peu près pas un sou en poche? (Faisons immédiatement les précisions suivantes. Aristote Onassis est issu d'une famille riche, cependant il ne jouit jamais de l'argent paternel. Getty, il est vrai, hérita de son père d'un demi-million de dollars, mais lorsqu'il put disposer de cette somme il était déjà devenu millionnaire. Du reste, si on compare cette somme à la fortune immense qu'il a accumulée, on peut continuer de dire que, d'une certaine manière, il est parti de rien.) Et pourtant, ce manque d'argent ne fut pas un obstacle pour ces hommes. Certains, il est vrai, avaient amassé un pécule de départ de 3 000$ ou 5 000$, comme Conrad Hilton. Mais qui est incapable d'économiser une somme si dérisoire, aujourd'hui? De fait, non seulement l'expérience des dix hommes richissimes mais celle de milliers de millionnaires a démontré hors de tout doute que **l'argent ne comptait pas au début.** Ce qui importe, c'est de trouver une bonne idée et d'avoir la bonne attitude d'esprit, deux points que nous développerons subséquemment.

Je n'ai pas assez d'instruction!

À part quelques exceptions, tel Jean-Paul Getty qui fut diplômé d'Oxford, la prestigieuse université d'Angleterre, les hommes riches dont nous avons étudié les vies ne bénéficiaient pas d'un haut niveau de scolarisation. Même, la plupart furent des «cancres». Certains nourrissaient à l'endroit des écoles et des universités une aversion véritable qui ne les quitta pas même à l'âge adulte. Des milliers d'hommes ont réussi à s'enrichir avec un bagage scolaire fort restreint. Par contre, comme nous le verrons plus tard, **s'ils n'étaient pas «instruits»**, au sens traditionnel du terme, **ils connaissaient à fond la branche d'activité dans laquelle ils ont fait fortune.** Nous reviendrons ultérieurement sur cette distinction capitale.

Parallèlement au manque d'instruction, on invoque souvent l'absence de talent ou le sentiment de ne pas être assez intelligent. Ces pensées doivent être combattues vigoureusement. **Tout le monde a au moins un talent, une passion, un hobby qui peut devenir lucratif s'il est utilisé correctement.** Nous verrons comment. Et quant à votre potentiel intellectuel, **ne faites jamais l'erreur,** infiniment préjudiciable — c'est l'erreur la plus coûteuse que vous puissiez faire — **de croire que vous n'êtes pas assez intelligent.** Simplement vous n'utilisez pas adéquatement votre intelligence. Chaque être humain dispose d'un potentiel considérable mais n'en exploite en général qu'une infime partie. **Les hommes qui sont devenus riches ont appris à utiliser leurs pouvoirs intérieurs.** Ils ont surtout appris à utiliser une capacité accessible à tous. Dans son ouvrage *Les faiseurs d'argent,* Dominique Frischer abonde dans notre sens pour ce qui a trait aux facultés intellectuelles des hommes qui ont réussi. Voici ce qu'elle en dit: «Par modestie peut-être, nul ne prétend posséder une intelligence supérieure ou ne se décrit comme un surdoué que seule la fatalité a empêché de devenir un génie universel. Aucun ne prétend disposer de cette intelligence méthodique qui va de pair avec la rigueur intellectuelle apprise dans les universités pour expliquer leurs succès, mais tous se réfèrent à une qualité de perception plus instinctive, plus irrationnelle: l'intuition.» Dans *What they don't teach you at Harvard Business School,* Marck McCormack rapporte l'anecdote suivante qui, en plus d'être amusante, est fort instructive et saura sans doute enlever des complexes à bien des gens: «Vous connaissez l'histoire des deux amis qui se rencontrent, dans la rue, après s'être perdus de vue pendant 25 ans. L'un, sorti premier de sa promotion, était maintenant sous-directeur d'une succursale de banque. L'autre, dont l'intelligence n'avait jamais émerveillé personne, possédait sa propre firme et était plusieurs fois millionnaire. Lorsque son ami lui demanda le secret de son succès, il dit que c'était tout simple. «J'achète un produit 2$ et le revends 5$. C'est étonnant tout l'argent qu'on peut faire sur une majoration de 3$.»

Et l'auteur conclut: «Je n'ai aucun préjugé contre l'intelligence, ou même contre les diplômes d'études supérieures, mais tout cela ne peut remplacer le bon sens, l'intuition psychologique ou la sagesse populaire.»

On ne peut en dire autant de tous les hommes riches que nous avons étudiés. Certains ont une aversion marquée contre les diplômes d'études supérieures. Ainsi, Soïchiro Honda, qui abandonna l'école fort jeune mais suivit sur le tard des cours universitaires pour parfaire certaines connaissances (notons cependant qu'on ne lui décerna jamais de diplôme car il refusait de passer les examens, estimant que son industrie lui faisait passer les véritables examens. Mais devant ses succès spectaculaires, un de ses professeurs avouera plus tard qu'Honda fut sa plus grande erreur pédagogique.). Honda semblait cependant se soucier comme d'une guigne des diplômes dont il dira dans son autobiographie: **«Un diplôme est moins utile qu'un ticket de cinéma. Avec un ticket de cinéma, vous pouvez au moins entrer dans la salle et passer une bonne soirée; mais avec un diplôme, vous n'êtes pas sûr du tout de pouvoir entrer dans la vie.»**

Thomas Edison avait une troisième année. Son professeur, dont le nom ne fut pas retenu par la postérité, était absolument convaincu que son jeune élève était dépourvu totalement d'intelligence. Pourtant, Edison devint l'un des plus grands inventeurs de l'humanité. S'il s'en était tenu au jugement de son «brillant» professeur, non seulement son destin n'aurait-il pas été le même, mais sans doute celui de l'humanité tout entière, et peut-être liriez-vous actuellement cet ouvrage à la lumière d'une bougie! Edison avait la tête dure, comme on dit, et sa mère croyait en son talent. Ce n'est malheureusement pas le cas de tout le monde. Combien de gens ont vu leur vie littéralement gâchée par la remarque désobligeante (et totalement injustifiée) d'un professeur, d'un parent, ou d'un prétendu ami? Dans le chapitre suivant, nous étudierons les mécanismes secrets de l'esprit et nous verrons comment nous pouvons nous recréer une image de nous totalement nouvelle et conforme à nos aspirations profondes, car chacun peut aisément développer une personnalité d'homme riche.

Faut-il avoir un talent inné pour devenir riche?

Nombre de personnes se conditionnent négativement et se persuadent qu'elles n'ont pas ce qu'il faut pour échapper à la médiocrité de leurs conditions. D'ailleurs, elles justifient — et malheureusement acceptent — leur insuccès en se disant que, de toute façon, elles sont nées sous une mauvaise étoile, tandis que d'autres sont nées pour être riches. La pauvreté semble être une tradition dans leur famille, pour ne pas dire un atavisme, un trait qui revient d'une génération à l'autre, comme la couleur des yeux ou des cheveux. On est pauvre de père en fils. Il faut dire, à la décharge de ces gens, qu'il est parfois plus difficile d'imaginer qu'on puisse un jour être riche lorsqu'on est issu d'un milieu très modeste. L'image que l'on se fait de soi et de la vie en général est souvent teintée de pessimisme. Les modèles qui nous entourent ne sont pas toujours très inspirants, à moins qu'ils ne servent de repoussoir. Cependant, il faut préciser que plusieurs hommes riches sont issus de familles très pauvres. On n'a qu'à penser au destin d'un des acteurs les plus riches de l'histoire, Charles Chaplin, qui passa son enfance à errer pauvrement dans les rues de Londres. L'humiliation de la pauvreté, le contact précoce avec les dures réalités de la vie ont été dans bien des cas un levier extrêmement puissant. Dans plusieurs vies est intervenue ce qu'il est convenu d'appeler la frustration créatrice sur laquelle nous aurons l'occasion de revenir.

L'aptitude à faire de l'argent n'est pas une disposition innée. Elle s'acquiert. Elle s'apprend. L'homme le plus riche du monde à une époque, Jean-Paul Getty, fait d'ailleurs à ce sujet un aveu fort éclairant dans son ouvrage *How to be a successful executive* dont nous vous offrons la traduction la plus fidèle possible: «**Ne me comprenez pas mal. Je ne cherche d'aucune manière à dire que nous naissons homme d'affaires au lieu de le devenir. Je serais la dernière personne au monde à avancer une telle théorie, car mon propre exemple et mon expérience m'indiquent que le contraire est probablement vrai. De toute évidence, je n'étais pas un homme d'affaires-né.** (C'est nous qui soulignons.) C'est même le contraire qui serait vrai. Je n'ai pas manifesté de désirs précoces ou d'énergie — ou de talent — pour être un homme d'affaires.»

L'aveu, on en conviendra, a quelque chose de surprenant dans la bouche de cet homme appelé à devenir l'homme le plus riche du monde. L'accent de sincérité est indéniable. On ne sent là aucune coquetterie ou fausse modestie. La leçon que chacun doit tirer de cette confession est la suivante: **si l'homme le plus riche du monde avoue n'avoir joui d'aucune disposition innée pour faire fortune, c'est donc que ce manque de talent initial ne saurait en**

aucune façon être préjudiciable à qui que ce soit. Si, sans aucun talent à la naissance, un homme a pu accumuler une telle fortune, vers quels sommets pourront accéder ceux qui se sentent des dispositions précoces?

Je n'ai pas l'énergie nécessaire!

Cette excuse est également fréquente. Et elle peut sembler à première vue tragique, en tout cas, insurmontable. En effet, toute action, toute entreprise demandent un minimum d'énergie, surtout psychique. Un faible niveau d'énergie a inévitablement pour corollaire une faible motivation. Nous semblons être en présence d'un cercle vicieux auquel il est impossible d'échapper. Mais, **il suffit d'une toute petite étincelle initiale pour faire exploser la dynamite mentale qui dort en chaque être.** L'énergie de chaque être est prodigieuse. Seulement, chez certains êtres, elle n'est pas éveillée. Elle dort, attendant simplement d'être stimulée. C'est la seule différence entre les gens qui réussissent, qui attirent l'argent comme un véritable aimant, et ceux qui échouent dans toutes leurs entreprises ou ne connaissent que des succès mitigés. Dans le prochain chapitre, nous découvrirons les clés secrètes pour éveiller l'énergie latente en chaque individu. Nous décrirons l'art subtil de cultiver la volonté, la motivation, la force intérieure. Toutes ces qualités sont plus aisément accessibles que vous ne croyez. Elles sont nécessaires car tous les hommes dont nous avons étudié les vies ont appris à développer ces qualités et ils les ont manifestées au plus haut point. Pour avoir du succès, pour s'enrichir, tout homme doit être énergique. **Le niveau de votre enrichissement et sa rapidité sont directement proportionnels à votre énergie.**

La peur de l'échec!

De toutes les peurs, la peur de l'échec est sans doute une des plus puissantes et, malheureusement, des plus répandues. Cette peur paralyse toute action. Elle a souvent des origines profondes chez ceux qu'elle atteint: les échecs passés, un manque de confiance inculqué inconsciemment par les parents, un pessimisme généralisé. Cette crainte parfois exprimée clairement est la plupart du temps inconsciente et prend des masques fort subtils. Ainsi le sujet n'avouera pas qu'il a peur d'échouer dans ses tentatives de s'enrichir. Il dira plutôt qu'il ne faut pas rêver en couleur, qu'il n'y a que les naïfs qui croient en des sornettes telles que des livres traitant de la richesse. Ces individus paralysés par la peur de l'échec et souvent par la peur pure et simple sont en général des champions de l'excuse. Sans doute feraient-ils un best-seller s'ils écrivaient un livre intitulé: *Comment trouver une bonne excuse!*»

Ils ont des obligations familiales, ils n'ont pas le temps, ils ont déjà suffisamment de problèmes avec leur emploi actuel... S'ils sont sans emploi, ils n'espèrent guère en trouver un, il y a des milliers de gens dans leur situation, plus doués, plus expérimentés qu'eux... Ils n'ont jamais eu de chance... Il faut dire qu'ils sont nés sous une mauvaise étoile... Et encore, s'ils avaient des relations... Si leur patron pouvait les remarquer... Si quelqu'un pouvait les aider à commencer... S'ils pouvaient trouver une bonne idée... S'ils n'avaient pas déjà tant de soucis financiers...

En fait, cette liste pourrait s'allonger quasi indéfiniment. Voilà autant de déplorables symptômes de ce que l'on pourrait appeler plaisamment «l'excusite». Affection fort courante, qui traduit de différentes manières cette maladie dévastatrice qu'est la peur de l'échec.

Évidemment, **si vous n'entreprenez rien, vous ne risquez guère de subir un échec. Mais vous ne risquez pas non plus de connaître le succès.** Car le succès n'arrive pas ainsi, comme par miracle. Il est toujours le résultat d'une action ou d'une attitude mentale positive. Les gens ont en général une mauvaise philosophie de l'échec. **Saviez-vous que les dix hommes riches ont tous connu l'échec un jour ou l'autre dans leur vie?** Saviez-vous que Thomas Edison dut faire dix mille tentatives avant de mettre au point l'ampoule électrique? Saviez-vous qu'Abraham Lincoln échoua dix-huit fois avant de devenir président des États-Unis? Ceci dit, il ne faut évidemment pas croire que nous voulons faire l'éloge de l'échec. Tout échec peut être instructif, du moins si on l'accueille avec l'attitude d'esprit voulue. Et dans toute entreprise humaine, une part d'échec est inévitable. Cependant, comme nous le verrons dans le chapitre II, l'échec est bien souvent le résultat d'une mauvaise programmation mentale.

Pourquoi avez-vous échoué jusqu'à maintenant?

Une des raisons les plus fréquentes de la peur de l'échec, qui est si paralysante, est que le sujet a échoué, ou tout au moins a l'impression d'avoir échoué dans tout ce qu'il a entrepris jusque-là. **Chaque nouveau revers a constitué un renforcement du sentiment d'échec et a sapé davantage la confiance.** Ces expériences contribuent dans bien des cas à créer une personnalité de perdant. Du reste, cette personnalité de perdant (ce que les Américains appellent un *loser*) a elle-même souvent été à l'origine de ces échecs, la cause et l'effet étant ici pour ainsi dire confondus, l'un entraînant l'autre, et en étant le produit. On commence par avoir des échecs, puis on développe une personnalité à échecs, qui à son tour entraîne presque infailliblement de nouveaux échecs. Échecs qui à leur tour renforcent cette personnalité qui devient une véritable seconde nature, si profondément ancrée que le sujet chez qui le mécanisme a opéré ne s'en rend même plus compte et qu'il croira que la vie en général est ainsi faite et qu'elle n'apporte qu'échecs et frustrations. Ceux qui ne partagent pas son avis sont souvent à ses yeux des hypocrites ou des imbéciles heureux, à moins qu'ils ne soient que les très rares exceptions qui confirment cette règle absolue. Il est vrai que dans notre monde les forces négatives sont puissantes et exercent un pouvoir obnubilant sur la majorité des gens. D'où le malheur et la pauvreté. Mais il existe un cercle de gens épanouis qui contrôlent leur destin. Les *happy few*. Et à la vérité, il n'en tient qu'à vous de vous joindre à ce cercle. D'une certaine façon, **cet ouvrage est une initiation, qui vous permettra, de devenir un membre à part entière du cercle des gens qui attirent à volonté vers eux toutes les richesses de l'existence.**

Pourquoi avez-vous échoué jusqu'à maintenant? Peut-être parce qu'au tréfonds de votre être, dans les méandres de votre subconscient, vous le désiriez. Si c'est le cas, si le succès auquel vous avez droit vous a échappé, demandez-vous si vous croyez vraiment pouvoir vous en sortir, si vous ne vous sentez pas condamné à l'avance à une sorte de médiocrité permanente. Dans le chapitre qui démontre les caractères de l'esprit, nous apprendrons à accomplir cette introspection. Ceci dit, peu importent les résultats de cette analyse, n'ayez aucune inquiétude. Ce qu'il y a de rassurant avec le subconscient, c'est qu'**aucune programmation n'est irréversible. Même la plus puissante et la plus profonde programmation négative peut être transformée. Rapidement. Et complètement.** Vous pourrez devenir le maître de votre esprit, vous deviendrez le maître de votre destin. Il existe dans le monde une loi mystérieuse et secrète qui ne paraît souffrir aucune exception. Chaque esprit doit avoir un maître. Si vous n'êtes pas le maître de votre esprit, quelqu'un prendra votre place, et sera votre maître. Il en est de même avec la vie. Avec **votre** vie. **Si vous ne dominez pas votre vie, c'est elle qui vous domine.** Et toute maîtrise vient de l'esprit. Alors, **à vous de choisir.** Vous aurez bientôt tous les instruments nécessaires pour le faire.

Nous venons donc de passer en revue les différentes raisons qui, en général, vous empêchent de croire que vous pouvez vous enrichir. Bien sûr, il y en a d'autres, mais ce répertoire n'a aucunement la prétention d'être exhaustif. Cependant, dites-vous bien que toutes ces raisons en apparence bien plausibles, bien sérieuses, ne sont que des prétextes, des excuses.

Vous serez probablement surpris des résistances intimes que vous rencontrerez. Il y a à cela une raison bien précise: il semble y avoir, en chacun des êtres qui ne font pas partie du cercle des gagnants, un mystérieux démon maléfique qui empêche de percevoir les raisons de l'échec et de la pauvreté. Ce démon n'a pas une existence réelle. Loin de nous l'intention de verser dans la magie. Pourtant, certaines personnes paraissent se jeter de véritables sorts en se répétant, par exemple, qu'elles ne peuvent s'en sortir, qu'elles n'ont pas de chance, qu'elles resteront pauvres toute leur vie. Dans le chapitre sur le subconscient, la puissance des mots, la force du monologue intérieur que se tiennent la plupart des êtres sont clairement démontrées, de même que la manière de les utiliser à bon escient, à son avantage.

Établissez maintenant la liste des excuses qui vous ont empêché de réussir jusqu'à maintenant. L'important est d'être parfaitement honnête avec soi. Cette étape, la première, est absolument essentielle. **Il s'agit en quelque sorte de faire table rase de toutes les croyances anciennes qui vous poussent à penser que la richesse n'est pas aisément accessible.** Comme Descartes le fit avant d'établir les principes de la philosophie moderne, usez du doute systématique. C'est un déblayage nécessaire.

Liste des raisons (excuses)

____

____

____

____

____

____

____

____

Maintenant que vous avez chassé de votre esprit tout doute, que vous croyez que vous pouvez vous enrichir (vous verrez que vous en serez de plus en plus convaincu à mesure que vous progresserez dans votre lecture) vous devez prendre conscience d'un autre principe de base. Encore une fois, il vous paraîtra sans doute banal à première vue, et peut-être vous demanderez-vous pourquoi diable nous vous servons de pareilles lapalissades. Mais attendez. Retenez votre jugement. Voici ce principe.

VOTRE SITUATION NE S'AMÉLIORERA PAS
SI VOUS NE FAITES RIEN.

La plupart des gens vivent avec la pensée, de type plus ou moins magique, que les choses s'arrangeront, qu'ils finiront par se débarrasser de leurs problèmes d'argent. Ils attendent plus ou moins un miracle. Ils auront peut-être une augmentation de salaire de 5% ou de 10%, si leur patron le veut bien. S'ils sont au chômage, ils espèrent vaguement qu'on viendra les chercher en leur offrant l'emploi idéal sur un plateau d'argent. Devant leurs envies d'argent, que font la plupart des gens? Certains empruntent, ce qui ne règle pas leur situation. Au contraire, ils s'enfoncent davantage. D'autres patientent et, comme on dit, se «serrent la ceinture». **Au lieu d'adapter leurs revenus à leurs besoins, ils adaptent leurs besoins à leurs revenus, généralement maigres.** En fait, ils comprendront bientôt que non seulement ils peuvent, mais ils **doivent** faire tout à fait le contraire: **au lieu d'adapter vos besoins à vos revenus, vous pouvez adapter vos revenus à vos besoins.**

Au lieu de chercher à infléchir le monde au gré de leurs désirs, ils restreignent leurs désirs aux «contraintes» du monde. Cette philosophie passive et attentiste (on attend plus ou moins un miracle) est caractéristique de bien des destins. Du reste, l'extraordinaire et constante popularité des loteries n'est-elle pas la plus belle preuve de cette attitude? Donc, **votre situation ne s'améliorera pas d'elle-même. Vous devez agir.** Prendre des mesures précises. Et changer votre attitude.

N'OUBLIEZ PAS: VOTRE SITUATION
NE S'AMÉLIORERA PAS D'ELLE-MÊME
COMME PAR MAGIE.

Pour améliorer votre situation financière, pour dénicher un emploi si vous êtes au chômage, pour obtenir une augmentation de salaire, pour doubler rapidement votre revenu ou pour devenir millionnaire, et pourquoi pas milliardaire, il est une condition essentielle: **il faut désirer ardemment une amélioration.** Cela doit devenir ce que certains auteurs ont appelé **votre obsession magnifique.**

Un désir puissant exerce une véritable magie pour attirer l'argent. D'ailleurs, on peut établir sans hésitation l'équation suivante: **la rapidité et l'ampleur du succès sont généralement directe-**

ment proportionnelles à l'intensité et à la constance de votre désir. Retenez bien ces deux mots: **intensité et constance.** Napoléon a dit: «Ce que l'on désire ardemment, constamment, on l'obtient toujours.» Il savait de quoi il parlait. D'ailleurs, **tous les grands hommes ont été avant toute chose des hommes de désir et de volonté.** Leur succès, ils l'ont désiré ardemment, plus que toute chose au monde. Ils en ont fait une sorte d'idée fixe. Jusqu'à ce qu'ils atteignent leur but. Peu importent les obstacles qui se sont dressés sur leur route.

Bien des gens échouent dans leurs tentatives pour s'enrichir et croient cependant désirer réellement une amélioration. C'est qu'**ils confondent le souhait et le désir.** Incidemment, le souhait est beaucoup plus répandu. Le souhait est faible, changeant, passif, attentiste. Il ne débouche pas sur une action concrète. Il ne suffit pas à secouer la procrastination, c'est-à-dire la tendance à toujours remettre à plus tard, souvent aux calendes grecques! Le désir, lui, engendre l'action. Il ne souffre pas de délai. Il franchit les obstacles. Il donne des ailes. Si vous avez échoué jusqu'ici dans vos tentatives d'enrichissement, posez-vous la question: **N'avez-vous pas confondu le désir et le souhait?**

Un sage à qui un disciple demandait ce qu'il fallait faire pour obtenir la sagesse l'amena au bord d'une rivière et lui plongea la tête dans l'eau. Au bout de quelques secondes, le disciple commença à manifester des signes d'inquiétude et à se débattre, car il craignait la noyade. Mais le sage retint la tête de son disciple sous l'eau. Ce dernier se débattit de plus bel. Le sage relâcha enfin son disciple, juste avant qu'il ne se noie, et lui dit: «Lorsque tu étais sous l'eau, quelle était la chose au monde que tu désirais le plus?» «Respirer», répondit le disciple. «Eh bien! c'est ainsi que tu dois désirer la sagesse.»

Cette image peut s'appliquer parfaitement à la richesse. Surtout pour celui qui veut devenir très riche. **La vie vous donne ce que vous lui demandez sincèrement.** Si vous vous contentez d'une situation médiocre, vous resterez dans cette situation. Personne ne viendra miraculeusement à votre secours pour vous remettre gracieusement un million de dollars ou l'emploi idéal. Si vous ne souhaitez que vaguement une légère amélioration, vous obtiendrez rien de plus, si tant est que vous l'obteniez.

Beaucoup de millionnaires ont connu une enfance difficile. Ils ont parfois souffert cruellement de la pauvreté. Ils se sont sentis humiliés par leur infériorité sociale. Leur désir de s'en sortir et de ne plus jamais souffrir de la pauvreté était si intense qu'il les a transportés vers les sommets de la richesse.

L'insatisfaction et la frustration de ces êtres sont devenues hautement productives. Il peut en être de même pour vous. D'ailleurs, si vous lisez cet ouvrage, c'est que vous n'êtes pas parfaitement satisfait de votre situation. Il n'y a pas de honte à cela. Tout au contraire, il y a une noblesse véritable et profonde dans l'insatisfaction de tout être. Il n'y a que les imbéciles ou les grands sages qui soient parfaitement heureux. Comme nous n'en sommes pas là, il ne faut pas avoir peur de laisser percer au grand jour son insatisfaction. Il est parfaitement légitime d'aspirer à une situation plus enviable. **Le désir que vous portez en votre coeur, le rêve que vous caressez, fait partie de vous-même. C'est même la partie la plus noble de votre être. C'est votre idéal.** Aussi, n'ayez pas honte de votre insatisfaction. Elle est le ferment de votre rêve. Mais que votre rêve ne reste pas velléitaire, stagnant. Qu'il devienne à son tour le ferment de votre action!

Au nom d'une prétendue rationalité, d'un pseudo-réalisme qui n'est au fond que passivité, lâcheté et défaitisme, bien des êtres renoncent trop vite à leurs rêves et à tout ce que leur dicte leur coeur.

Les rêves qu'on porte en son coeur, on n'ose généralement pas leur donner la chance de se réaliser, à cause de toutes les raisons évoquées plus haut, les excuses sans fondement réel, et parce que **notre éducation, notre société tout entière nous ont habitués à nier nos désirs profonds.**

Le grand écrivain Balzac, qui vécut son rêve littéraire jusqu'au bout, écrivit un jour cette phrase éblouissante: «Je fais partie de l'opposition qui s'appelle la vie.»

Celui qui a cessé de rêver, celui qui a nié le désir profond de son coeur, a cessé de vivre, il est mort. Que cela ne soit pas votre cas. Faites partie vous aussi de l'opposition qui s'appelle la vie! Transformez votre existence en osant vivre vos rêves jusqu'au bout et vous laissant transporter par les ailes puissantes de votre désir!

Cette philosophie vous semblera peut-être naïve. Et, d'une certaine manière, nous admettons qu'elle le soit. Mais sans cette naïveté, sans cette innocence du rêve, rien de grand n'aurait été accompli en ce monde. Ford n'aurait pas inventé l'automobile, l'homme ne volerait pas, le cinéma n'aurait pas été créé... Le sérieux, la rationalité, le manque de «naïveté» sont le plus grand obstacle au succès. Comprenez-nous bien. Nous ne prêchons pas en faveur de l'extravagance ou de l'insouciance. Mais à l'origine de toute grande découverte, de toute réussite exceptionnelle (la vie des dix hommes les plus riches du monde l'a prouvé) il y eut un rêve, un désir. Ensuite, la rationalité, le sérieux peuvent intervenir, ils sont nécessaires. Mais il ne faut pas mettre la charrue avant les boeufs. **Il faut commencer par rêver et écouter les désirs profonds de son coeur.**

En résumé, il existe donc trois conditions de départ pour s'enrichir:

- 1. CROIRE QU'ON PEUT S'ENRICHIR.
- 2. PRENDRE CONSCIENCE QUE NOTRE SITUATION NE CHANGERA PAS COMME PAR MAGIE SI NOUS NE FAISONS RIEN.
- 3. DÉSIRER ARDEMMENT UNE AMÉLIORATION.

Croire, nous l'avons vu, est la première condition du succès. **Il faut croire que l'on peut atteindre le succès et la richesse. Il faut croire en soi.** La puissance de l'autosuggestion est une aide précieuse pour bâtir sa propre confiance. Et elle sera d'une utilité tout aussi grande lorsque viendra le temps de croire en son projet ou encore dans les moyens à utiliser pour s'enrichir.

Pourquoi est-il si nécessaire de croire en votre projet? Simplement parce que si vous-même n'y croyez pas, il est peu de chances pour que vous puissiez convaincre les autres d'y croire. En outre, le succès nous est rarement offert sur un plateau d'argent, et les obstacles à surmonter, les difficultés inévitables, les efforts soutenus nécessitent une bonne dose de foi pour conduire au succès. Dans vos entreprises, dans vos projets, que ce soit à votre compte ou pour un autre, vous pouvez même établir comme règle de conduite le principe suivant: **Si vous n'y croyez pas vraiment, intégralement, ne vous y engagez pas.**

Vous échouerez de toute façon. Il faut une adhésion totale de tout son être pour atteindre le succès. Ceci ne signifie pas que le projet dans lequel vous ne croyez pas est nécessairement mauvais en soi. Mais si vous n'y croyez pas vraiment, vous ne saurez mobiliser les énergies qui, en d'autres temps, vous feraient connaître le succès. Votre connaissance des lois de l'esprit vous permettra d'ailleurs de comprendre pour quelle raison. Lorsque vous ne croyez pas totalement en un projet, le programme que vous soumettez à votre esprit subconscient est équivoque, flou, et parfois même contradictoire. Les résultats seront à l'image même de votre programmation. **Demi-conviction engendre demi-succès: demi-échec.** Le doute trouve sa manifestation dans la médiocrité du résultat.

Tous les hommes qui ont réussi ont appris à bannir le doute et ont manifesté une faculté de croire exceptionnelle, et ce en dépit de l'opinion de leur entourage. Un des plus beaux exemples de ce principe est sans doute celui d'Henry Ford. Un jour, il rêva à un moteur dans lequel les huit cylindres ne formeraient qu'un seul bloc. Mais tous ses ingénieurs conclurent que ce projet était irréalisable: impossible. «**Faites-le quand même**», insista Ford. Ford était un entêté, et sa foi en son moteur, qu'on surnommerait le V-8, était inébranlable. Un an s'écoula et tous les essais des ingénieurs s'avérèrent infructueux. Pourtant, un jour, comme par magie, la solution de ce problème «insoluble» fut découverte. Ford avait eu raison de croire. Toute sa vie d'ailleurs est une illustration de la puissance de la foi pour conduire au succès.

La magie de croire d'Henry Ford

Henry Ford naquit le 30 juillet 1863, à Dearborn, un petit village américain du Michigan. Son père, modeste cultivateur, ne vit pas la nécessité pour lui de poursuivre ses études. En effet, après que le jeune Henry eut terminé l'école primaire, son père jugea qu'il valait mieux pour lui de se rendre utile à la ferme que d'user son pantalon sur un banc d'école. C'est ainsi que le jeune Henry dut s'initier aux durs travaux manuels qu'exigeait l'état de fermier. «**Très tôt,** raconte-t-il, **j'eus l'impression qu'il se faisait là beaucoup de travail pour peu de résultats et je conçus la pensée qu'une grande partie du travail pouvait s'exécuter par des procédés meilleurs.**» Le génie de la mécanique s'éveillait en l'enfant qui entrevoyait déjà un jour des machines pour remplacer le travail manuel qui enchaînait depuis des millénaires l'homme et l'animal sous un joug commun. Son intuition allait se concrétiser quelques années plus tard.

Le premier bien que se rappelle avoir possédé le jeune Henry fut un bout de ferraille qu'il réussissait toujours à transformer comme par magie en un outil. Il se souvient: «**Je n'eus d'autres jouets que mes outils, et c'est avec des outils que j'ai joué toute ma vie. Étant jeune, le moindre débris de machine était pour moi un véritable trésor.**» Alors que les autres garçons de son âge passaient la journée à courir dans les champs, le petit Henry, lui, occupait le plus clair de son temps dans un petit atelier obscur que son père lui avait donné la permission de construire dans un bâtiment annexe à la ferme familiale. Avec ses modestes outils, l'enfant préparait son avenir.

MON CHEMIN DE DAMAS: UNE LOCOMOTIVE.

À douze ans, Henry Ford vécut un événement qui allait transformer et orienter toute son existence. Laissons-le nous le raconter: «**Le plus mémorable événement de ces années de ma jeunesse fut la rencontre d'une locomotive routière, à huit milles de Détroit, un jour où je me rendais avec mon père à cette ville. Je me souviens de la locomotive comme si je l'avais vue hier, car c'était le premier véhicule non à traction animale que je voyais. Avant que mon père, qui conduisait, ait eu le temps de se rendre compte de mon intention, j'avais sauté de notre charrette et entamé une conversation avec le mécanicien. Le soir, tellement j'avais été impressionné par ce monstre, j'eus peine à fermer l'oeil. Ce fut la rencontre de cet appareil qui m'orienta vers le transport automoteur, et depuis l'instant où, enfant de 12 ans, j'aperçus cette machine, ma grande et constante ambition a été de construire une machine routière.**»

Cette rencontre fortuite, on l'aura compris, fut un tournant décisif dans la vie du jeune homme. L'idée de mettre au point une «machine roulante» allait désormais le hanter comme une obsession magnifique. Mais de l'idée à la réalisation, il y a souvent un écart immense qui effraie la majorité des gens et les condamne à l'inaction. Ford n'était pas du genre à se laisser rebuter par des obstacles éventuels. Sa philosophie était tout autre, comme en témoigne sa magnifique formule:

UN TRAVAIL AUQUEL ON S'INTÉRESSE
N'EST JAMAIS DUR
ET JE NE DOUTE JAMAIS DE LA RÉUSSITE.

Le jeune Henry ne parvenait pas à se passionner pour les travaux de la ferme paternelle. «**Je voulais avoir affaire à des machines**», explique-t-il. À l'âge de 17 ans, sa décision était prise (en fait elle l'était déjà depuis longtemps): il entrerait comme apprenti mécanicien à l'usine de Dry Dock. Son père considéra d'un fort mauvais oeil cette décision, car il voyait en son fils une relève toute trouvée pour la ferme familiale. En fait, il considéra que son fils était perdu. Par contre, l'Amérique venait de trouver l'un de ses plus grands industriels.

Il fallait à l'époque compter plus de trois ans de travaux ingrats comme apprenti pour espérer devenir mécanicien. En moins d'un an, Ford avait complété sa formation, et la mécanique ne semblait plus avoir de secrets pour lui. «**Les machines,** écrit-il, **sont pour le mécanicien ce que les livres sont pour les écrivains. Il y trouve des idées, et s'il est doué de quelque intelligence, il les met en oeuvre.**»

Le rêve du jeune homme ne s'était que raffermi à la suite de son apprentissage, et son génie allait maintenant s'exprimer dans toute sa force. Ford pensait toujours à la locomotive qu'il avait vue, et l'idée de mettre au point une voiture autonome mue par une force motrice ne cessait de le hanter. **L'important, c'est de croire qu'il y a un moyen, malgré l'impossibilité apparente du départ.** Henry Ford croyait qu'il y avait plusieurs moyens. Il songea quelque temps à utiliser la vapeur, mais abandonna cette idée après deux ans de travaux, réalisant que cette voie n'avait que peu d'avenir.

Le jeune Henry dévorait toutes les revues scientifiques, car il voulait en savoir le plus possible sur son domaine, ce qui compensait largement le fait qu'il n'avait guère fréquenté l'école. À cette époque, on parlait dans ces revues de machines nouvelles, la machine «Otto», ancêtre de l'automobile, qui était mue exclusivement par la force d'un gaz. On mentionnait aussi la possibilité qu'un jour on pourrait remplacer le gaz d'éclairage, alors utilisé comme source d'énergie sur la machine «Otto», par un gaz formé par la vaporisation de l'essence. Néanmoins, ces nouvelles découvertes furent accueillies comme une curiosité, une pure projection fantaisiste vers l'avenir, plutôt que comme des découvertes qui un jour bouleverseraient les habitudes de vie de millions de gens. **Tous les connaisseurs et les spécialistes étaient d'accord sur un point; jamais le moteur à essence ne pourrait un jour remplacer la vapeur. Un homme dans un petit village du Michigan pensait tout autrement.**

Le jeune Ford retourna à la ferme familiale, délaissant son travail à la Westinghouse, où il avait été engagé comme mécanicien spécialisé. Son atelier, où il avait passé la majeure partie de son enfance, occupait maintenant presque tout le bâtiment. Son père lui avait même offert un coin de terre à condition qu'il renonce à ses damnées machines. Et pourtant, Ford persévérait. «**Dès que je n'étais pas occupé à abattre du bois, je travaillais à mes moteurs à explosion, étudiant leur caractère et leur fonctionnement. Je lisais tous les travaux relatifs à cette question que je pouvais me procurer, mais c'est de la pratique que je tirais les meilleurs enseignements.**» Loin d'abandonner son idée de voir un jour une machine roulante prendre vie dans son atelier, il était en train d'en percer tous les mystères, **envers et contre tous.**

Cependant, la vie de la ferme ne convenait toujours pas au tempérament du jeune homme. Il ne rêvait que de nouvelles inventions et son imagination ne s'enflammait guère pour les labours. Aussi, lorsqu'on lui offrit un poste d'ingénieur-mécanicien à la Société d'électricité Edison de Détroit, il n'eut pas de mal à se convaincre d'accepter, et quitta pour une seconde fois la ferme paternelle. Il n'y reviendrait jamais. Dans la petite maison qu'il avait louée à Détroit, son atelier occupait la plus grande partie de l'espace. Tous les soirs, en revenant de l'usine, il consacrait plusieurs heures, jusqu'à très tard dans la nuit, aux essais de son moteur à essence. **«Un travail auquel on s'intéresse n'est jamais dur, et je ne doute jamais de la réussite»**, s'était-il fixé comme maxime. Ses efforts et sa persévérance exemplaires ne furent pas vains. En 1892, à l'âge de 29 ans, **soit 12 après avoir vu cette fameuse locomotive et s'être juré qu'il réaliserait son rêve, il mettait enfin la touche finale à son premier engin roulant.** Combien de temps, d'heures et de sacrifices avait dû connaître cet homme avant de voir se matérialiser le but qu'il s'était fixé! Douze ans! On a dit que le génie était une longue patience. La réussite demande aussi cette patience. Ceux qui renoncent après un mois, un an ou deux, devraient s'inspirer de cette ténacité qui vient à bout de tout.

Si les habitants de Détroit avaient été en présence d'extraterrestres, ils n'auraient sans doute pas été moins étonnés que lorsqu'ils aperçurent un jeune homme chevauchant le premier «boggie» à essence. Henry Ford raconte: **«On la considérait un peu comme une peste, à cause du vacarme qui effrayait les chevaux. Elle gênait la circulation, car partout où j'arrêtais ma voiture, il se formait aussitôt un cercle de curieux. Si je la quittais une minute, il se trouvait toujours quelqu'un d'indiscret pour essayer de la mettre en marche. En fin de compte, je dus prendre le parti de la fixer par une chaîne à un réverbère, lorsque je devais la quitter.»** En 1895 et 1896, Ford parcourut pas moins de un millier de milles avec son engin, ne cessant de le soumettre à toutes sortes des tests et d'épreuves en vue de l'améliorer. Finalement, il vendit la voiture pour 200$.

Loin de s'arrêter à ce premier succès, Ford voulait aller plus loin, beaucoup plus loin. **«Mon intention n'était pas du tout de m'établir constructeur sur une base aussi médiocre. Je songeais à la grande production; mais il me fallait quelque chose de supérieur à cette première voiture. On ne fait rien de bon, quand on se presse.»**

Pendant ce temps, il continuait toujours à travailler pour la Société d'électricité, non sans y rencontrer nombre de préjugés quant à l'avenir de son moteur à essence. On lui offrit un poste important de direction au sein de l'entreprise, poste lui permettant d'accéder aux plus hautes sphères de l'administration, le tout assorti d'une substantielle augmentation de salaire. Cependant, il y avait un hic dans toute l'affaire. S'il voulait accéder à ce poste, Ford devait renoncer à ses recherches sur le moteur à essence et se consacrer aux applications pratiques de l'énergie électrique qui, prévoyait-on, allait devenir la seule source d'énergie pour l'avenir. **On lui demandait somme toute de renoncer à son rêve.** En échange, on lui offrait la sécurité matérielle et un avenir assuré. Pour plusieurs, si ce n'est la majorité, le choix se serait fait fort rapidement. Un tiens vaut mieux que deux tu l'auras. Le besoin de sécurité est si fort que les gens préfèrent y sacrifier leurs rêves les plus chers. Mais Henry Ford ne fut pas long à trancher. Il préféra tenter sa chance et se consacrer corps et âme à l'édification de son rêve: la construction en masse de voitures à essence. Encore une fois dans l'histoire, un homme allait montrer que, par la seule force de sa volonté, on peut avoir raison du scepticisme de toute une nation, voire de l'humanité. **«Il fallait vaincre ou succomber»**, dit Henry Ford.

JE DONNAI MA DÉMISSION,
RÉSOLU À NE PLUS JAMAIS ACCEPTER
UNE SITUATION SUBALTERNE.

Le 15 août 1899, Henry Ford quittait la Société d'électricité Edison, sans argent, et comme abandonné par tous. Il se retrouvait maintenant face à lui-même, et confronté à l'opinion publique qui ne considérait l'automobile que comme un joujou pour gens riches. Aucun homme d'affaires «sérieux» de la ville de Détroit n'aurait engagé des fonds dans une aventure aussi hasardeuse. Henry Ford n'avait pas la tâche facile: il se proposait en quelque sorte de créer un nouveau besoin. Or, les gens sont en général de nature réticente lorsque l'on propose un nouveau produit, encore plus lorsqu'il n'y a pas de demande apparente pour ce dernier.

Néanmoins, Ford réussit à persuader quelques hommes d'affaires entreprenants à se lancer dans la construction de «machines roulantes», et fonda la Société des Automobiles de Détroit. Ford occupait à ce moment-là le poste d'ingénieur en chef, et pendant trois ans la compagnie s'employa à construire des modèles semblables à la première voiture que Ford avait mise au point. Cependant, les ventes ne dépassaient guère que quelque six ou sept voitures par année. L'idée de Ford était de produire un véhicule amélioré, destiné au grand public, tandis que ses associés ne se préoccupaient que de produire des voitures sur commande et d'en tirer le plus gros profit. Des dissensions inévitables allaient s'ensuivre entre Ford et les financiers.

En mars 1902, Henry donna sa démission et se retira de la Société des Automobiles de Détroit. Il écrivit à ce sujet: **«Je donnai ma démission, résolu à ne plus jamais accepter une situation subalterne.»** Cette amère expérience n'avait pas pour autant sapé les convictions de Ford. Cet épisode lui avait cependant fait comprendre un principe bien simple: pour espérer faire fortune, il faut être à son compte et avoir sa propre affaire bien en mains. **«Il est certes plus commode,** confie Ford, **de ne travailler que pendant les heures de bureau, de prendre sa tâche le matin pour la laisser le soir, et n'y plus songer jusqu'au lendemain, et on peut très bien agir de la sorte si on a un caractère à se contenter toute sa vie de recevoir des ordres, d'être un employé sérieux, peut-être, mais jamais un directeur ni un chef.»** Henry Ford, lui, avait bien l'intention de faire partie de cette deuxième catégorie de gens, et allait maintenant employer tout son temps à poser lui-même, un à un, les fondements de son empire.

Il lui manquait cependant une publicité lui permettant de faire connaître ses voitures au grand public. Les courses allaient lui en fournir l'occasion. À cette époque, les gens s'intéressaient surtout de savoir quelle «machine roulante» était la plus rapide, et plusieurs constructeurs se mettaient ainsi au défi, le vainqueur étant assuré d'une immense publicité. Ford vit là un excellent moyen de faire connaître à la face du monde la puissance de ses engins. Ainsi, en 1903, il mettait au point deux véhicules destinés spécialement à la course qu'il baptisa la «999» et la «Flèche». La course eut lieu et Ford sortit vainqueur, avec un demi-mille d'avance sur son plus proche rival. Le public apprit dès lors que Monsieur Ford construisait les voitures les plus rapides. Encouragé par ce succès, Ford allait tenter le tout pour le tout: fonder la Société des Automobiles Ford, dont il devenait vice-président, dessinateur, mécanicien chef, chef d'atelier et directeur général. Son raisonnement était simple. Mieux valait battre le fer pendant qu'il était chaud. Sa victoire lui avait valu une importante publicité. C'était le temps ou jamais de foncer. Il loua de plus grands locaux que son modeste atelier et, avec l'aide de quelques ouvriers, se mit au travail.

Dès le début, Ford prit une longueur d'avance sur ses concurrents. Ces derniers se souciaient très peu du poids du véhicule. De fait, ils estimaient que plus le véhicule était lourd, plus on pouvait le vendre cher. Ford ne partageait pas cette philosophie. La voiture qu'il allait mettre au point [le modèle A] était la plus légère de toutes celles fabriquées jusqu'à présent, gagnant ainsi considérablement en vitesse et en économie de combustible. En une seule année d'opération, la Société Ford vendit 1708 véhicules, ce qui montre à quel point notre homme avait vu juste en voulant commercialiser une voiture destinée au grand public. Devant pareils succès, les concurrents ne tardèrent pas à se manifester. Ford n'en avait cure. Sa philosophie à ce sujet est on ne peut plus explicite, et d'ailleurs réaliste: **«Peu de gens osent se lancer en affaires parce qu'ils se disent au fond d'eux-mêmes: pourquoi lancer un tel produit sur le marché, quelqu'un le produit déjà? Moi, je me suis toujours dit: pourquoi ne pas faire mieux? Et c'est ce que je fais.»**

Ses affaires s'étendirent rapidement, ses voitures ne tardèrent pas à être réputées comme les plus solides et les plus fiables jamais construites. Dans la deuxième année de production, Ford alla encore de l'avant en lançant trois autres modèles [les modèles B, C, F] et dut bientôt songer à trouver un autre atelier tellement les affaires étaient devenues florissantes. Il fit construire un atelier de trois étages, lui permettant d'accroître encore plus son volume de production. Au bout de cinq années d'opération seulement, la Société Ford employait 1908 personnes, était propriétaire de son usine, et produisait 6181 voitures par année, qui se vendaient maintenant aussi bien en Amérique qu'en Europe.

Le petit garçon qui avait vu un jour une locomotive et juré de construire une machine roulante avait réalisé son rêve. Il était devenu millionnaire et triomphait aux yeux de tous ceux qui l'avaient ignoré et ridiculisé. Henry Ford n'était cependant pas homme à se dire: j'ai réussi, je gagne maintenant beaucoup d'argent, je m'arrête. **«Que l'on soit tenté,** écrit-il, **de se reposer et de jouir de ce que l'on a acquis, rien de plus naturel. Je comprends parfaitement que l'on veuille échanger une vie de labeur contre une vie de repos. C'est un désir que j'ai éprouvé moi-même. Seulement, je crois que lorsqu'on veut se reposer, il faut se retirer complètement des affaires. Il n'est pas du reste dans mes projets de rien faire de tel. Je ne considère ma réussite que comme une incitation à faire mieux.»**

La production atteignit bientôt le chiffre magique de 100 voitures par jour, et certains collaborateurs de Ford commencèrent à croire que les idées de grandeur du patron allaient le mener tout droit à sa perte. Plusieurs même, dans les milieux financiers, prédisaient qu'à un tel rythme la Société Ford allait bientôt craquer, saturant le marché. Lors d'une assemblée, quelqu'un demanda à Ford s'il croyait être capable de maintenir encore bien longtemps la production, démentielle pour l'époque, de 100 voitures par jour.

«100 voitures par jour, c'est un minimum, répondit Ford, **et j'espère que bientôt nous multiplierons ce chiffre par 10.»** «**Si j'avais suivi les conseils de mes associés, je me serais contenté de maintenir mes affaires à leur niveau actuel et d'en employer l'argent à la construction d'un bel immeuble administratif, de produire de temps à autre des modèles pour stimuler le goût du public; en un mot, de prendre l'allure d'un homme d'affaires paisible et sérieux. Cependant, je voyais beaucoup plus loin, et surtout beaucoup plus grand que cela.»**

Ford avait beaucoup fait pour alléger le poids de ses véhicules mais les matériaux de l'époque ne semblaient guère lui permettre d'aller plus loin en ce sens. Cependant, le «hasard», qui à notre sens est une manifestation du subconscient, allait venir à sa rescousse. Alors qu'il assistait à une course, une voiture française subit une terrible embardée et fut complètement détruite. Après la course, comme guidé par un sixième sens mystérieux, Ford se rendit sur la piste et recueillit un débris de métal du véhicule, car celui-ci lui avait semblé beaucoup plus rapide que les autres. Il voulait découvrir quel alliage avait servi à sa construction. Il ramassa une tige, qui lui sembla à la fois très légère et très résistante. Elle ne ressemblait en rien aux matériaux connus de l'époque. **«C'est en plein ce qu'il me faut»**, pensa Ford. Cependant, personne dans son entourage ne put le renseigner quant à l'origine de cet alliage. Après l'avoir fait analyser, il apprit que cette pièce était constituée d'un métal d'origine française auquel on avait ajouté du vanadium. Cependant, en Amérique, aucune fonderie ne savait appliquer un tel procédé au coulage du métal. Ford dut s'adresser à l'Angleterre pour finalement trouver quelqu'un capable de produire cet acier sur une base commerciale, puis, grâce à la collaboration d'une petite usine de l'Ohio, il réussit à trouver le moyen de couler le précieux métal. Ainsi, encore une fois, grâce à son esprit toujours en alerte et en quête de nouvelles connaissances, il allait devancer considérablement ses plus proches concurrents.

C'est à cette époque que, poussant plus loin sa volonté de construire un véhicule véritablement «démocratique», Ford entreprit la conception d'un nouveau modèle qui allait devenir une légende dans l'histoire de l'automobile: le fameux modèle «T». Grâce à ce modèle, Ford allait changer la vie de millions de gens, de toute une société même, en faisant de l'automobile un bien de consommation courante, plus encore, une nécessité.

Au printemps de 1909, Henry Ford annonça à son conseil d'administration que désormais l'usine Ford allait consacrer sa production à l'élaboration d'un seul et unique modèle, le modèle

«T». Il ajouta même: **«Tout client pourra avoir sa voiture de la couleur qu'il voudra, pourvu qu'il la veuille noire.»** Les réactions furent vives. Jusqu'à cette époque, la voiture était toujours considérée comme un objet de luxe, une sorte de «joujou» que seuls les gens aisés pouvaient se payer le caprice de posséder. On ne voyait donc aucun avantage à construire un modèle unique, et encore moins bon marché. De plus, il n'y avait encore que très peu de routes carrossables et l'essence était rare. À ces objections, Ford répondit tout bonnement: **«Peu importe la route, la voiture Ford créera la route!»**.

Henry Ford n'allait pas avoir une tâche facile. Les experts les plus sérieux lui objectèrent qu'il se casserait le cou, qu'il était sur la mauvaise voie, sans compter du reste les réticences des banquiers avec lesquels, doit-on ajouter, Ford n'eut jamais de rapports très harmonieux. Mais Ford voyait les choses d'une autre façon: **«Je refuse, moi, de reconnaître l'existence des impossibilités. Je ne vois personne qui en sache assez long sur aucun sujet pour pouvoir dire ce qui est ou ce qui n'est pas possible (...). Si un homme, se donnant pour une autorité, déclare que telle ou telle chose est impossible, voilà une horde de suivants irréfléchis qui répètent en choeur: c'est impossible.»** Pour Henry Ford, le mot 'impossible' n'était pas français... ni américain!

En plus de mettre sur le marché son nouveau modèle «démocratique», Ford révolutionna le monde de l'industrie, le faisant passer de l'artisanat à la véritable ère industrielle. Grâce au rendement des chaînes de montage, il atteignit pour l'époque un niveau de production jusque-là inégalé. L'usine devient bientôt trop petite, et Ford fit construire un immense complexe industriel qui employa bientôt plus de 4 000 personnes et produisit 35 000 voitures «T» par année.

Les journaux de l'époque ne cessaient de proclamer que Ford se briserait les reins, que la grenouille voulant se faire aussi grosse que le boeuf exploserait. Cette augmentation de la production obligea bientôt Ford à repenser en entier tout son système d'assemblage. Il fut un des premiers à concevoir tout un réseau de montage mécanisé à la chaîne. Il devenait par le fait même l'ancêtre de la robotisation industrielle. Selon ses dires, il fallait apporter le travail à l'ouvrier au lieu d'amener l'ouvrier au travail. Cette façon d'envisager les choses allait bouleverser toute la notion de production et du travail humain. Son usine allait devenir pour l'époque la plus moderne du monde: nouveauté, les pièces de carrosserie suspendues en l'air par d'immenses crochets se rendaient à l'assemblage dans l'ordre exact qui leur était assigné. Les résultats furent étonnants. De dix heures qu'il en fallait pour assembler toutes les parties du moteur, il n'en fallut plus que la moitié grâce à la mécanisation et aux chaînes de montage. Le petit mécanicien avait vu juste et son fameux modèle «T» connut un tel succès que Ford ouvrit des usines à Londres, puis un peu partout à travers le monde. Les usines Ford produisirent bientôt 4 000 voitures par jour! En 1947, à sa mort, Henry Ford, qui ne s'était jamais vraiment soucié de l'argent, si ce n'est pour financer son rêve, était largement milliardaire. Ce qui, pour l'époque, est une somme proprement fabuleuse.

La compagnie Ford ne cessa de croître. En 1960, elle était considérée comme la deuxième plus grande entreprise du monde. En 1970, la compagnie comptait 432 000 employés et avait une masse salariale de 3,5 milliards de dollars!

«Tout est possible. La foi est la substance de ce que nous espérons, le garant de ce que nous n'avons point vu.» C'est sur cette formule lapidaire et profondément optimiste que Henry Ford conclut son autobiographie. Ces dernières paroles sont un peu comme un testament spirituel et le fait qu'il ait parlé de la foi n'est de toute évidence pas fortuit. Toute sa vie, toute son oeuvre sont la preuve que **pour un homme animé d'une foi inébranlable, tout est possible!**

*

* *

Comment découvrir l'argent secret?

Pour la plupart des individus, la source de l'argent, la manière d'y accéder est aussi mystérieuse que peut l'être un agent secret, d'où notre sous-titre qui est plus qu'un simple jeu de mots. L'erreur la plus commune c'est de chercher au dehors ce qu'on doit commencer par trouver à l'intérieur de soi-même. L'argent secret ne fait pas exception à la règle. De même que la source du bonheur véritable est en chacun des êtres, **l'argent, aussi paradoxal que cela puisse paraître, vient de l'intérieur.** C'est qu'il est le résultat d'une attitude d'esprit bien précise. Appelez-la comme vous voudrez. Mentalité de l'homme riche, du millionnaire, de l'homme à succès. L'argent et sa profusion sont la manifestation extérieure d'une vibration intérieure, d'une pensée dirigée de manière précise, et, pour la plupart des gens, inconnue. Les grands principes que nous verrons dans le chapitre suivant tendent tous à démontrer un principe supérieur et universel: la pensée peut tout. **La richesse véritable, comme la vie, est avant tout un état d'esprit. Un état qui**

s'est matérialisé dans la vie de l'homme riche. Il faut commencer par être riche en pensée, avant de l'être dans la vie.

LA RICHESSE EST UN ÉTAT D'ESPRIT.

La connaissance du subconscient que nous nous apprêtons d'aborder est capitale. Car c'est bien beau de dire aux gens qu'il faut croire au succès, à la fortune, et la désirer ardemment. Souvent, leurs mauvaises expériences passées sont paralysantes. Et quant à leur désir, il est faible. Ils paraissent totalement incapables de cultiver ce que le philosophe Nietzsche appelait la «volonté de la volonté». Pas facile en effet d'exiger l'action ou la fermeté de quelqu'un qui précisément est velléitaire et amorphe, dépourvu de motivation. Mais en découvrant les mécanismes et la puissance du subconscient, cet obstacle sera levé. Bien entendu, il faut un minimum de motivation. Passons donc à la découverte du subconscient dans lequel est contenue la source de grandes richesses non seulement personnelles mais aussi matérielles. **C'est là, et nulle part ailleurs, que se cache l'argent secret, que vous apprendrez bientôt à débusquer et dans lequel vous pourrez puiser à volonté.**

CHAPITRE 2

La richesse inestimable qui dort en vous

Une question d'attitude

Que l'homme soit l'artisan de son propre bonheur (et de son malheur) ne fait nul doute dans l'esprit de celui qui a un tant soit peu étudié les lois de l'esprit. Sans doute avez-vous déjà entendu répéter cette maxime. Peut-être l'avez-vous accueillie avec scepticisme. Peut-être cependant y ajoutez-vous foi. Toutefois, peu de gens ont sondé toute la profondeur, toutes les conséquences de ce principe.

La vie de tous les hommes riches que nous avons étudiés nous a révélé ceci: **chacun a utilisé de manière prodigieuse son subconscient pour parvenir à ces sommets de richesse.** C'est dans l'utilisation correcte du subconscient que réside ultimement la clé du succès. Pour quelle raison? Parce que les moyens de faire de l'argent, les circonstances extérieures sont si variés et si individuels qu'il ne saurait être question de proposer une martingale quelconque. D'ailleurs, la recette miracle n'existe pas. Ce serait trop simple. Ce qui existe cependant, et des milliers de réussites éblouissantes en sont l'exemple, c'est **une attitude intérieure adéquate.**

Plusieurs livres traitent des secrets de l'immobilier, de la Bourse, du management. Ces livres sont évidemment une précieuse source de renseignements. Mais tous les conseils qu'ils recèlent, aussi précis soient-ils, demeurent toujours généraux, ce qui est inévitable. La prétention contraire serait naïve ou carrément malhonnête. En effet, aucun manuel, aussi didactique soit-il, ne vous dira si oui ou non vous devez accepter tel emploi, si vous devez faire une offre d'achat pour telle propriété, si tel investissement est valable. Chaque cas est individuel. Mais surtout, même si vos analyses préalables sont extrêmement poussées, si vos études préparatoires sont sophistiquées au plus haut point, il subsiste dans tout projet un impondérable. **Toute analyse est insuffisante, en plus d'être souvent interminable.** Nous ne voulons pas dire qu'elles ne sont pas nécessaires. Bien au contraire. L'improvisation et la hâte sont en général mauvaises conseillères. Mais **il arrive toujours un moment où la décision vous revient: vous avez atteint la limite de l'analyse.** C'est à ce moment qu'intervient ce que certains appellent le flair, d'autres le sens des affaires, d'autres encore la chance, ou l'intuition, toutes expressions qui au fond recouvrent une même disposition: c'est-à-dire une programmation mentale positive ou encore un subconscient bien utilisé. C'est ce qui fait la différence entre un homme qui réussit et un autre qui échoue.

Qu'est-ce que le subconscient?

Nous avons tous un jour ou l'autre entendu parler du subconscient. Son existence est maintenant acceptée par tous les milieux scientifiques, bien qu'on se dispute encore sur sa définition précise. Il n'y a pas lieu ici d'entrer dans de longues discussions théoriques ou historiques. Disons simplement et sans nous attarder à des subtilités théoriques qui ne seraient nullement utiles pour notre propos, que l'esprit humain se divise en deux parties: l'une consciente, l'autre inconsciente que nous appellerons le subconscient. Pour définir l'importance respective de ces deux parties, la comparaison la plus généralement employée est celle de l'iceberg, la partie visible étant le conscient et la partie immergée, beaucoup plus considérable, étant le subconscient.

En fait, l'importance du subconscient dans notre vie par rapport au conscient est considérable et beaucoup plus importante que nous le croyons. Il est le siège des habitudes, des complexes, des limitations de la personnalité. Quoi qu'on en pense, **le subconscient — et non les circonstances extérieures — est responsable de la richesse ou de la pauvreté d'un individu.**

Le subconscient peut être comparé à un ordinateur. Il est programmé, d'une manière ou d'une autre. Et il exécute le programme qui lui a été fourni de manière aveugle, infaillible. **Tout individu est programmé, qu'il le sache ou non.** Et la plupart des individus sont programmés négativement. Or, la puissance du subconscient est prodigieuse. C'est pour cette raison qu'un individu programmé négativement ne parviendra jamais au succès et à la richesse. Cela est malheureusement impossible.

Comment un programme s'établit-il dans le subconscient?

Tant qu'un individu n'est pas au courant des lois de l'esprit et du subconscient, sa programmation demeure une réalité inconsciente. D'ailleurs, elle le demeure longtemps pour la plupart des individus. Et ce, pour une raison bien simple. C'est que les programmes s'établissent fort tôt chez le sujet, pendant l'enfance, à un âge où son sens critique est fort peu développé et où il accepte aisément et naturellement toutes les suggestions venues de l'extérieur. Ces suggestions, base du programme, viennent au début des parents ou des éducateurs. Elles se gravent dans l'esprit du jeune sujet comme dans de la cire molle. Une seule parole peut ainsi briser la vie d'un individu ou, en tout cas, il peut en traîner le fardeau pendant des années. Elle peut avoir été échappée au hasard, sans malveillance volontaire. Et pourtant, quels effets désastreux! Des exemples? Nous avons l'embarras du choix. Une mère pessimiste et écrasée par une existence miséreuse dira à un enfant qu'elle a jugé trop spontané ou trop rêveur: «Tu ne deviendras jamais riche.»

Ou encore: «Tu n'iras jamais nulle part dans la vie.»

Ou encore: «Tu seras un raté comme ton père.»

Cette phrase a été très profondément enregistrée par le subconscient de l'enfant. Elle constituera une sorte de programme. Tous les efforts du subconscient dont la puissance est quasi illimitée se conjugueront pour accomplir ce programme, afin que l'enfant devienne un raté, qu'il reste toujours pauvre... Le plus dramatique dans cette histoire, qui est répétée à des milliers d'exemplaires, c'est que le sujet pourra passer sa vie sans se rendre compte qu'il est victime de cette déplorable programmation.

Comment quelques mots peuvent changer votre vie.

On peut paraître sceptique devant la puissance qu'a pu avoir une phrase en apparence anodine. **C'est que les mots ont une puissance étonnante.** La vie de chaque individu fourmille d'exemples qui illustrent ce principe. Une déclaration d'amour, une mauvaise nouvelle, des félicitations, autant **de mots** qui transforment notre état intérieur dans un sens comme dans l'autre. Et le plus incroyable, c'est que ces mots, qui sont en fait des suggestions, comme nous le verrons plus loin dans ce chapitre, n'ont même pas besoin d'être vrais pour avoir un impact sur quelqu'un, en autant que l'esprit conscient les accepte. Ainsi, votre patron vous félicite pour votre travail. Peut-être n'est-il pas vraiment satisfait de la tâche que vous avez accomplie, mais comme il sait que vous traversez, sur le plan conjugal, une période difficile (vous êtes en instance de divorce), il juge préférable de ne pas vous accabler. Ses félicitations, qui ne sont pas sincères, vous stimulent cependant de manière incroyable. Elles vous donnent un regain d'énergie. Ce n'est qu'un exemple parmi tant d'autres de la force des mots.

Les auteurs du remarquable ouvrage *Le Prix de l'excellence* rapportent une expérience qui illustre bien le principe de la puissance des mots, même s'ils ne coïncident pas avec la réalité. «On connaît le vieil adage: Le succès appelle le succès. Il se trouve que c'est scientifiquement fondé. Les chercheurs qui se penchent sur la motivation découvrent que le facteur primordial est simplement que les gens motivés sont conscients de bien faire. **Que ce soit vrai ou non dans l'absolu, ça n'a pas grande importance** (C'est nous qui soulignons.) Lors d'une expérience, on donna dix problèmes à résoudre à des adultes. C'étaient exactement les mêmes pour tous les sujets. Ils se mirent à la tâche, rendirent les feuilles, et, à la fin, on leur donna les résultats. En réalité, ces résultats étaient fictifs. On dit à la moitié d'entre eux que c'était bon avec sept réponses correctes sur dix et aux autres qu'ils avaient échoué avec sept mauvaises réponses sur dix. Puis on leur confia dix nouveaux problèmes (les mêmes pour tous). Ceux à qui on avait dit qu'ils avaient réussi lors du premier test firent mieux au second, et les autres firent vraiment pire. Le simple fait de savoir que l'on a réussi entraîne apparemment plus de persévérance, une motivation plus grande, ou quelque chose qui nous pousse à mieux faire.» Warren Bennis, dans *The unconscious conspiracy: why leaders can't lead,* précise: «Une étude portant sur les professeurs du secondaire démontra que, lorsque ceux-ci attendaient beaucoup de leurs élèves, ces derniers obtenaient, de ce seul fait, 25 points de plus au test de Q.I.»

Les résultats de ces expériences portent à réfléchir. Ce qui, au fond, était influencé par les résultats volontairement falsifiés de ces tests, c'était le subconscient des sujets. C'est lui qui, dans un cas, améliorait la performance de manière sensible et immédiate, dans l'autre cas, l'affaiblissait de manière spectaculaire.

Un peu plus loin, les mêmes auteurs avancent la théorie suivante, qui est une sorte de corollaire du principe qui se dégage de l'expérience précédente: «Nous soutenons que les meilleures entreprises sont ce qu'elles sont parce que leur organisation permet d'obtenir des efforts extraordinaires de gens ordinaires.» Ce qui s'applique pour les entreprises vaut également pour les individus. C'est pour cette raison que l'on s'étonne que des gens en apparence ordinaire, qui n'ont pas de facultés exceptionnelles, parviennent à des résultats si extraordinaires et s'enrichissent de manière aussi spectaculaire. **Leur secret: un subconscient bien dirigé.**

Comme nous l'avons vu, tout individu est programmé. Les parents, les éducateurs, les amis sont des agents de programmation, la plupart du temps maladroits et néfastes. Inconscients de la portée prodigieuse de ce qu'ils disent, ils dispensent **la mauvaise parole** sans se douter de ses effets. Il est aussi un autre agent de programmation fort important, et c'est l'individu lui-même. Chacun se tient continuellement un monologue intérieur. L'on se répète par exemple: «Ça ne va pas très bien.» «Je suis toujours fatigué.» «Comment se fait-il que je ne réussisse pas?» «Je suis débordé.» «Je ne réussirai jamais à trouver un emploi.» «Je n'obtiendrai jamais une augmentation de salaire.» «Je ne serai jamais riche.» «Je n'ai pas assez de talent...»

La liste pourrait évidemment s'allonger. Ces expressions négatives et pessimistes que vous vous répétez plus ou moins consciemment sont autant de suggestions qui influencent votre subconscient, le programment, ou renforcent le programme déjà existant. Inutile de dire qu'elles sont à bannir définitivement de votre vocabulaire. Immédiatement. Facile à dire? Mais comment faire?

Il n'est jamais trop tard pour s'enrichir.

Ce qu'il y a de rassurant dans la programmation mentale, c'est — nous l'avons déjà dit — qu'il a été établi hors de tout doute qu'**aucun programme n'est irréversible.** De même que l'on peut modifier un programme dans un ordinateur, ou le changer carrément, on peut transformer complètement sa personnalité dont le siège, on s'en souvient, est le subconscient. Les expériences menées sur de nombreux sujets ont prouvé qu'en général une trentaine de jours suffisaient pour établir une nouvelle programmation.

Comment acquérir cette personnalité qui attirera magiquement à vous le succès et provoquera les circonstances en votre faveur? Par une simple technique d'autosuggestion. De nombreux manuels existent actuellement sur le marché qui enseignent les méthodes d'autosuggestion. D'ailleurs, ces méthodes portent souvent des noms différents. Certains auteurs parlent de la méthode Alpha, d'autres de psychocybernétique, d'autres de programmation mentale, d'autres de pensée positive, ou d'autohypnose. Toutes ces méthodes sont en général valables, mais sont des variantes et des adaptations de la méthode d'autosuggestion mise au point par un modeste pharmacien français, Émile Coué, qui transforma la vie de millions de gens grâce à sa méthode dont la simplicité étonne. L'origine de sa découverte est fortuite, comme c'est si souvent le cas. Un de ses clients insista un jour pour se procurer un médicament qui ne pouvait s'obtenir sans ordonnance. Devant son acharnement, Émile Coué songea à une astuce. Il lui recommanda un produit censé être tout aussi efficace, qui en fait n'était autre que du sucre. Le patient revint quelques jours plus tard totalement guéri et surtout enchanté des résultats. Ce que l'on appela plus tard l'**effet placebo** venait d'être découvert.

Que s'était-il passé? Qu'était-il arrivé à ce patient? Au fond, la même chose qu'aux sujets de l'expérience tirée du **Pri de l'Excellence** citée plus haut. Sauf que, dans ce cas, l'effet magique de la parole, de la confiance et du subconscient avait agi au niveau physique au lieu que ce soit au niveau intellectuel. C'est la confiance dans le pharmacien et dans le médicament et la certitude mentale qu'il guérirait qui ont permis au sujet de guérir.

Émile Coué ne tarda pas à entrevoir la portée de cette expérience. Si une parole pouvait guérir une maladie réelle, que ne ferait-elle pas au niveau de la personnalité? Il développa dans les années qui suivirent une formule d'autosuggestion fort simple qui fit le tour du monde et améliora la vie de millions de gens. Pourquoi l'autosuggestion? Parce que, comme il ne pouvait être au chevet de chaque patient, ni être en contact avec eux, le patient pouvait se guérir par lui-même, s'autoguérir, en fait, opérer sur lui-même une suggestion de son choix.

Voici la formule qu'il mit au point:

TOUS LES JOURS, À TOUS POINTS DE VUE,
JE VAIS DE MIEUX EN MIEUX.

Il recommande de répéter cette formule, sur un ton monocorde, une vingtaine de fois, matin et soir.

Des variantes innombrables ont été tirées de cette formule. Vous-même vous allez pouvoir bientôt établir vos propres formules en fonction de vos besoins et de votre personnalité. Les effets de cette formule sont étonnants. Comme elle ne saurait être plus générale (à tous points de vue), elle embrasse tous les aspects de l'existence et ne limite pas ses possibilités. Elle doit être répétée quotidiennement. La répétition est la règle d'or de l'autosuggestion. Il faut littéralement imprégner son subconscient de cette formule. Un nouveau programme s'établira, et avec lui, une nouvelle personnalité. Le négatif fera place au positif. L'enthousiasme, l'énergie, l'audace et la détermination. Ne vous laissez pas rebuter par l'apparente simplicité de la méthode comme ce fut le cas de plusieurs contemporains d'Émile Coué qui ne croyaient pas qu'une technique si simple pût être efficace. Rappelez-vous que votre programmation négative est ni plus ni moins qu'un organisme vivant dont le premier but est d'assurer sa propre survie. La découverte et surtout l'usage d'une telle méthode menacent son existence. Votre scepticisme tire son origine de là, même s'il est construit sur des principes intellectuels du genre: «La pensée positive, ce n'est que de la bouillie pour les chats, je ne me laisserai pas prendre.»

TOUS LES JOURS, À TOUS POINTS DE VUE,
JE VAIS DE MIEUX EN MIEUX.

Les hommes riches que nous avons étudiés n'ont pas toujours explicitement utilisé des formules d'autosuggestion. Pourtant, inconsciemment, dans l'adversité, chacun y a eu recours. Les principes qu'ils exposent dans leur autobiographie ou l'exemple de leur vie en font foi. Aux prises avec des difficultés, au seuil d'une aventure nouvelle, chacun avait appris à se conditionner, à se programmer à sa façon, se répétant constamment qu'il allait réussir, qu'aucun obstacle ne l'arrêterait.

Ray Kroc, dont nous avons déjà parlé, révèle d'ailleurs dans son autobiographie qu'une grande partie de son succès est due à l'emploi d'une variante personnelle de l'autosuggestion: **«J'appris, à cette époque, comment éviter de me laisser écraser par les problèmes. Je refusais de m'inquiéter de plus d'une chose à la fois, et je ne me laissais pas tourmenter inutilement par un problème, quelle que fût son importance, au point de ne pas dormir. C'est plus facile à dire qu'à faire. Je le réussis en faisant appel à ma propre méthode d'autohypnotisme. Il est fort possible que j'aie lu un livre à ce sujet, je ne m'en souviens pas, en tout cas, je mis au point un système qui me permit d'éviter toute tension nerveuse et d'exclure de mes pensées les questions énervantes en me mettant au lit. Je savais que si je n'agissais pas ainsi, le matin suivant je ne serais pas frais et dispos et capable de traiter d'affaires avec mes clients. Je me représentais mon cerveau comme un tableau noir recouvert de messages, urgents pour la plupart, et je m'exerçais à imaginer une main avec un chiffon en train d'effacer ce tableau. Je vidais totalement mon cerveau. Quand une pensée commençait à se dessiner, un coup de chiffon! Et je l'effaçais avant qu'elle n'ait eu le temps de se former. Je détendais ensuite tout mon corps, en commeçant par ma nuque et en poursuivant cette détente par les épaules, les bras, le torse, les jambes et jusqu'au bout des orteils. Et**

ainsi, je m'endormais. Je perfectionnai rapidement cette méthode. Les gens s'émerveillaient de me voir travailler de 12 à 14 heures par jour lors d'une convention extrêmement animée et, ensuite, accompagner des clients éventuels dans les boîtes de nuit jusqu'à deux ou trois heures du matin; et le lendemain matin, être tôt hors du lit, prêt à visiter mes clients. Mon secret résidait dans le fait que je profitais au maximum de chaque instant de repos. Je pense que je ne dormais pas plus de six heures en moyenne par nuit. Fréquemment, je n'avais que quatre heures ou moins de repos. Mais je dormais aussi profondément que je travaillais fort.»

Comme nous venons de le voir, la méthode d'autosuggestion de Ray Kroc est précédée d'une relaxation physique. Détente physique et détente mentale sont intimement reliées. En outre, en état de relaxation, les ondes du cerveau ralentissent et le subconscient est beaucoup plus aisément impressionnable.

Il existe évidemment de nombreuses méthodes de relaxation disponibles sur le marché. Si vous en connaissez déjà une, tant mieux. Sinon, en voici une très simple.

Méthode de relaxation

Allongez-vous simplement sur un tapis ou dans votre lit ou encore assoyez-vous dans un fauteuil confortable. Fermez les yeux. Prenez une dizaine de grandes respirations. Puis détendez séparément chaque partie du corps en commençant par les pieds puis en montant jusqu'à la tête. Cette technique a d'ailleurs été popularisée sous le nom de «Training autogène».

Une fois que vous êtes bien détendu, commencez à répéter la suggestion. La fameuse formule d'Émile Coué est excellente pour obtenir des résultats dans tous les domaines de votre existence. Mais vous pouvez également travailler sur des aspects plus spécifiques. L'application de tous les principes que nous étudierons demande des qualités sur lesquelles vous pouvez travailler. Et que vous pouvez développer. À volonté. En fait, grâce à cette méthode d'autosuggestion, **vous pouvez transformer votre personnalité selon vos désirs profonds,** et **devenir la personne que vous rêvez depuis longtemps d'être.** Tracez le portrait idéal des qualités qui vous font défaut, ou que vous ne possédez pas à un degré qui vous paraît suffisant. Voici, pour vous aider, quelques qualités de base, qu'ont eu en commun la plupart des hommes riches, et qui vous permettront de tracer ce portrait idéal.

Persévérant	Confiant
Enthousiaste	Imaginatif
Énergique	Travailleur

Audacieux	Positif
Intuitif	Habile
Convaincant	Astucieux
Leader	Fiable
	Intrépide

Choisissez parmi ces qualités celles qui paraissent vous faire le plus défaut ou celles sur lesquelles il vous semble avoir le plus avantage à travailler. Travaillez sur un problème à la fois. Choisissez la qualité qui vous manque le plus. Travaillez donc sur votre plus grande faiblesse. C'est en supprimant sa plus grande faiblesse que l'on acquiert le plus de force.

Une façon simple de composer une formule est de constituer une variante de la célèbre formule d'Émile Coué. Ainsi, vous pouvez sélectionner une des qualités dont nous venons de dresser la liste partielle, et dire: «Tous les jours, à tous points de vue, je suis de plus en plus enthousiaste.»

Ou encore: «Tous les jours, à tous points de vue, je suis de plus en plus énergique.»

Composez vous-même vos propres suggestions. Choisissez des mots simples, qui vous sont familiers, qui provoquent une résonance en vous. Écrivez vos suggestions. Le seul fait d'écrire une suggestion a une influence beaucoup plus grande que vous ne croyez. En s'extériorisant, votre pensée prend de la force, de l'autorité. Elle devient un acte. Elle se concrétise. C'est le point de départ de votre action. C'est le point de départ de votre changement éminent. Ne perdez pas de vue vos suggestions. Relisez-les souvent. Imprégnez-en votre esprit. Elles feront bientôt partie de votre vie, de votre personnalité profonde. Le vieil homme en vous fera place à un homme nouveau, conforme à vos désirs, et dirigeant sa destinée. Voici quelques autres règles de base pour construire vous-même vos suggestions. L'expérience a démontré que, pour être pleinement efficace, une suggestion doit avoir les caractéristiques suivantes.

Brève: trop longue, elle n'affecte pas aussi efficacement le subconscient.

Positive: c'est primordial. Le subconscient fonctionne de manière différente du conscient. Si vous dites: «Je ne suis plus pauvre», c'est le mot *pauvre* qui risque d'être retenu puisque c'est le mot clé. Vous obtiendrez alors l'effet contraire. Dites plutôt: «Je deviens riche.»

Progressive: certains auteurs affirment qu'il faut formuler la suggestion comme si nous possédions déjà ce que nous désirons.

Ce n'est pas nécessairement inefficace. Seulement, l'esprit conscient y voit souvent une contradiction. Un conflit mental s'ensuit qui risque de compromettre le succès de la suggestion. Ainsi, si vous répétez: «Je suis riche» ou «J'ai l'emploi idéal», votre esprit risque tout naturellement de percevoir une contradiction surtout si vous êtes actuellement sans le sou et au chômage. Privilégiez plutôt une formule comme: «Je m'enrichis de jour en jour», ou: «Je deviens de plus en plus riche» et: «J'obtiens l'emploi idéal.»

Ces formules vous assureront le succès.

Une manière d'éviter ce conflit est de répéter simplement des mots thématiques, sans verbe aucun. Une des plus puissantes associations de mots que vous puissiez utiliser est la suivante:

SUCCÈS — RICHESSE

Répétez inlassablement ces deux mots. C'est le but que vous visez actuellement. Ces mots vous apporteront en abondance ce dont vous avez besoin et ils combleront vos rêves les plus fous.

Voici une variante extrêmement puissante de la formule d'Émile Coué. Elle est un peu plus longue, mais si elle vous plaît, elle accomplira des merveilles pour vous. La voici:

«TOUS LES JOURS, À TOUS POINTS DE VUE,
JE VAIS DE MIEUX EN MIEUX ET JE
M'ENRICHIS DANS TOUS LES DOMAINES.»

Même une répétition mécanique et peu convaincue de ces mots a de l'effet. Cependant, plus vous mettrez d'émotion et de désir dans vos suggestions, plus vous obtiendrez des résultats. Mettez-y du coeur. Si vous désirez quelque chose avec chaque parcelle de votre corps, de votre coeur, vos demandes seront exaucées. Thomas Edison a dit un jour: «Des années d'expérience m'ont appris qu'un homme qui désire une chose à un point tel qu'il est capable pour l'obtenir de jouer tout son avenir sur un simple coup de dé est sûr de gagner.»

Les dix hommes riches décrits dans cet ouvrage ont mis tout leur coeur dans leurs entreprises et leur désir de réussir était animé d'une ardeur peu commune. Ayez l'audace de les imiter. Ne craignez pas d'écouter les désirs secrets de votre coeur. Et commencez dès aujourd'hui à vous reprogrammer. Dans ce seul chapitre que vous venez de lire, il est suffisamment de puissance pour transformer votre vie et faire de vous un homme riche. Mais personne ne peut devenir riche à votre place. Personne ne peut répéter les formules à votre place. Votre premier geste, votre première action va donc consister en la répétition de ces formules de richesse.

Celui qui ne se voit pas riche ne le deviendra jamais.

De cela, toute personne qui veut devenir riche doit se convaincre profondément. De même, celui qui se voit rester toute sa vie petit salarié, qui ne s'imagine pas pouvoir accéder à des échelons supérieurs restera toute sa vie dans sa position.

Le résultat de toute programmation, pour ainsi dire, son reflet, est ce que la psychocybernétique a appelé **l'image de soi.** Cette image est en général plus ou moins floue, plus ou moins consciente, encore que chacun ait comme on dit une «petite idée» de ce qu'il est, de ce qu'il représente. En revanche, ce qui est extrêmement flou chez la plupart des individus, et même en général inconscient, c'est l'**importance capitale de l'image de soi dans la vie d'un homme.** Cette méconnaissance a des effets en général tragiques. Car **tel un homme croit qu'il est, tel il est dans sa vie. Tout dans votre vie, et entre autres, votre niveau de richesse, est directement proportionnel à votre image de soi.**

C'est pour cette raison qu'il a été dit, et ce principe est d'une profondeur sur laquelle vous devriez réfléchir, que **la plus grande limite qu'un homme puisse s'imposer, c'est la limite mentale.** De même, corollairement, on peut affirmer que la plus grande liberté dont un homme puisse jouir, c'est la liberté mentale.

Comment s'est formée l'image de soi? Exactement comme votre programmation mentale, puisqu'elle en est le reflet. C'est en fait la partie consciente de votre programmation subconsciente. Consciente? Dans la mesure seulement où vous percevez cette image. Comme nous l'avons avancé précédemment, l'influence de l'image de soi n'est pas perçue par la majorité des gens. Votre image s'est établie principalement à partir de deux sources, le monde extérieur, constitué de vos parents, de vos éducateurs, de vos amis et tous les gens que vous avez croisés sur le chemin de votre existence, et de vos propres pensées.

LA PLUS GRANDE LIMITE
QU'UN HOMME PUISSE S'IMPOSER,
C'EST SA LIMITE MENTALE.

Arrêtez-vous un instant pour réfléchir à ce principe. Cette brève méditation pourrait bien être pour vous le point de départ d'une vie totalement nouvelle, d'une véritable explosion. D'ailleurs, interrompez un instant votre lecture pour vous livrer à une brève auto-analyse. Quelle image avez-vous de vous-même? Croyez-vous que vous pouvez doubler facilement votre salaire en un an? Non? Soyez sans inquiétude, la vie vous donnera amplement raison. Vous ne doublerez pas votre salaire en un an. Car, à votre insu, cette croyance est établie comme un programme de votre subconscient. Vous avez donné une sorte d'ordre à votre subconscient. Un ordre négatif, nous en convenons, mais un ordre tout de même. Vous lui avez fixé une limite, un objectif, et il s'est mis en marche, il a tout mis en oeuvre pour réaliser son programme. Il est très puissant et dispose d'une masse considérable d'informations car sa mémoire est infaillible. Les difficultés qu'il a rencontrées pour vous empêcher de doubler votre salaire sont aussi grandes que celles qu'il aurait également rencontrées s'il avait eu pour mandat de vous faire doubler votre salaire en un an. En ce sens, il est aussi difficile pour votre subconscient de mener à terme un programme d'échecs. **Il vous est donc tout aussi difficile d'échouer que de réussir. Il vous est également tout aussi facile de réussir que d'échouer.**

Dans un chapitre suivant, nous parlerons de la puissance de l'objectif, du but. Maintenant que vous êtes au fait des mécanismes du subconscient, vous savez que le but, l'objectif n'est au fond qu'une programmation précise que vous établissez pour votre subconscient. Vous constaterez d'ailleurs un fait étonnant. Savez-vous en fonction de quoi vous établirez votre objectif? Bien sûr, certaines conditions extérieures pourront entrer en ligne de compte. **Mais en fin de compte, vous établirez automatiquement votre objectif en fonction de votre image de soi.**

ON ÉTABLIT TOUJOURS SON OBJECTIF
EN FONCTION DE L'IMAGE QU'ON A DE SOI.

Dans un premier temps, vous vous direz peut-être: «Je veux augmenter mes revenus annuels de 5 000$.» C'est bien. C'est légitime. Et c'est parfaitement réalisable. Et cela signifiera probablement une amélioration sensible de votre niveau de vie, même si le fisc ne manque pas de prélever son dû. **Mais pourquoi vous être limité à 5 000$?** Pour une raison bien simple au fond: **parce que l'image que vous avez de vous-même est celle d'une personne qui ne peut s'enrichir de plus de 5 000$ par année.** Nous ne désirons nullement dénigrer cet objectif de 5 000$. Nous aurions pu choisir 2 500$. Ou 50 000$. Le chiffre est arbitraire et ne sert qu'aux fins de notre démonstration. Car au fond, qu'est-ce qui vous empêche «raisonnablement» de majorer plus substantiellement vos revenus? Il n'y a pas une raison qui soit valable et résiste à une analyse sérieuse. Savez-vous combien Steven Spielberg a gagné chaque jour au cours de l'année 1982, qui coïncida avec la sortie du film à succès *E.T.?* Plus d'un million de dollars par jour! Oui, un million de dollars par jour! Vous voyez bien, dès lors, que les limites de vos objectifs sont mentales.

Ainsi, **le point de départ de tout dépassement, de tout enrichissement véritable, est d'élargir, mieux encore de faire littéralement éclater votre image mentale.** Avec une nouvelle image, viendra un nouvel objectif, avec un nouvel objectif, une nouvelle vie. Cela paraît simple. Mais les faits ont constamment confirmé cette équation.

TOUS LES HOMMES RICHES SE SONT VUS RICHES AVANT DE LE DEVENIR.

D'ailleurs, les dix hommes riches sans aucune exception, malgré la modestie de leur point de départ, leur absence d'instruction, d'argent, de relation, **tous se sont vus riches avant de le devenir.** Tous étaient persuadés qu'ils posséderaient un jour une fortune. **Et la vie leur a donné en fonction de l'image qu'ils avaient d'eux-mêmes et de leur foi dans le succès.**

Pour essayer de découvrir votre image de soi, dites-vous, par exemple: «Je deviendrai un homme (une femme) très riche.» Et analysez vos réactions. Rappelez-vous qu'il y a une adéquation parfaite entre l'image de soi et ce que nous donne la vie, à tous points de vue. Souvenez-vous également que l'image que vous avez de vous, à moins qu'elle ne soit parfaitement positive et illimitée, est votre limite. Cependant, elle peut en tout temps être modifiée, selon vos désirs. Au début, lorsque vous commencerez à vous reprogrammer, lorsque vous choisirez une nouvelle image, vous verrez que vous serez inévitablement influencé par votre ancienne image. C'est tout à fait normal. Le changement se fait par étapes, de manière progressive. Mais ce qui est encourageant et exaltant, c'est qu'il n'y a pour ainsi dire pas de bornes supérieures. L'homme est infiniment perfectible. L'enrichissement n'a pas de fin.

Fabriquez vous-même votre nouvelle image. Rien n'est plus simple. Recourez à la méthode d'autosuggestion que nous avons exposée. Voici quelques formules que vous pouvez utiliser selon vos goûts et vos aspirations. Vous y ajouterez votre objectif monétaire fixant un montant précis et un délai pour l'atteindre, ce que nous étudierons un peu plus loin.

«Je m'enrichis de jour en jour.»

«Je trouve l'emploi idéal qui comble parfaitement tous mes besoins.»

«La vie place sur mon chemin les personnes qui me permettent de progresser financièrement.»

«Je rencontre l'associé idéal.»

«Je trouve l'idée dont j'ai besoin pour doubler mon revenu en un an.»

«Toutes mes capacités s'améliorent et me permettent d'augmenter mes revenus.»

«Je persévère jusqu'au succès.»

«Il m'est facile d'atteindre tous les objectifs que je me fixe.»

«Je trouve la situation où mes qualités et mes talents peuvent s'épanouir parfaitement.»

En composant vous-même vos propres formules (si celles que nous vous suggérons ne vous conviennent pas parfaitement), ne vous limitez pas. Vous le ferez probablement quand même, alors n'ayez pas peur de faire preuve d'un peu d'audace en établissant vos objectifs. **Votre potentiel est extraordinaire!** Cultivez-le. Les hommes qui s'enrichissent ne sont fondamentalement pas différents de vous. Simplement, la limite mentale qu'ils se sont fixée est différente de la vôtre. Les sommes qu'ils gagnent en une heure vous impressionnent peut-être. Mais croyez-vous qu'ils sont impressionnés par ces gains? En général, non, car ces gains ne sont pour eux que le résultat d'une programmation bien ordinaire. Ces gains sont pour eux banals, normaux. Il peut en être de même pour vous. Ray Kroc a dit: **«Voyez grand, vous deviendrez grand.»** Comme nous allons maintenant le voir, toute sa vie est une illustration de ce principe fondamental.

Ray Kroc: le poète du hamburger!

DE TOUT TEMPS, J'AI EU LA CONVICTION QUE CHAQUE HOMME BÂTISSAIT SON PROPRE BONHEUR ET ÉTAIT RESPONSABLE DE SES PROPRES PROBLÈMES.

Ray Kroc est né en 1902, à Oak Park, aux limites de la ville de Chicago. Son père, Louis, travaillait comme technicien à la Western Electric Union. Comparé à son frère Bob, de trois ans son cadet, qui allait devenir plus tard le président de la société philanthropique McDonald et docteur en endocrinologie, le jeune Ray n'éprouvait pas une attirance particulière pour les études. Il préférait l'action. Pour arrondir les fins de mois qui arrivaient souvent vite, sa mère, Rose, donnait des cours de piano à domicile. C'est ainsi que Raymond (Ray) apprit lui aussi à jouer du piano, ce qui allait lui être bien utile plus tard.

Très tôt, le sens des affaires se développa chez lui. Ayant travaillé tout l'été au comptoir de rafraîchissements de la pharmacie de son oncle, le jeune Ray économisa chaque sou gagné et ouvrit un magasin de musique avec deux amis. Avec un investissement initial de 100$ chacun, les trois jeunes gens louèrent un minuscule local pour y vendre des partitions musicales et des harmonicas. Après quelques mois seulement, ils furent obligés de fermer, les ventes étant quasiment nulles. Néanmoins, le jeune Ray avait fait l'expérience des affaires et avait pris goût à la vente. **Cet échec lui**

avait donc été utile en ce sens qu'il le confirma dans sa vocation naissante.

À peu près à cette même époque, les États-Unis allaient entrer en guerre. Le jeune Kroc, alors âgé de 14 ans, décida de quitter l'école où il s'ennuyait. Il ne jugeait pas que ce qu'il y apprenait serait nécessaire à son succès. Dissimulant son âge, il s'enrôla dans l'armée et devint chauffeur d'ambulance pour la Croix-Rouge. Il suivit son entraînement militaire, mais heureusement pour lui, l'armistice fut signé juste à la veille de son départ pour la France.

Après son entraînement militaire, Ray revint à Chicago dans le but de trouver du travail. Il dénicha un emploi comme représentant pour une compagnie de rubans et diverses fantaisies décoratives. C'est là qu'il fit ses premiers pas dans la vente, et très tôt il découvrit le secret de ce que doit être un bon vendeur. Mais sa carrière atteignit bientôt un plafond avec sa compagnie de colifichets de peu d'envergure, et Kroc renonça à ce travail pour une place de pianiste dans un grand orchestre à la mode au Michigan. C'est là qu'il fit la connaissance d'Ethel, celle qui allait devenir son épouse quelques années plus tard.

SI VOUS PENSEZ PETIT,
VOUS ALLEZ RESTER PETIT!

En 1922, Ray, qui venait d'épouser Ethel, était à la recherche d'un emploi plus stable que celui de musicien sur les ferry-boats. Il dénicha rapidement un travail comme représentant pour une compagnie de gobelets en papier: la Lily Tulip Cup. Ce nouveau travail emballa tout de suite Ray, car il pressentait que les gobelets en papier faisaient partie de l'avenir de l'Amérique. Le flair qu'il manifestait précocement allait lui être bien utile tout au long de sa carrière. «**Cependant, au début,** se souvient-il, **il n'était pas facile de surmonter l'inertie de la tradition; faire comprendre aux restaurateurs et aux propriétaires de comptoirs à rafraîchissements que les verres en papier étaient plus hygiéniques, permettaient d'éviter la casse et les pertes, et surtout d'introduire un nouveau concept en restauration: les commandes à apporter.**» Mais la force de son intuition lui permettait de surmonter ces résistances qui sont du reste normales ou en tout cas fréquentes face à tout nouveau produit. Ray Kroc entrevoyait de fort lucratives possibilités commerciales dans les gobelets.

«**J'étais convaincu,** dit-il, **que si vous pensez petit, vous allez rester petit, et je n'avais pas l'intention de le demeurer!**»

Ray Kroc s'imposa durant cette époque un horaire de travail forcené. Dès 07h00 du matin, sa mallette d'échantillons en main, il arpentait les rues de Chicago en quête de commandes et de nouveaux marchés. Vers 17h00, alors que la plupart des gens rentraient sagement à la maison, Kroc se rendait à la station radiophonique WGES de Oak Park dont il était le pianiste officiel, les accompagnements se faisant à l'époque en direct. Sa journée se terminait vers 02h00 du matin. Comment parvenait-il à tenir le coup? Ce n'était pas qu'il fût doué d'une résistance physique exceptionnelle. Mais il avait appris à la développer. Il confie d'ailleurs comment.

«Mon secret résidait dans le fait que je profitais au maximum de chaque instant de repos. Je pense que je ne dormais pas plus de six heures en moyenne par nuit. Fréquemment, je n'avais que quatre heures ou moins de repos et je suis convaincu que si je n'avais pas fait appel à ma méthode d'autohypnose personnelle, je n'y serais pas parvenu. De plus, je détestais rester inoccupé, même pour une minute. J'étais déterminé à vivre dans le confort et nous pouvions nous le permettre grâce aux revenus que me procuraient mes deux emplois.»

Les ventes de gobelets ne cessaient d'augmenter pour Kroc, et sa confiance en lui-même s'affirmait au même rythme. C'est ainsi qu'au printemps de l'année 1925, Ray atteignit sa compétence maximale comme vendeur au sein de la Lily Tulip Cup, et obtint de ses supérieurs l'autorisation de prendre un congé de cinq mois sans solde. Quelques jours plus tard, Ray tourna énergiquement la manivelle pour faire démarrer sa Ford Modèle T. Il engagea la première vitesse et prit la route. La Floride était encore à des centaines de kilomètres.

LÀ OÙ IL N'Y A PAS DE RISQUE,
IL NE PEUT Y AVOIR DE FIERTÉ
DANS L'EXPOIT À ACCOMPLIR,
ET, PAR CONSÉQUENT, DE BONHEUR.

À cette époque, la Floride était perçue un peu comme une nouvelle terre de prospérité, une sorte d'Eldorado. Miami grouillait de gens en quête de fortune, et Ray Kroc venait tout juste d'y arriver après un exténuant voyage de dix jours en voiture, bravant les routes boueuses qui n'avaient rien de commun avec nos autoroutes modernes. Il ne mit pas de temps à trouver un emploi chez W.F. Morgan & Son, comme vendeur de propriétés immobilières le long du boulevard Las Olas, à Fort Lauderdale. Son travail consistait à trouver d'éventuels clients fortunés, désireux d'acquérir une propriété en Floride. Ray ne tarda d'ailleurs pas à devenir un excellent vendeur immobilier et reçut même une superbe voiture Hudson avec chauffeur, prime accordée aux 20 meilleurs vendeurs de la compagnie. Pour un jeune homme de 23 ans, ce n'était pas si mal. Mais ces succès ne durèrent pas. Les histoires à sensation imprimées dans les journaux du nord du pays sur les scandales de la vente des terrains marécageux de la Floride freinèrent rapidement la vague de prospérité que commençait à connaître le sud-est de la côte américaine. L'affaire s'envolait en fumée pour Ray Kroc!

JE FAIS PARTIE DE CEUX QUI CRÉENT. JE RAPPORTE DE L'ARGENT ET JE NE VAIS PAS ME LAISSER METTRE DANS LA MÊME CATÉGORIE QUE LES AUTRES!

De retour à Chicago, Ray reprit ses activités à la Lily Tulip Cup comme vendeur de gobelets. Champs de courses, terrains de baseball, zoos, plages, pâtisseries, autant d'endroits où Kroc déployait son talent et son sens aigu de l'initiative. De 1927 à 1937, Ray ratissa tout Chicago, obtenant de nouveaux territoires, augmentant sans cesse son chiffre de ventes. Mais un matin, son patron le convoqua d'urgence dans son bureau.

«Ray, lui dit-il d'un air confus, j'ai une mauvaise nouvelle à vous annoncer. Les autorités de la compagnie ont décidé de réduire de 10% le salaire de tous les employés en raison de la situation qui prévaut dans le pays. Vous devez vous aussi faire votre part et vous conformer à ces nouvelles directives qui ne seront que de courte durée, je l'espère.»

Cette nouvelle fut un véritable choc pour Ray. La diminution de salaire lui déplaisait mais c'est surtout son orgueil qui en prenait un coup. Comment son patron pouvait-il traiter de façon aussi arbitraire le meilleur vendeur de la compagnie?

«Monsieur Clark, rétorqua Ray, il est inconcevable que je sois mis sur un même pied que ceux qui constituent un bois mort pour la compagnie. Je fais partie de ceux qui créent, je rapporte de l'argent et je ne vais pas me laisser mettre dans la même catégorie que les autres!

— Comprenez-moi, je n'ai pas le choix, cette mesure doit s'appliquer pour tous, sans exception.

— Eh bien, je fais partie des exceptions, et je vous donne ma démission sur-le-champ!»

Lorsque Kroc ferma la porte derrière lui, Clark demeura médusé. Il n'avait jamais rencontré un homme aussi déterminé. Ni sans doute un vendeur aussi talentueux. Le seul problème est qu'il venait de le perdre. La femme de Kroc lui reprocha son geste. Mais il ne voulut rien entendre. Son entêtement porta d'ailleurs ses fruits car son patron ne tarda pas à le rappeler. Kroc accepta tout de suite l'arrangement avantageux qu'il lui offrit, c'est-à-dire un compte de dépenses qui compenserait en quelque sorte la réduction de salaire de 10% et qui, n'allant pas à l'encontre de la politique générale de la compagnie, ne risquerait pas de choquer les autres employés. **«J'avais l'impression d'avoir grandi de plusieurs pouces en sortant de ce bureau»**, se souvient Kroc. Son image de soi était haute, il n'avait pas voulu céder d'un iota, et il récoltait les fruits de sa détermination.

JE SUIS CONVAINCU QUE JE JOUE GAGNANT!

À peu près à cette même époque, Ray Kroc fit la connaissance de Earl Prince, un ingénieur qui était à mettre sur pied une chaîne de petits restaurants à crème glacée appelés «Prince Castle». Ray leur fournissait les gobelets en papier. Il s'intéressa à cette nouvelle affaire qui semblait prometteuse. Pour Kroc, les affaires n'avaient jamais aussi bien marché. En fait, il avait maintenant une quinzaine de vendeurs qui travaillaient pour lui. Cependant, les altercations de plus en plus nombreuses avec son patron concernant l'avenir de la compagnie et la manière de stimuler les vendeurs commençaient à le contrarier et à saper son enthousiasme. Aussi, Kroc n'hésita pas longtemps lorsque Earl Prince lui proposa de s'associer avec lui. Certes, il sacrifiait une situation enviable. Mais il était tourné vers l'avenir et les nouveaux défis. Il n'avait que 35 ans, et il flairait une bonne affaire. Prince venait de mettre au point le «Multi-Mixer», une sorte de batteur à lait à six fouets. Kroc s'occuperait de la commercialisation du nouvel appareil et en serait l'agent exclusif pour tout le pays, tandis que Prince les fabriquerait. Quant aux bénéfices, ils seraient également répartis. L'entente était on ne peut plus équitable.

CE N'ÉTAIT QUE LA PREMIÈRE ÉTAPE
DE MA LUTTE POUR BÂTIR UN MONUMENT
PERSONNEL AU CAPITALISME.

En 1936, Kroc commença sa nouvelle association et partit à la conquête de nouveaux marchés, avec en main sa mallette d'échantillons Multi-Mixer qui ne pesait pas moins de... 50 livres! Au début, comme anciennement avec ses gobelets de papier, les choses n'allèrent pas toutes seules (c'est du reste rarement le cas en affaires sinon tout le monde serait millionnaire). Les restaurants qui possédaient les batteurs traditionnels ne voyaient pas comment le Multi-Mixer pouvait leur être utile, même si cet appareil était polyvalent. De plus, la Deuxième Guerre mondiale freina considérablement les approvisionnements de cuivre qui entraient dans la fabrication des Multi-Mixers. Kroc dut donc abandonner momentanément la vente des appareils et se consacrer à la vente de lait en poudre malté. La guerre terminée, Kroc reprit immédiatement la vente des Multi-Mixers, et bientôt les affaires furent meilleures qu'auparavant, surtout grâce à l'apparition de nouvelles chaînes telles que Dairy Queen et A & W., etc. **Kroc ne cessait de chercher de nouveaux marchés, assistait à toutes les conventions organisées par les restaurateurs et les associations laitières.** En 1948, il atteignit le chiffre record de 8 000 Multi-Mixers vendus. Ce record n'était pour lui qu'une étape. **«En ce qui me concerne,** écrira-t-il, **ce n'était que la première phase de ma lutte pour bâtir un monument personnel au capitalisme!»**

Ceux qui ont des inhibitions face à l'argent en prendront sûrement pour leur rhume en lisant cette déclaration fracassante.

VOUS ALLEZ MANGER
LE MEILLEUR HAMBURGER DE VOTRE VIE,
VOUS N'AVEZ PAS À ATTENDRE NI
À DONNER DE POURBOIRE AUX SERVEUSES.

Ray Kroc comptait parmi ses clients deux frères, les McDonald, qui opéraient huit Multi-Mixers, ce qui était plutôt rare à l'époque, chaque appareil pouvant préparer simultanément six milk-shakes. Cela dénotait évidemment un achalandage tout à fait imposant. Accompagnant un de ses représentants dans un voyage à Los Angeles, Ray Kroc vit opérer pour la première fois de sa vie le restaurant des frères McDonald. Il fut vivement impressionné. Son instinct lui fit flairer la bonne affaire. Cependant, il fut d'abord surpris par l'aspect modeste du bâtiment des deux frères dont le nom allait devenir si célèbre. Il s'agissait d'une petite construction octogonale sur un terrain de 200 pieds carrés formant un coin de rues. Somme toute, un petit restaurant en bordure de route tout à fait quelconque. Comme l'heure du dîner approchait, Ray gara sa voiture à proximité du bâtiment pour mieux observer l'activité qui s'y déroulait. Il fut d'abord étonné de voir le personnel tout de blanc vêtu, coiffé d'un chapeau en papier de même couleur, s'affairer autour du hangar du bâtiment, y ramenant des chariots d'approvisionnement: sacs de pommes de terre, boîtes de viande, petits pains, liqueurs douces, etc. **Un sens remarquable de l'ordre, de la discipline et de l'efficacité se dégageait de ce tableau.** Bientôt, le parking fut rempli de voitures, et déjà une file se formait au comptoir. Kroc, étonné, se joignit à cette file qui ne cessait de s'allonger.

«Qu'y a-t-il de spécial ici? lança-t-il à un homme qui se tenait debout devant lui.

— N'avez-vous jamais mangé ici auparavant?

— Non.

— Eh bien, vous verrez que vous allez manger le meilleur hamburger de votre vie et vous n'avez pas à attendre ni à donner de pourboire aux serveuses.»

L'après-midi, Kroc retourna au restaurant, avec l'intention de rencontrer les frères McDonald. Il obtint un rendez-vous pour le soir même, bien décidé à tout savoir d'eux. Il y apprit que Maurice et Richard McDonald avaient travaillé dans les années 20 comme manoeuvres dans un des studios de cinéma d'Hollywood jusqu'en 1932, où ils décidèrent de monter leur propre affaire en achetant un cinéma. L'affaire ne marcha pas très bien, et, en 1937, les deux frères McDonald convainquirent le propriétaire d'un terrain, à Santa Anita, de les aider à construire un petit bâtiment du genre «drive-in». À cette époque, un phénomène nouveau en restauration voyait le jour en Californie: les «drive-in», sorte de restaurants en bordure de route. Dans la capitale du cinéma, ce genre d'établissement poussait comme des champignons, certains propriétaires poussant l'extravagance jusqu'à faire circuler les serveuses en patins à roulettes dans des costumes affriolants. La Californie était et est encore le berceau de la culture américaine!

Ne connaissant rien à la restauration, les frères McDonald apprirent rapidement, grâce à l'un de leurs employés qui avait été cuisinier auparavant dans une rôtisserie. Leur petit restaurant était à vrai dire le prototype d'une légion que Ray allait commercialiser. Le menu était limité: hamburgers, frites et boissons gazeuses. Le tout préparé à la chaîne, chaque étape de la production étant réduite à sa plus simple expression et exécutée avec le minimum d'efforts, de temps et de coûts.

POURQUOI PAS MOI?

Au cours de la nuit qui suivit cette rencontre décisive, Ray Kroc, dans sa chambre d'hôtel, réfléchit à ce qu'il avait vu et entendu au cours de la journée. Il ne pouvait retenir son imagination, qui avait toujours été vive. Il écrira au sujet de cette nuit: **«Je voyais en pensée des centaines de restaurants McDonald installés dans tous les coins du pays.»** Le lendemain matin, Kroc avait conçu son plan d'action. Il irait voir les frères McDonald et leur proposerait d'ouvrir une chaîne de restaurants semblables au leur à travers le pays. Les frères McDonald augmenteraient leurs profits et Kroc maximiserait la vente des Multi-Mixers. Les deux parties y trouveraient donc leur compte. Aussi curieux que cela puisse paraître, c'est la vente accrue de Multi-Mixers qui intéressa d'abord Kroc dans l'affaire des McDonald.

«Nous avons déjà suffisamment de boulot ici, rétorquèrent les frères McDonald, à la proposition de Kroc, et puis, ça nous occasionnerait un paquet d'ennuis. Surtout, nous n'avons personne à qui demander de s'occuper de tout cela.»

«Pourquoi pas moi?» lança Kroc du tac au tac.

Dans l'avion qui le ramenait de Californie, les hôtesses n'auraient sans doute pas pu deviner que Ray Kroc, ce passager d'allure banale, diabétique, souffrant d'arthrite, amputé de la vésicule biliaire et d'une partie de la glande thyroïde, allait devenir un des plus puissants magnats de la restauration. Bien assis dans son fauteuil, Kroc jeta un regard sur sa mallette qu'il ne quittait pas des yeux comme si elle contenait des millions. De fait, elle renfermait une véritable mine d'or: un contrat fraîchement signé de la main des frères McDonald. Ce contrat stipulait que Ray Kroc avait les droits de franchise pour l'exploitation des restaurants McDonald à travers tous les États-Unis. L'architecture de tous les bâtiments devait être identique, c'est-à-dire conforme à celle nouvellement conçue par l'architecte des frères McDonald. En outre, le nom McDonald devait apparaître sur chaque bâtiment. Chaque menu devait être lui aussi uniforme et toutes nouvelles modifications à ces règles devaient être au préalable signalées aux frères McDonald et cautionnées par une lettre signée d'eux.

Le contrat offrait à Kroc 1,9% sur le chiffre d'affaires brut des concessions. Mais Kroc devait reverser de ce chiffre 0,5% aux frères McDonald. En outre, le contrat prévoyait que Ray Kroc toucherait 950$ pour chaque franchise. Cette somme servirait à couvrir les dépenses encourues par Kroc. Chaque licence accordée aux concessionnaires serait valide pour une période de 20 ans. Le contrat qui liait Kroc aux frères McDonald n'était valide que pour une période de 10 ans. Il fut ultérieurement prolongé à 99 ans.

Aussitôt de retour à Chicago, Ray s'affaira à trouver un terrain pour la construction du premier restaurant McDonald. Avec l'aide d'un ami, Art Jacobs, qui plus tard devint associé, Ray dénicha un petit terrain qui semblait remplir toutes les conditions. **La plupart des amis de Kroc croyaient que c'était une pure folie que de s'engager dans une affaire de hamburgers à $0.15.**

Seul Ed MacLuckie, un ami de Kroc, l'encouragea, et s'intéressa au projet. Kroc n'eut pas de difficulté à le convaincre d'accepter la gérance de son premier restaurant. C'est ainsi qu'en 1955, avec les conseils de Hart Bender, le gérant des frères McDonald, Ray Kroc ouvrit le premier restaurant McDonald dans le mid-west américain. Cependant, l'adaptation d'un bâtiment de style californien, tel que dessiné par l'architecte des frères McDonald, ne convenait guère au mid-west, surtout l'hiver. Kroc dut souvent se battre avec Maurice et Richard McDonald concernant les modifications d'usage à apporter aux bâtiments selon le milieu géographique, les deux frères refusant de signer la lettre d'entente tel que stipulé au contrat.

La préparation des frites causa aussi bien des ennuis à Kroc. Même s'il avait observé et appris par coeur la méthode des frères McDonald, il n'arrivait pas à obtenir le même goût que ces merveilleuses frites qu'il avait goûtées en Californie. Le succès de l'entreprise dépendait de la capacité d'offrir dans des centaines de restaurants les mêmes normes de qualité et de goût. Kroc résolut finalement le problème grâce à un système de ventilation installé au sous-sol du bâtiment qui accélérait le processus de maturation des pommes de terre. La saveur de ces dernières s'améliore au fur et à mesure qu'elles sèchent, les sucres se changeant en amidon. Les frères McDonald en conservant leurs pommes de terre dans des sacs en treillis métallique, exposés à la brise du désert, utilisaient à leur insu un procédé naturel de maturation. Tout en s'occupant du restaurant, Kroc continuait à vendre des Multi-Mixers, les revenus payant le loyer du restaurant et les salaires des employés. Tôt le matin, il se rendait au restaurant pour donner un coup de main. **«Ma fierté ne m'empêchait pas de me servir d'un balai et de laver les toilettes.»**

Un an après l'ouverture du premier restaurant McDonald, trois autres concessions avaient vu le jour en Californie et, durant les huit derniers mois de l'année 1956, huit nouveaux restaurants avaient pignon sur rue dans divers États américains. **La vente des Multi-Mixers avait permis à Kroc d'étudier plusieurs milliers de cuisines dans toutes sortes de restaurants, et, cette expérience lui servait maintenant beaucoup dans la gérance des concessions qu'il**

mettait sur pied. C'est un exemple du principe du spin-off que nous verrons plus loin. C'est aussi une illustration du principe de l'«extra-mile» expliqué ultérieurement. Tous les efforts investis par Ray Kroc au cours de ces premières années lui permettraient bientôt d'accéder à la véritable fortune.

Un des premiers objectifs de Ray Kroc à cette époque était de créer un réseau de restaurants renommés pour leur qualité, leur propreté et leur service. **«Qualité, service, propreté et prix. Si l'on m'avait donné une brique chaque fois que j'ai répété ces mots, je pense que je pourrais construire un pont au-dessus de l'océan Atlantique.»** Une telle philosophie exigeait un programme permanent en vue d'éduquer et d'aider les restaurateurs.

Pour permettre une si grande expansion de l'empire qu'il était en train de bâtir, Kroc eut l'idée de convaincre les propriétaires de terrains propices à l'ouverture de restaurants de les louer sur une base surbordonnée. Autrement dit, les propriétaires prenaient une seconde hypothèque afin que l'équipe de Kroc aille à la banque pour négocier une première hypothèque, le propriétaire du terrain subordonnant son terrain au bâtiment. Kroc n'eut pas de difficulté à convaincre les propriétaires de terrains, qui réalisèrent vite que leur terrain vague pouvait leur rapporter quelque chose. C'est alors seulement que l'affaire McDonald commença à devenir réellement rentable. Kroc mit au point aussi une formule de paiement mensuel que devaient verser les concessionnaires, ce qui permettait de rembourser les hypothèques, de couvrir les dépenses et de réaliser un bénéfice. Kroc recevait le montant le plus élevé d'un minimum mensuel fixe ou d'un pourcentage du chiffre d'affaires réalisé par le restaurateur. Après quelque temps, cette formule commença à rapporter des revenus importants. Ray Kroc avait à peine touché la pointe de l'iceberg!

JE CROIS EN DIEU,
DANS LA FAMILLE ET EN McDONALD,
ET AU BUREAU CET ORDRE EST RENVERSÉ.

Kroc entreprit par la suite de s'entourer de collaborateurs précieux, experts comptables, avocats, conseillers financiers... **«Le succès de mon entreprise est dû en grande partie à ma clairvoyance dans le choix des personnes occupant des postes clés dans mon entreprise.»**

Après quelques années d'opération, Ray Kroc, devant l'expansion rapide de la chaîne McDonald, sentit de plus en plus qu'il avait entre les mains une bonne affaire... Le seul hic c'est qu'il ne l'avait pas vraiment entre les mains. Il était lié par son contrat avec les frères McDonald. Il lui apparut bientôt comme une évidence que s'il voulait vraiment devenir riche et faire connaître à sa chaîne l'expansion dont il rêvait, il ne devait pas avoir de bâtons dans les roues. Il devait donc racheter son contrat. C'est ce qu'il résolut de faire.

Après avoir longuement discuté avec son principal conseiller financier de la meilleure stratégie à adopter pour négocier le rachat, Kroc opta pour la manière directe et téléphona à Dick McDonald pour lui demander son prix. Lorsque deux jours plus tard le frère McDonald lui indiqua son prix, Ray Kroc, abasourdi, laissa tomber le récepteur avec fracas, ce qui ne manqua pas d'inquiéter son interlocuteur. Il faut dire que le chiffre qu'avait laissé tomber McDonald eût coupé le souffle à tout administrateur:

2 700 000$!

À l'époque (et même aujourd'hui) c'était toute une somme. Que Ray Kroc était loin de posséder surtout que son divorce avec sa première femme, qui avait eu lieu à l'époque, l'avait pour ainsi dire lessivé.

«Vous savez, Monsieur Kroc, rétorqua Dick, nous l'avons bien gagné, mon frère et moi. Depuis 30 ans que nous travaillons dans cette affaire. Nous aimerions avoir 1 000 000$ chacun après impôts, et on vous concède tous les droits, le nom et tout le reste.»

Comment dénicher une telle somme? Le lendemain matin, Kroc convoqua son état major et, quelques jours plus tard, John Bristol, conseiller financier de l'Université de Princeton était engagé comme bailleur de fonds. Bristol trouva finalement auprès de divers financiers la somme nécessaire. Le coût total de la transaction s'éleva à 14 000 000$ et les prévisions de Kroc indiquèrent qu'il faudrait attendre jusqu'en 1991 pour rembourser la totalité de l'emprunt. En 1972, la somme complète était remboursée. Kroc avait commis une petite erreur de calcul: il avait basé la projection financière sur les ventes de l'année 1961, ne prévoyant pas, malgré son optimisme, une croissance aussi rapide.

Le grand pas venait d'être fait par Ray Kroc sur le chemin de la fortune. Mais la partie était loin d'être gagnée. Kroc dut affronter de nombreuses batailles administratives et légales, faire preuve de grande qualité de gestionnaire et de financier. L'expansion de l'empire McDonald fut phénoménale. En 1977, au moment où Ray Kroc faisait paraître son édifiante autobiographie, McDonald possédait 4 177 restaurants aux États-Unis et dans 21 autres pays. Depuis, l'essor n'a pas cessé. Et les ventes totales dépassent 3 milliards!

La philosophie imposée aux concessionnaires prévoyait en fait les moindres détails de toutes les opérations quotidiennes. Le temps de cuisson était déterminé à la seconde près et contrôlé grâce à des lumières clignotantes. Les galettes de viande devaient peser tant de grammes et avoir tel diamètre. Un hamburger doit être jeté s'il n'a pas été vendu 10 minutes après sa cuisson. Quant au personnel, il doit se conformer à des consignes très précises. L'uniforme est de mise, mais la coiffure et les manières sont aussi réglementées. Ainsi, l'employé doit accueillir le client avec un sourire et le regarder dans les yeux. Quant aux mesures d'économie, elles sont nombreuses et souvent subtiles. Ainsi, dans tous les McDonald qui ne sont pas équipés d'un comptoir d'auto-service pour les condiments, le client doit demander du sel ou du poivre pour en avoir. Pour éviter le gaspillage, les condiments ne sont pas remis d'office au moment de l'achat.

À partir du moment où Ray Kroc eut racheté les frères McDonald, il imposa à tous ses concessionnaires une politique extrêmement ferme qui explique en grande partie son succès. **Son souci du détail était proverbial.** Il n'est d'ailleurs pas étranger à sa réussite. C'est souvent une série de petits détails en apparence anodins qui font la différence entre l'échec et le succès. Ce souci est le résultat de l'expérience, et surtout d'une attention constante, toujours à la recherche d'une amélioration, si infime soit-elle.

Les dix hommes riches ont passé leur vie à s'occuper de détails que d'autres auraient dédaignés. Ray Kroc, pour sa part, aurait presque pu passer pour un enragé tellement son exigence pour les détails (et par-dessus tout, ceux concernant la propreté) était élevée. **«J'étais toujours heureux de revoir mon McDonald! Parfois, pourtant, ce que je voyais me faisait moins plaisir. Il arrivait que Ed MacLuckie oubliait d'allumer l'enseigne à la nuit tombante, et cela me rendait furieux. Ou bien encore des détritus jonchaient le sol et Ed me disait qu'il n'avait pas eu le temps de les ramasser. Ces petites choses ne semblaient pas le déranger, mais, pour moi, c'étaient des affronts sérieux. Je criais comme un fou et je ne ménageais pas Ed. Il prenait les choses du bon côté. Je sais que ces détails comptaient autant pour lui que pour moi, et cela, il l'a prouvé dans ses propres restaurants quelques années plus tard.»**

Kroc travailla jusqu'à la fin de sa vie, continuant de consacrer tout son temps à rechercher lui-même les emplacements pour de futurs restaurants. La Société McDonald fit l'acquisition d'un avion qu'il utilisa à la prospection de nouveaux terrains, recherchant les endroits à proximité des écoles et des églises.

Malgré la douleur qui lui déformait la hanche, Kroc continuait à se déplacer, à se rendre au bureau. Pour un homme tel que lui, la souffrance était sans doute préférable à l'inertie. Vers la fin de sa vie, quelqu'un lui reprocha qu'il était facile pour un homme comme lui de parler de succès et de réussite, alors qu'il possédait plusieurs millions de dollars. **«Et après,** répondit Kroc, **vous savez, je ne peux toujours porter qu'une seule paire de souliers à la fois!»**

L'homme était resté simple, malgré ses millions.

*

* *

Ne pas avoir d'inhibition face à l'argent.

Dans l'établissement de toute nouvelle image, il y a un nettoyage à effectuer. Tout sujet rencontre des résistances, des obstacles. Une des résistances les plus communes, les plus profondément ancrées, et les plus néfastes, est la conception qui veut que, pour employer une expression consacrée, «l'argent est sale». Cette conception prend plusieurs formes et est du reste, en général, plus ou moins inconsciente. On dira qu'il est malsain de vouloir s'enrichir, que les gens qui ambitionnent d'améliorer leur situation ne sont que des bourgeois, sont bassement matérialistes. Pour bien des gens, il s'agit d'un héritage puritain attribuable aux relents d'une éducation judéo-chrétienne. Il faut ajouter que l'aversion affichée contre l'argent est souvent hypocrite. On médit contre les gens riches et en même temps on les envie secrètement. Il est à noter toutefois que les attitudes changent peu à peu, encore que plusieurs préjugés demeurent ancrés profondément.

Une autre des résistances fréquentes à la formation d'une image nouvelle est la crainte, pour les gens issus de milieux modestes, de renier leurs origines ou leurs parents. Cette crainte n'est évidemment pas présente chez tous les gens d'extraction modeste. On a vu en effet que la pauvreté, la frustration et l'humiliation de naître pauvre ont été le ferment de plusieurs fortunes étonnantes. Ce qui prouverait, s'il en était besoin, que la modestie des origines ne condamne personne à la médiocrité et que la pauvreté n'est pas héréditaire. Au fond, quoiqu'on en dise, et même si cette expression peut choquer, **la pauvreté est dans bien des cas une maladie mentale.**

C'est d'une certaine manière rassurant. Si la pauvreté est une maladie, on peut en guérir. On peut toujours s'en sortir. **Il n'est nulle condition extérieure, nulle contrainte, nulle circonstance dont l'esprit ne puisse triompher.** L'homme qui prend conscience de cette vérité possède la clé pour maîtriser son destin, pour changer son présent et son avenir en fonction de sa volonté et de ses aspirations. L'homme qui a pris conscience de cette loi fondamentale et qui l'applique dans sa vie, devient tel qu'en lui-même il désire être, tel qu'il se voit. Et rien, absolument rien ne peut l'arrêter. Les circonstances se plient à sa volonté et à son esprit.

La juste conception de l'argent

La conception que l'argent est sale, ou qu'en s'élevant au-dessus de sa condition sociale on renie ses parents, est déplorable. La philosophie qui veut qu'on soit bourgeois et sans spiritualité lorsqu'on entretient des ambitions matérielles est tout à fait erronée. Car — si l'on met de côté l'argent gagné par hasard, comme à la loterie ou aux courses, ou celui provenant d'un héritage — qu'est-ce que signifie gagner beaucoup d'argent? La véritable signification de l'argent gagné, honnêtement (signification qui lui restitue d'ailleurs sa noblesse véritable) est la reconnaissance de services rendus. Un homme riche est donc un homme qui a rendu un service à plusieurs de ses semblables et en a reçu la juste rétribution. C'est ce que la plupart des gens qui méprisent l'argent oublient dans leur condamnation. Certes, Henry Ford a amassé des millions et il est même devenu milliardaire. Mais en échange, quels services a-t-il rendus à l'humanité? Grâce à sa patience admirable, à son génie, à sa détermination proverbiale, ce petit homme sans instruction dont plusieurs de ses contemporains ont commencé par rire, a fait faire un pas de géant à l'humanité, qui a accédé à l'ère de l'automobile. Imagineriez-vous la vie moderne sans automobile? Certes non. En outre, grâce à Henry Ford, des milliers d'emplois ont été créés. Sa fortune n'est que la reconnaissance du public, le juste paiement des services qu'il lui a rendus. D'ailleurs, Henry Ford était parfaitement conscient de la signification véritable de la fortune et par le fait même de la manière la plus sûre de l'acquérir. À un homme qui lui demanda un jour ce qu'il ferait s'il perdait tout son argent et sa fortune, il répondit du tac au tac: **«Je penserais à un autre besoin fondamental des gens et je répondrais à ce besoin en offrant un service moins cher et plus efficace que toute autre personne ne pourrait le faire. En cinq ans, je serais de nouveau millionnaire.»**

Trouver un besoin fondamental des gens, et y répondre par un service moins cher et plus efficace... C'est ainsi que bien des hommes riches ont bâti leur fortune. On pourrait établir la même équation pour les dix hommes que nous avons étudiés.

Par exemple, Walt Disney? Il a égayé la vie de milliers d'enfants.

Watson? Son génie des affaires lui a permis de commercialiser les ordinateurs IBM et de changer toute notre société. Que serait la vie d'aujourd'hui sans l'informatique?

Conrad Hilton? Sa philosophie de l'hôtellerie a permis d'assurer une qualité exceptionnelle à tous les voyageurs de la terre ou presque. L'assurance du confort et des services de qualité lui ont assuré sa fortune.

Ceux qui reprochent à certains hommes leur richesse devraient donc considérer ce que ces hommes ont fait pour leurs semblables en termes de produits ou de services et d'emplois créés. La reconnaissance qu'ont reçue ces hommes riches n'est pas attribuable au hasard.

Ceci dit, même si le service rendu aux autres est immense, il ne faut pas croire que l'effort doive nécessairement être proportionné. Ce qui compte, c'est le service rendu ou la popularité du produit. En ce sens, on dit, le calcul vaut le travail. **Une seule idée suffit pour devenir riche. Et combien faut-il de temps pour avoir une idée? Une fraction de seconde.** Évidemment, sa réalisation peut demander — et en général demande — plus de temps et d'efforts.

Rubik, dont le cube fameux porte le nom, est devenu millionnaire grâce à une seule idée. Rapidement et sans labeur pénible. Le service qu'il a rendu? Il a amusé et fait travailler la matière grise de millions de gens à travers le monde. Et celui qui a inventé le 'Monopoly', combien croyez-vous qu'il ait touché en royalties?

Plusieurs affirment que l'argent en soi n'est ni bon ni mauvais. Nous croyons, au contraire, que de même qu'il est le nerf de la guerre, il est le levain de toute civilisation. Ce n'est d'ailleurs pas un hasard si, à travers les âges, ce sont les pays les plus riches qui ont atteint les plus hauts niveaux culturels et scientifiques. Les avantages de l'argent sont immenses, autant pour les individus que pour les nations. Aussi, débarrassez-vous une fois pour toutes de ces idées moyenâgeuses qui veulent que l'argent soit sale, bourgeois, mauvais. Bien sûr, nous n'avons pas la naïveté d'affirmer que l'argent soit une panacée, mais il facilite la vie et ouvre d'immenses possibilités. Le seul inconvénient est sans doute de devenir esclave de l'argent. Serviteur excellent, c'est un maître déplorable. Ce qui importe, en fin de compte, c'est d'intégrer dans sa nouvelle image de soi une conception juste de l'argent. C'est votre passeport vers une liberté plus grande. Vous y avez droit. Exercez ce droit. Bannissez toute pensée qui va à l'encontre de cette philosophie. Bannissez cette inhibition profonde et néfaste. Tant que vous ne vous en serez pas débarrassé, vous ne pourrez pas vraiment vous enrichir. Soyez vigilant. Cette inhibition prend souvent une forme insidieuse et tente d'échapper à votre analyse en se travestissant ingénieusement. Dans votre auto-analyse, gardez à l'esprit le principe suivant qui suffit à lever toute objection: **Il n'y a aucune raison valable qui vous empêche de vous enrichir.**

Voyez-vous déjà riche!

Une image vaut mille mots, dit-on. Dans la formation d'une nouvelle image de soi, et dans la reprogrammation du subconscient nous avons vu comment utiliser les suggestions verbales. Elles conviennent parfaitement à certaines gens et sont d'ailleurs toujours efficaces. Mais certaines personnes aiment bien compléter ces suggestions par une imagerie dirigée. La visualisation créatrice peut en effet être d'un grand secours. D'ailleurs, chacun y a constamment recours dans sa vie de tous les jours. Nous pensons autant avec des images qu'avec des mots. Constamment, nous nous livrons à ce qu'il est convenu d'appeler le rêve éveillé.

Nous nous projetons dans l'avenir, nous imaginant dans telle ou telle situation. Nous évoquons le passé, le revivant en images. Qu'on le sache ou non, ces images influencent énormément notre subconscient et contribuent à forger notre personnalité. Mieux encore, elles façonnent souvent à notre insu notre avenir. Si c'est de manière positive, il n'y a rien à redire. Mais comme cette imagerie n'est en général pas dirigée, ses résultats sont souvent négatifs. Si les souvenirs du sujet sont tristes, s'il a subi de nombreux échecs, son théâtre mental n'est guère réjouissant, et les images qu'il évoque le renforcent dans une programmation négative. S'il est pessimiste, lorsqu'il rêve au futur, il le fait à l'aide d'images négatives qui risquent bien de façonner puissamment ce que sera sa vie à venir.

Il faut diriger cette rêverie. Chaque jour, accompagnez votre séance de programmation de visualisation dirigée, ou de ce qu'on pourrait appeler le rêve scientifique. Une fois détendu, et donc plus susceptible d'influencer votre subconscient, imprégnez-vous d'images nouvelles et positives. Il n'y a pas de limite à cet exercice. Faites **comme si** vous possédiez déjà ce que vous voulez obtenir, **comme si** votre objectif était déjà atteint. Une des raisons de l'efficacité de cette technique, c'est que le subconscient ne fonctionne pas avec les mêmes règles temporelles que l'esprit conscient. En fait, dans le subconscient — comme du reste dans les rêves qui en sont le produit le plus aisément perceptible — le temps n'existe pas. Il n'y a pas vraiment de passé ou d'avenir. Tout est comme dans un éternel présent.

C'est d'ailleurs pour cette raison que des traumatismes survenus dans la petite enfance d'un sujet peuvent l'affecter pendant des années même si, rationnellement, il sait très bien qu'il n'a plus à se soucier de ce qui a pu lui arriver. C'est aussi pour cette raison qu'il est possible de faire **comme si,** le subconscient ne faisant pas la distinction, puisqu'il est impressionné par l'image, sans rapport avec le temps.

Semez dans votre esprit des pensées de richesse.

Votre subconscient est comme un vaste champ et, en ce sens, il est régi par ce qu'on appelle la **loi de la semence.** Cette loi universelle, qui ne souffre d'ailleurs aucune exception, est désignée également par certains auteurs sous le vocable de **loi de la manifestation.** Cette loi est tout simplement l'équivalent dans le monde mental de la loi de la causalité dans le monde physique. Chaque action entraîne une réaction. Dans le monde mental, et donc dans votre vie en général, **la pensée, l'idée, est la cause, et le fait, les circonstances extérieures constituent l'effet.** De fait, **chaque pensée que vous entretenez dans votre esprit tend à se manifester dans votre vie.**

TOUTES VOS PENSÉES TENDENT
À SE MATÉRIALISER DANS VOTRE VIE.

C'est pour cette raison que vous devez surveiller de manière très attentive vos pensées. Ainsi, pour ce qui est de l'argent, **si vous entretenez continuellement des inquiétudes financières, si vous ne cessez de vous répéter que vous n'arriverez pas à joindre les deux bouts, que vous risquez la faillite, vous nourrissez des pensées qui, en vertu de la loi que nous venons de citer, tendront à se manifester,** et ce de manière d'autant plus vive qu'il a été démontré que le subconscient agissait à la manière d'un amplificateur, d'une loupe.

Nous ne voulons certes pas par là encourager l'insouciance, défaut pernicieux dans la conduite des affaires. La nuance est souvent subtile entre l'imprévoyance et la confiance, entre l'optimisme et la témérité. Nous ne prônons pas la politique de l'autruche. Dans toute affaire, dans toute entreprise, des difficultés et des problèmes existent. Mais les dix hommes que nous avons étudiés de même que tous ceux qui sont devenus millionnaires ne se sont jamais laissé abattre par ces difficultés. Sans doute les ont-ils vues, lucidement, mais leur regard portait plus loin, leur esprit était habité par leur rêve, un rêve qu'ils alimentaient continuellement, qu'ils nourrissaient. Sans doute percevaient-ils les obstacles, les problèmes, mais surtout, **ils voyaient les moyens dont ils disposaient pour les surmonter.** La plupart des gens ont plus d'imagination pour concevoir les obstacles qui vont les empêcher de réaliser un projet que les responsabilités dont ils disposent pour réussir.

Dans le monde de l'esprit, les idées ont une existence réelle, même si elles sont invisibles. En fait, elles ont une existence aussi réelle que l'ouvrage que vous tenez dans vos mains, ou le fauteuil dans lequel vous êtes assis. Il ne faut voir nul mysticisme dans cette conception, nulle élucubration brumeuse. Et c'est pour cette raison qu'on a dit que **les idées menaient le monde.** Leur puissance est prodigieuse. Aussi faut-il continuellement entretenir dans son esprit des pensées d'abondance, de richesse, de succès. Chaque pensée est une vibration, une onde, qui en raison d'une mystérieuse loi d'attraction attire à elle des objets, des êtres et des circonstances de nature similaire. **Le négatif attire le négatif aussi sûrement que le positif attire le positif.**

Vivre son rêve jusqu'à la fortune!

Le rêve est déconsidéré par beaucoup de gens prétendument sérieux qui disent qu'il faut voir la vie en face et accepter son état, même s'il n'est pas comme on le souhaite. Mais ces gens résignés et la plupart du temps malheureux (et qui d'ailleurs décourageront systématiquement autour d'eux toute tentative de progrès et d'enrichissement, la jugeant vaine et illusoire), ces gens résignés oublient qu'il existe deux sortes de rêveurs. Il y a ceux qui rêvassent, qui laissent libre cours à la fantaisie de leur imagination et se complaisent dans cette rêverie sans jamais chercher à l'inscrire dans la réalité, à lui permettre de s'accomplir. Mais il y a aussi ceux qui rêvent de manière réaliste, si l'on peut dire, c'est-à-dire qui croient à la puissance créatrice de leur subconscient, car le rêve éveillé en est une manifestation directe. **Chaque homme riche a commencé par rêver à sa richesse.** Chaque artiste a commencé par rêver à son oeuvre. Chaque homme politique a son projet de société. Mais le rêve de ces hommes ne s'est pas arrêté là. Ces hommes ont pris les moyens concrets de le réaliser.

Malheureusement, l'éducation privilégie généralement la partie rationnelle et strictement logique de la pensée, négligeant, si ce n'est méprisant, son côté intuitif et imaginatif, l'hémisphère gauche du cerveau étant plus sollicité que l'hémisphère droit. Pourtant, rien de grand n'a été accompli sans un rêve préalable. Le rêve est une sorte de projection de l'image de soi. D'ailleurs, qu'est-ce par définition qu'une projection, un projet? C'est étymologiquement, soi que l'on jette vers l'avant. Plus notre image de nous-même est vaste, et agrandie par notre programmation, plus notre rêve sera grandiose. Et le plus surprenant avec un rêve, aussi audacieux soit-il, est qu'il se réalise souvent plus aisément que l'on ne croie.

Votre laboratoire mental.

Il existe une technique bien simple, utilisée par plusieurs hommes d'affaires, artistes et savants, pour mettre à contribution la puissance du rêve éveillé. De même que l'on développe des photos dans une chambre noire, développez votre rêve dans une pièce obscure. Sans lumière, seul, dans le silence le plus complet possible, assoyez-vous confortablement ou allongez-vous. Et laissez peu à peu les images vous envahir. La raison pour laquelle l'obscurité et la tranquillité sont favorables à l'éclosion des idées et à la germination de vos rêves est qu'elle vous met en contact plus direct avec votre subconscient puisqu'il est, pour ainsi dire, coupé du monde extérieur. Il est important dans cet état de ne pas se censurer, de laisser libre cours à toutes les pensées qui affluent même si elles paraissent à première vue farfelues ou insensées. En fait, cette technique est une forme de ce que les Américains appellent le *brain storming*. Elle peut vous aider à résoudre de nombreux problèmes et à découvrir de nombreuses idées.

Votre subconscient vous conduit infailliblement à la fortune si vous le lui demandez correctement.

La puissance du subconscient n'a d'égale que sa sagesse. Et ce, pour une raison bien simple. Le subconscient n'oublie rien. Il enregistre tout ce qui se passe dans notre vie, les moindres gestes, toutes les paroles, toutes les pensées. Il est le parfait archiviste de nos vies. Et contrairement à notre esprit conscient, il n'arrête jamais de fonctionner. Il travaille 24 heures par jour. Ayant enregistré des milliers de faits et d'idées, **votre subconscient est une véritable mine d'or.**

Le seul ennui, c'est que bien souvent nous l'ignorons, ou que nous n'osons pas puiser dans cette mine merveilleuse. Et pourtant, c'est facile. Et c'est la chose la plus enrichissante que vous puissiez faire. Plus que le travail. Parce que le travail sans bonne idée préalable est inutile.

Votre subconscient est dépositaire de milliers d'idées qui peuvent vous enrichir rapidement. Or, il suffit d'en avoir une. Comment la trouver? Apprenez à dialoguer avec votre subconscient. Formulez-lui une demande précise, de préférence le soir avant de vous coucher.

Nous avons vu précédemment l'importance de l'intensité du désir pour la réalisation des suggestions. Il en va naturellement de même pour les demandes que vous ferez à votre subconscient. Plus elles seront nourries par un ardent désir, plus elles se réaliseront rapidement.

Conservez cependant la certitude que votre subconscient vous donnera toujours la bonne réponse. Comment fait-il pour réaliser ce prodige? Cela demeure un des aspects les plus mystérieux de la vie. Ne cherchez d'ailleurs pas à savoir de quelle manière le subconscient parvient à ses fins. D'une certaine façon, il agit un peu à la manière d'un mécanisme à tête chercheuse.

Le subconscient, nous l'avons dit, est un archiviste parfait, qui retient toutes les impressions, les pensées et les actes de nos vies. Mais ce qu'il y a de plus fascinant encore c'est qu'il a mystérieusement accès à des informations que nous n'avons jamais enregistrées, donc à des choses que nous ne connaissons pas. Les exemples sont multiples et vous en trouverez beaucoup de cas dans votre vie, dès que vous serez attentif à ce mystérieux principe. Dans la vie des hommes riches, les exemples de l'application de ce principe abondent. Le jeune réalisateur Steven Spielberg, celui qu'on allait bientôt surnommer le prince d'Hollywood, avait un projet de film en tête, et un scénario: il ne lui manquait qu'un producteur, comme c'est évidemment souvent le cas dans le cinéma. Or, un jour, il rencontra «par hasard», sur la plage, un homme riche qui était prêt à investir dans le cinéma et à encourager les jeunes talents. Grâce à l'argent de ce producteur improvisé, dont Spielberg n'avait jamais entendu parler, l'illustre inconnu put réaliser *Amblin* qui lui valut une mention au Festival de Venise et lui permit de se faire remarquer dans le milieu cinématographique.

C'est souvent ainsi que votre subconscient apportera une réponse à votre demande. Vous rencontrerez «par hasard» quelqu'un avec qui vous aurez une conversation déterminante. Quelqu'un qui vous permettra de réaliser un projet. Vous tomberez sur un article de journal, un livre, ou une émission de télévision qui répondra à votre requête de la manière la plus précise qui soit.

Ceux qui ne sont pas au fait de ce principe expliquent généralement ces circonstances heureuses par le hasard ou la chance. Mais en fait, dans notre monde régi par la loi implacable de la causalité, de l'action ou de la réaction, tant sur le plan mental que physique, **une telle chose que le hasard n'existe pas.** Non plus du reste que la chance. Ou la malchance. La chance et la malchance sont le fruit inattendu et souvent tardif de deux choses: nos pensées et nos actes antérieurs. Toute personne qui a programmé adéquatement son subconscient, c'est-à-dire l'a nourri de pensées positives de succès et de richesse, qui a fourni des efforts constants pour l'accomplissement de ces objectifs, atteindra un jour ou l'autre son but. Les gens qui méconnaissent ou ignorent ces lois négligent de considérer les efforts et les pensées antérieurs et croient à la chance.

Ainsi donc, en un sens, **on fait littéralement sa chance.** De même que sa malchance. C'est pour cette raison que l'on peut dire sans hésitation que celui qui connaît et applique correctement les lois de l'esprit et du succès peut forger sa destinée.

En commençant dès aujourd'hui à appliquer ces lois universelles, vous verrez que vous ne serez pas le seul à fabriquer votre succès. **Mystérieusement, tous les gens qui vous entourent et en même temps les inconnus que vous rencontrerez contribueront à votre réussite.** Un autre exemple de cette loi est la manière dont Steven Spielberg trouva l'idée de son premier film à succès *Duel.* **Ce ne fut pas le fruit de longues cogitations ni de recherches intenses.** Loin de là. Non, tout simplement, un jour, sa secrétaire lui apporta un magazine en lui recommandant chaudement la lecture d'une courte nouvelle qui s'y trouvait. Spielberg la lut et fut enthousiasmé. **Immédiatement, il sut qu'il avait trouvé l'idée qu'il cherchait.** Sans la présence de sa secrétaire, il n'aurait peut-être jamais entendu parler de cette nouvelle haletante. Mais son subconscient était là, qui agissait et pour ainsi dire s'occupait de tout. Inutile de dire que de tels exemples de «hasard heureux» sont monnaie courante dans la vie des hommes riches. Non seulement tout ce qu'ils touchent devient de l'or, mais tous les gens qu'ils rencontrent leur permettent de s'enrichir. Il peut en être de même pour vous. Mettez à contribution votre subconscient. Il est là pour vous servir.

Nous pourrions nous étendre pendant encore plusieurs pages sur la puissance insoupçonnée du subconscient et la manière d'y puiser. De fait, des livres entiers ont été consacrés à ce sujet passionnant. Et vous pourrez en trouver d'excellents dans la bibliographie du présent ouvrage. Mais vous possédez maintenant les grands principes qui vous permettront de vous enrichir à la mesure exacte de votre ambition et de l'image que vous avez de vous-même. Ces grands principes de l'esprit sont la base du succès. Nous allons maintenant voir comment les appliquer dans la vie de tous les jours, en découvrant surtout comment rencontrer une des exigences capitales du succès: savoir prendre la bonne décision.

CHAPITRE 3

Savoir prendre la bonne décision

Ford, on l'a vu, était un homme d'une conviction et d'une foi inébranlables. Ce qui lui permit de surmonter des conditions extrêmement difficiles. La foi dans le succès est un des éléments clés de toute réussite. L'auteur du best seller *Réfléchissez et devenez riche,* Napoléon Hill, qui, à la demande du milliardaire américain Andrew Carnegie, a étudié la vie de plusieurs millionnaires pour mettre sur pied sa philosophie du succès, affirme même que le secret suprême de la réussite réside dans la foi. Et il le formule ainsi: **«Tout ce en quoi l'esprit humain peut croire, il peut aussi l'accomplir.»**

La foi a donc une importance extrême. Et tous ceux qui ont réussi ont cru en leur étoile, en leurs rêves. Pour eux, rien ne paraissait impossible.

Cependant, objecterez-vous, avoir la foi est une chose, mais comment savoir si on croit dans une bonne idée et non pas dans un projet ruineux? Surtout que, de leur propre aveu, même des millionnaires, des hommes d'affaires chevronnés ont commis des erreurs souvent coûteuses. Le danger n'est-il pas encore plus considérable pour celui qui commence? Comment saurait-il départager le bon grain de l'ivraie? Comment trancher entre ce qui est possible et impossible? Comment trouver une idée, un projet, un travail dans lequel on puisse croire totalement? Comment, en d'autres mots, développer une sûreté de jugement qui permette non pas d'éliminer, puisque personne n'a un dossier impeccable, mais au moins de réduire les erreurs?

Constamment, nous sommes appelés à prendre des décisions. Pour accepter ou changer d'emploi, pour choisir une profession, pour donner son aval à un projet, pour investir son argent. **Celui qui veut survivre et s'enrichir doit prendre la bonne décision. Le plus souvent possible.** Mais existe-t-il une méthode sûre pour développer cette faculté si précieuse? Oui! Et nous allons l'examiner sans plus tarder.

Cette faculté vous permettra de savoir en quels projets vous devez croire, et vous permettra d'atteindre des sommets inégalés.

Ce qui est évident, ce qui tombe sous le sens permet rarement d'atteindre la richesse. S'il en était ainsi, tout le monde serait riche. L'homme qui parvient à s'enrichir alors que ceux qui l'entourent croupissent dans la médiocrité et passent leur vie à se serrer la ceinture et à en arracher est comme un clairvoyant parmi les aveugles. À l'opposé de la plupart des gens, il a développé la capacité de percevoir la lueur du possible dans ce qui paraît impossible à chacun. Il voit au-delà des obstacles qui se dressent sur le chemin de toute entreprise. Il perçoit les moyens qui lui permettront de triompher ultimement.

Dans la conduite des affaires, pour mener à bien une carrière, peu importe dans quel domaine, tout homme marche sur une corde raide. Un mauvais pas n'est pas nécessairement fatal, mais il retarde, du moins provisoirement. Il faut donc développer la faculté de prendre régulièrement, avec une moyenne supérieure, **la bonne décision.** Savoir dire oui quand c'est le temps, mais aussi dire non et s'éloigner des eaux dangereuses si ce n'est de gens dont le commerce nous apparaît ruineux.

Il est encourageant de constater que, de l'avis de la plupart des hommes riches, cette capacité est rarement innée et peut s'acquérir et se développer. C'est donc dire qu'elle est accessible à quiconque se donne la peine de l'obtenir et de la cultiver. Nous verrons d'ailleurs dans ce chapitre de quelle manière. Cet apprentissage essentiel est, vous le verrez, beaucoup moins difficile que vous ne pouvez le penser.

Plus vous développerez votre capacité de voir ce qui est réalisable là où les autres ne voient que l'impossible, de prendre régulièrement la bonne décision, plus, d'une certaine façon, vous passerez pour un original, si ce n'est pour un fou. Car, pour la plupart, les bonnes occasions ne sont pas évidentes. Elles paraissent même en général insensées. Dès que vous vous serez aventuré sur le chemin du succès, ne tenez pas compte des critiques ou des commentaires désobligeants de ceux qui vous entourent.

S'il est un homme qui dut faire souvent face à la critique et à la désapprobation, ce fut bien Jean-Paul Getty. «**Normalement,** confesse-t-il non sans un certain humour, **la plupart des gens que je connais sont en désaccord avec à peu près tous les projets, mais lorsque je leur annonçai mon intention d'acheter et de construire à Revolcadero Beach, la réaction pour une fois fut unanime. Impossible! Les raisons qu'ils invoquèrent pour juger mon projet impossible étaient légion — et, je dois l'admettre, ostensiblement raisonnables (...) — Pourtant, je pensais — je savais — que le projet était réalisable (...). Au moment de l'ouverture, le luxueux hôtel de séjour s'avéra être tout ce que j'avais prévu et son succès immédiat dépassa toutes mes espérances — un autre projet «impossible» qui était devenu possible à 100% dès le début. — Il y en eut beaucoup d'autres — petits et grands — avant et après.**»

Ces paroles, nous pourrions systématiquement les mettre dans la bouche de tous ceux qui ont réussi. Et c'est normal, car pour réussir ils ont suivi la boutade qui dit: «**Pour réussir, ne faites pas ce que les autres font.**»

Mais il faut admettre que les objections de l'entourage ou encore des spécialistes sont souvent appuyées sur des analyses «rationnelles». C'est en cultivant son flair, son intuition, qu'on peut voir au-delà des analyses «rationnelles». D'ailleurs, **tout le secret de la réussite tient essentiellement dans l'art de distinguer entre le possible et l'impossible, de voir le filon là où les autres ne le voient pas, et de le voir avant eux.**

Certes, il serait naïf de prétendre qu'absolument tout soit possible dans certaines conditions et à une certaine époque. Certains projets ne sont pas viables ou encore demanderaient un investissement de temps et d'énergie trop considérable. On peut lire un exemple amusant et instructif de ce principe exposé dans le best seller *What they don't teach you at Harvard Business School:* «Une industrie d'alimentation pour chiens tenait sa séance annuelle d'études de ventes. Le président écouta patiemment son directeur de la publicité lui présenter une nouvelle campagne sensationnelle, son directeur du marketing lui soumettre un plan de points de vente qui allait «révolutionner le marché» et son directeur des ventes exalter les vertus de «la meilleure force de vente qu'on n'ait jamais vue». Pour finir, le président prit la parole pour conclure sur quelques remarques:

«Depuis plusieurs jours, nous écoutons nos chefs de départements exposer leurs merveilleux projets pour l'avenir. Je n'ai qu'une question à poser. Si nous avons la meilleure publicité, le meilleur marketing et la meilleure force de vente, comment se fait-il que nous ne vendions pas cette sacrée nourriture pour chiens?»

«Un silence total s'appesantit sur la salle. Puis, au bout d'un moment qui sembla s'éterniser, une petite voix s'éleva du fond: «Parce que les chiens la détestent.»

Le cas est savoureux et porte à réfléchir. Cependant, il est beaucoup plus de choses possibles qu'il en est d'impossibles. C'est sans contredit le cas de la plupart sinon de toutes les inventions. Ainsi, saviez-vous qu'à l'époque où les frères Wright travaillaient à l'invention de l'avion, des études on ne peut plus sérieuses furent établies pour démontrer l'impossibilité pour un corps plus lourd que l'air (la mongolfière existait à l'époque mais le gaz à base d'hélium qui l'emplissait était plus léger que l'air) de pouvoir se déplacer dans les airs?

L'histoire de Honda démontre bien le même principe. Un des passages de son autobiographie est on ne peut plus éloquent à ce sujet: **«Quand j'ai commencé à fabriquer des motos, les prophètes de mauvais augure, parfois mes meilleurs amis, sont venus pour me décourager. «Tu ferais mieux de reprendre un garage, en province ou à Tokyo. Tu ferais beaucoup d'argent. Il y a beaucoup de voitures à réparer dans ce pays.» Je ne les ai pas écoutés et, malgré leurs avis pessimistes, à côté de mon laboratoire de recherche, je créai le 24 septembre 1948 la compagnie, la Honda Motor Company (Société anonyme individuelle de recherches techniques Honda) celle qui rayonne aujourd'hui à travers le monde.»**

Belle preuve de détermination, s'il en est, et surtout de cette capacité — un autre des visages de l'optimisme — d'un individu de voir le possible là où tout le monde voit l'impossible et de passer à l'action envers et contre tous, en dépit des arguments contraires. Dans le cas de Honda, ces arguments abondaient. Honda commente en effet sa décision en poursuivant ainsi: **«Nous étions si pauvres, avec un faible capital d'un million de yens, mais si appliqués et si conscients de prendre un risque immense. Nous faisions le pari de relever un secteur industriel au moment où toute l'industrie de notre pays était détruite. Nous faisions le pari absurde de vendre des motos alors que, dans l'immédiat, les gens étaient trop pauvres pour acheter même de l'essence et que plus tard, si la situation économique se rétablissait, ils préféreraient certainement posséder des voitures. La moindre analyse prospective nous donnait tort.»**

L'exemple de Honda montre la prééminence de l'esprit sur la matière, de l'optimisme sur les événements aussi négatifs qu'ils puissent sembler au départ. **Tout se passe comme si l'homme programmé positivement se disait non seulement que les choses ne sont jamais aussi pires qu'on a d'abord cru, mais qu'elles finissent toujours par être beaucoup mieux.**

Un jour, au cours de la Deuxième Guerre mondiale, un Américain prenait des photographies de sa fillette lorsqu'elle lui demanda candidement pourquoi elle devait attendre pour voir les photos. Question naïve, s'il en est une, ou même absurde, mais qui ne tomba pas dans l'oreille d'un sourd. Son père s'appelait Edwin H. Land et il était un inventeur qui avait apporté des perfectionnements à l'appareil photographique. La remarque naïve de sa fillette provoqua toute une série de réflexions dans son esprit. Il se tint le raisonnement suivant. Une personne qui achète une automobile ou un pantalon — en fait, n'importe quelle commodité — peut l'utiliser immédiatement et complètement, sans devoir attendre. Pourquoi n'en serait-il pas de même pour la photographie? Pourquoi devoir attendre des heures, parfois des jours? Le défi était de taille. Comment, en effet, développer dans un espace aussi réduit que la caméra et en quelques secondes, une minute au plus, ce qui s'était toujours fait en laboratoire, à travers de longues étapes? Tous les amis scientifiques de Land lui déclarèrent que c'était infaisable. Six mois après la question naïve de sa fille, le problème était théoriquement résolu. Et, le 26 novembre 1948, dans un magasin Jordan Marsh, de Boston, les premiers échantillons de la Polaroïd 60 secondes étaient mis en vente. Ce fut la véritable ruée.

L'idée spontanée d'une fillette fut donc à l'origine de l'invention de la caméra Polaroïd. Un enfant, parce qu'il n'est pas instruit, parce qu'il n'a pas l'esprit chargé de préjugés et d'idées préconçues, peut avoir une vision spontanée, et voir le réalisable où les esprits rationnels voient l'impossible. D'ailleurs, n'a-t-on pas dit que l'individu génial était comme un enfant, que le génie était l'enfance retrouvée? Les préjugés n'ont pas ou peu de prise sur l'esprit d'un génie. Il a su préserver son originalité intellectuelle ou encore la retrouver par un long et constant effort. En un sens, l'éducation traditionnelle dont nous aurons l'occasion de reparler peut constituer un handicap. L'habitude de trop analyser, le scepticisme et le sens critique excessif finissent souvent par paralyser et conduisent à une sorte d'immobilisme. Car, par définition, toute analyse, toute étude est interminable. Dans la vie des dix hommes que nous avons analysés, peu d'entre eux, à part Jean-Paul Getty, ont poursuivi des études universitaires. Et c'est d'une certaine manière leur «ignorance» qui a su préserver leur audace et leur enthousiasme. Mais nous vous reviendrons plus tard sur cette question fondamentale.

VOIR LE POSSIBLE LÀ OÙ LES AUTRES VOIENT L'IMPOSSIBLE, TELLE EST LA CLÉ DU SUCCÈS.

Ce principe est valable non seulement pour les inventions et les projets de grande envergure, mais à une plus petite échelle aussi. Combien de fois n'avez-vous pas vu autour de vous des gens sourire devant un de vos projets qu'ils jugeaient impossible? Combien de fois n'avez-vous pas vous-même trouvé au départ telle idée impossible, tel emploi inaccessible avant de vous rendre compte qu'il n'en était rien? Au nom de la rationalité, mais bien plus souvent encore par un manque inavoué de confiance en soi, on renonce à un rêve, à une démarche, et on se console — sans y croire vraiment — en se disant que de toute façon c'était impossible. Réfléchissez-y... vous vous rendrez compte que ce problème est intimement lié à l'image de soi. D'une certaine manière — si l'on excepte les cas extrêmes d'idiotie clinique ou de schizophrénie — on peut affirmer que **plus l'image de soi d'un individu est grande, plus le champ des possibles sera grand pour lui, moins il aura de choses qui lui paraîtront impossibles.** Il existe un lien de proportionnalité direct.

Il faut ajouter ceci: beaucoup de projets, beaucoup d'idées, ne sont pas en soi réalisables ou impossibles. Ils sont pour ainsi dire indifférents, neutres. Ce qui, sur le plan réalisation, fait la différence entre le succès et l'échec, **c'est la quantité et la qualité d'énergie que vous investissez.** Un projet, une idée s'anime, devient viable bien souvent par la seule force de l'énergie et de la pensée que vous y mettez.

L'homme dont l'image de soi est vaste dispose d'une énergie plus grande, peut puiser plus aisément dans le réservoir illimité de son subconscient. En conséquence, non seulement peut-il discerner plus aisément l'aspect positif des choses, mais il peut les faire tourner en sa faveur grâce à son énergie.

POUR APPRENDRE À DISCERNER DAVANTAGE LE POSSIBLE, ÉLARGISSEZ DONC VOTRE IMAGE DE SOI.

Le défaut majeur dont souffrent la plupart de ceux qui hésitent devant un projet est qu'ils cherchent à identifier tous les obstacles qu'ils rencontrent sans considérer les instruments dont ils disposent pour les vaincre. Attitude paralysante, s'il en est une. Et cause d'une grande anxiété. En ce sens, **l'attitude juste consiste à chercher pour quelle raison vous pouvez réussir plutôt que d'évoquer tous les obstacles que vous rencontrerez.** Bien entendu, il faut peser le pour et le contre. Mais dans bien des cas, même si dix raisons se rangent du côté du pour, un seul contre suffit à décourager toute tentative. La raison en est d'ailleurs bien simple. La plupart des gens sont programmés négativement. Un programme est un ensemble de pensées, c'est une vibration. C'est pour cette raison, en vertu de la loi d'attraction, que les arguments positifs, aussi nombreux soient-ils, n'entrent pas en résonance avec le programme négatif. Alors qu'un seul obstacle, aussi futile soit-il, trouve immédiatement un terrain propice où se développer.

Aussi tous les jours des milliers de gens renoncent à de bonnes idées, à des projets, à des rêves, parce qu'une seule idée négative les a paralysés.

Il importe d'en savoir le plus possible d'une affaire, d'une offre d'emploi, ou d'un projet avant de se lancer, mais souvenez-vous bien qu'ultimement il restera toujours des impondérables. Même l'analyse la plus sophistiquée, l'étude la plus approfondie ne saurait éliminer complètement l'inconnu. D'ailleurs, les analyses qu'une compagnie ou qu'un individu peuvent faire pour peser le pour et le contre viennent bien souvent, sans trop qu'ils s'en rendent compte, confirmer une idée initiale. Et pour la plupart des gens, qui sont paralysés par une peur chronique, cette idée originale est négative. Il faut dire que tout projet implique par nature un changement et la nécessité d'affronter l'inconnu. Or, les études psychologiques ont démontré que l'inconnu effrayait les gens et que tout changement était fondamentalement considéré comme menaçant, ou en tout cas, anxiogène.

Dans la prise de décision, les faits sont importants, ils sont même essentiels, mais il faut se rappeler que comme il y a toujours de l'impondérable, les faits ne sauraient se substituer à l'intuition ou au flair que vous devez apprendre à cultiver. En outre, il faut savoir interpréter les faits, car en soi, pas plus que les chiffres ils ne constituent une conclusion. C'est vous-même qui devez tirer cette conclusion.

Faites-le maintenant!

Le défaut suprême qui ruine tant d'existences est de différer constamment son action, ses décisions. Il est vrai que le *timing* a de l'importance. Telle idée qui n'a pas fonctionné à tel moment donné pourra être valable dans six mois ou un an. Tel coup de fil doit être donné de préférence à un moment plutôt qu'à un autre.

Mais en général, la meilleure décision c'est encore d'**agir**. Et de ne pas attendre pour le faire. Tous les hommes riches ont démontré la faculté de prendre des décisions rapidement. D'ailleurs, de manière beaucoup plus rapide qu'on ne croie et ce, pour des projets qui impliquaient souvent des sommes considérables d'argent. On peut objecter que, toute chose étant relative, ces sommes considérables aux yeux du commun des mortels n'avaient que peu de signification pour eux. Ce n'est pas le cas. Ces décisions rapides, prises souvent au début de leur carrière, mettaient en jeu toute leur fortune qui n'était guère importante à l'époque.

Un des hommes qui ont réussi en bonne partie parce qu'ils savaient prendre rapidement la bonne décision, c'est Conrad Hilton. À ses débuts, il songeait vaguement à devenir banquier. Mais à la recommandation d'un ami, il se rendit au Texas, plus précisément à Cisco, et tomba sur un vieil hôtel, le Mobley Hotel. Dans la revue *Nation's Business*, le reporter lui pose cette question: «Vous avez étudié les livres et vous vous êtes dit que c'était une affaire intéressante. Pas vrai?»

Et voici ce que répliqua Hilton: «J'ai vu tout de suite que c'était bien meilleur que la banque. Je n'ai pas mis 24 heures pour décider: c'est ce que je vais faire. Ça, c'est ma vie.»

«C'est là qu'elle s'est décidée?»

«Exactement. À cet instant précis. J'ai compris qu'il n'y aurait rien d'autre. Nous étions en 1919. Il est bien certain que le comportement du banquier influença beaucoup ma décision. Mais ce qui joua aussi, c'est l'incroyable activité dont je fus le témoin en me rendant à l'hôtel et en écoutant le propriétaire me parler des affaires qu'il faisait. Puis, quand il m'eut montré ses livres, je compris qu'en un an seulement je pouvais rentrer dans les fonds.»

Notez bien que Hilton prit sa décision avant même que le propriétaire de l'hôtel ne lui ait montré les livres. Cela aurait sans doute de quoi dérouter les partisans des longues analyses préalables. Il faut cependant ajouter que, la veille, Hilton était descendu au petit hôtel et avait été frappé par l'affluence extraordinaire qu'il y avait vue.

Le jeune Hilton démarra en affaires avec la maigre somme de 5 000$, constituée de 2 000$ touchés de l'héritage paternel et de 3 000$ d'économies. En investissant cette somme pour l'acquisition de cet hôtel, **il risquait donc tout**. Sa décision d'une rapidité fulgurante ressemble d'une certaine façon à un véritable coup de foudre. D'ailleurs, plusieurs des dix hommes riches ont éprouvé tout le long de leur vie semblable coup de foudre pour un projet, pour une idée. Même, il n'est pas éloigné de la vérité de dire qu'ils ne se sont pas engagés dans de nombreuses affaires sans ce coup de foudre initial. **Ces hommes si convaincants, si persuasifs une fois qu'ils étaient convaincus, se sont en général avérés des gens difficiles à convaincre que ce soit par des conseillers, des amis, ou des chiffres.** Ils n'ont bien souvent suivi les conseils de ces derniers que lorsque cela venait confirmer leur idée originale. Certes, dans bien des cas, ce qu'on pouvait appeler cet entêtement les desservit et leur fit perdre de l'argent. Mais ce fut tout de même cette succession d'idées fixes et cette tendance à écouter leur démon intérieur, à suivre leur impulsion initiale qui à la fin détermina leur succès.

Notons que dans le cas précédemment cité, Hilton avait surtout vu le potentiel du petit hôtel plus que son rendement actuel. Il avait vu du même coup comment rentabiliser l'hôtel. Voici comment il s'en explique dans la même entrevue: **«Je découvris rapidement que nous faisions une mauvaise utilisation de l'espace dont nous disposions. Vous faites de l'argent ou vous en perdez selon que vous comprenez ou pas ce que veut le public. Il faut pouvoir lui offrir le maximum de commodités dans l'espace dont on dispose.**

«Je compris bien vite que les clients du Mobley pouvaient aller manger ailleurs et n'avaient donc pas besoin d'avoir à leur disposition une salle à manger à l'hôtel. Je fis donc à la place installer des lits. Nous ne gagnions rien sur la nourriture et la demande sur les chambres était énorme. Il est fort possible que ce soit le contraire de nos jours et que le restaurant représente la meilleure utilisation de l'espace dont on dispose.

«Mon second principe c'est la nécessité de créer parmi le personnel un esprit de corps. J'ai réuni les employés en leur disant qu'ils pouvaient aider par leur comportement à faire que les clients soient heureux chez nous et y reviennent. J'ai pratiqué cette formule tout au long de ma vie.»

Tout au long de sa vie, Conrad Hilton prit des décisions rapidement. Son esprit positif et son audace furent la plupart du temps récompensés. Au lieu de voir les obstacles qu'il rencontrerait pour le financement il se disait qu'il allait y parvenir de toute façon. Et il y arrivait.

L'analyse des dix hommes riches de cet ouvrage ainsi que de la plupart des gens qui ont connu des réussites spectaculaires a révélé qu'à un moment ou à un autre de leur existence — souvent à plusieurs reprises — et généralement à leurs débuts, ils ont coupé les ponts derrière eux, s'interdisant toute retraite. Cette démarche ou cette décision se traduisit de diverses manières dont les plus usuelles étaient soit de quitter un emploi sans savoir ce qui les attendait, soit d'investir tout leur argent dans un projet. Dans les deux situations, en cas d'échec, c'était pour ainsi dire la mort. **C'était donc vaincre ou mourir.**

Dans son autobiographie, Honda donne un exemple de ce grand principe. Après avoir connu certains succès comme industriel, il rencontra des problèmes techniques si grands qu'il dut retourner sur les bancs de l'école à l'université industrielle de Hamasatsu, à plus de 30 ans. Il ne parvenait pas à réaliser un segment de piston assez souple pour être utilisé dans un moteur. Il lui fallait donc parfaire sa formation d'ingénieur. Voici ce qu'il en dit: **«Chaque matin dorénavant je partais à l'école et, le soir, j'allais mettre en pratique dans mon atelier ce que j'y avais appris. Je me forçais à l'enthousiasme. Mais je n'avais plus de choix et quand on se met soi-même dans des situations sans alternatives, il en naît un nouveau sentiment de liberté, celui d'une décision prise sur laquelle il serait trop tard pour revenir. Je tournai dans ma tête mille raisons pour persévérer. Des amis m'avaient fait confiance, et parmi eux mon père le premier, mais aussi tous les ouvriers qui travaillaient avec moi. Je n'avais plus le droit de reculer, et l'école, seule, pourrait me permettre de m'en tirer, de devenir un vrai ingénieur, capable de faire des projets d'ingénieur, de théoriser un peu mes intuitions techniques et d'en assurer la réalisation. Solennellement, je me disais: Si j'abandonne maintenant, tout le monde mourra de faim. Et j'imaginais toute une humanité pathétique qui aurait ainsi dépendu de moi.»**

Pourquoi cette méthode (le fait de se mettre au pied du mur, de se couper toute retraite) est-elle si puissante? Pour une raison bien simple. Nous avons vu dans un chapitre précédent que nous pouvions faire des demandes à notre subconscient et même lui donner en quelque sorte des ordres. Nous avons également appris que l'intensité de notre désir, de notre ordre ou de notre demande déterminait en général la rapidité avec laquelle notre subconscient — et la vie — répondait. En coupant tous les ponts derrière soi, nos demandes à notre subconscient deviennent on ne peut plus impératives. C'est vraiment une question de vie ou de mort. L'instinct de survie est mis en jeu. Or, c'est évidemment l'instinct primordial dont découlent tous les autres. L'intensité de la demande devient alors extrême. Et les résultats suivent, si bien que de l'extérieur on a tendance à dire que les hommes à succès ont le don de forcer les événements.

En prenant une décision rapide et dans certains cas en apparence hâtive, dédaignant de considérer les obstacles qu'il allait rencontrer et confiant de surmonter toutes les difficultés, Conrad Hilton se mettait dans des positions extrêmes, coupant tous les ponts derrière lui et les résultats suivaient comme par miracle. Il faut dire qu'au départ il était programmé positivement. Son subconscient était orienté vers le succès et le doute ne trouvait guère de terrain propice dans son esprit. Aussi se fiait-il à son flair et à son intuition, **deux facultés qui ne sont en fait que la facilité particulière d'entrer en contact avec un subconscient positif.** D'ailleurs, qu'est-ce que le coup de foudre dont nous venons de parler, au sujet d'Hilton, sinon cette brusque révélation du subconscient qui signifie que l'objet extérieur, l'occasion ou l'affaire — dans le cas de Hilton le petit hôtel — correspond exactement à l'attente d'une programmation particulière? Dit de manière plus simple: Hilton avait programmé son subconscient pour faire fortune. Son esprit conscient, dont la puissance, nous l'avons vu, est bien limitée, voulait qu'il achète une banque. Il en avait d'ailleurs l'occasion et s'était vu offrir des facilités de financement par un banquier ami. Mais son subconscient, qui savait ce qui était bon pour lui — et connaissait même son avenir, car le subconscient possède cette faculté étrange — savait que son destin brillant s'accomplirait dans l'hôtellerie et le fit descendre dans ce petit hôtel. Et son intuition, ce coup de foudre, ce ne fut — et c'est toujours le cas — que **la révélation dans son esprit conscient de ce qui était inscrit dans son subconscient.** De la coïncidence, de la rencontre entre le projet programmé par le subconscient et sa manifestation extérieure, jaillit l'excitation, l'enthousiasme.

C'est pour cette raison que dès que vous aurez appris à programmer positivement votre subconscient, vous pourrez toujours davantage vous fier à votre intuition, à votre flair. D'ailleurs, ces facultés indispensables au succès et qui se sont toujours avérées plus utiles que la pure rationalité, se développeront de plus en plus à mesure que vous saurez utiliser votre subconscient. Votre flair deviendra même une sorte d'habitude, de seconde nature. Imaginez votre chance! Vous aurez à votre disposition, de manière de plus en plus constante, bientôt à volonté, le plus puissant ordinateur qui soit: le subconscient.

Cette disposition croissante vous permettra de prendre des décisions de plus en plus rapides et sûres. L'esprit conscient, même brillant, demeure limité et les conclusions auxquelles il arrive sont généralement partielles parce que toutes les données d'un problème sont rarement disponibles.

La hâte est mauvaise conseillère, dit le proverbe. Et il y a sans doute du vrai là-dedans. Mais la procrastination, **la tendance à**

continuellement remettre à plus tard, la lenteur d'une décision ont fait sûrement plus de tort que la trop grande rapidité. Si les hommes que nous avons étudiés ont péché par un excès, c'est à n'en point douter par un excès de rapidité de décision. Et c'est ainsi qu'ils sont devenus riches.

Andrew Carnegie, le roi de l'acier, qui un temps fut l'homme le plus riche des États-Unis, et bâtit son immense fortune à partir de rien puisqu'il était issu d'une famille très pauvre, dit un jour: «Mon expérience m'a appris qu'un homme qui ne pouvait prendre une décision rapidement, une fois qu'il a tous les éléments en main, n'est pas fiable pour mener à terme quelque décision qu'il puisse prendre. J'ai aussi découvert que les hommes qui se décident rapidement ont généralement la capacité d'agir avec une ligne de conduite précise dans d'autres circonstances.» (Extrait de *The Master Key to Riches,* de Napoléon Hill.)

Inutile de dire que cet homme savait de quoi il parlait. Mais comment savoir à quel moment prendre une décision? Comment savoir si on a suffisamment étudié la situation, si on dispose de suffisamment d'éléments? Le mieux est de s'en remettre à son subconscient. Programmez-vous de la sorte. Répétez-vous mentalement la formule suivante: **«Mon subconscient m'inspire rapidement la bonne décision dans tout ce que j'entreprends.»**

La nuit porte conseil. Rien n'est plus vrai et ce tout simplement parce qu'au cours de la nuit on a aisément accès à son subconscient. Aussi, **dormez sur votre problème.** Écrivez sur un papier tous les éléments du problème, en vous référant à toutes les données que vous possédez. Alignez les éléments sur deux colonnes: le pour et le contre. Cela est banal, sans doute, mais vous verrez à quel point le simple fait d'écrire les arguments favorables et défavorables permet de clarifier un problème. Au départ, si la balance penche beaucoup plus d'un côté que de l'autre, votre décision sera aisée à prendre. Si le pour et le contre s'équivalent, confiez le problème à votre subconscient. Il vous donnera la réponse. La bonne.

Pourquoi ne pas tirer à pile ou face?

Ce n'est pas sérieux, objecterez-vous sans doute. Mais attendez. La manière dont vous tirerez à pile ou face que nous vous suggérons n'est qu'un petit truc pour vous mettre en contact avec votre subconscient et avoir un indice de ce qu'il pense. Bien entendu, déterminez à votre guise ce que pile et face représentent. Lancez la pièce et maintenant: **surveillez votre réaction.** Si la pièce tombe du côté face, que ce côté signifie qu'il faut aller de l'avant avec un projet mais que vous êtes déçu du choix du hasard, c'est que probablement votre subconscient n'y croit pas. Ou encore, si vous êtes content que la pièce soit tombée du côté pile, donc du côté négatif, c'est un indice que vous n'y croyez pas et que, inconsciemment, votre décision est déjà prise. Dans ce petit jeu, il y a en tout quatre possibilités de réaction et nous venons d'en énumérer deux. Dans chaque cas, analysez bien votre réaction. N'en faites pas nécessairement un absolu, mais servez-vous-en comme d'un élément de décision. L'expérience démontre que souvent ce petit jeu anodin permet de trancher. Et pour le mieux. Surtout dans les décisions fort difficiles où le pour et le contre s'équilibrent parfaitement.

Une observation supplémentaire. Lorsque les avantages et les désavantages semblent à ce point s'équilibrer c'est peut-être un signe évident (mais auquel on n'attache pas suffisamment d'importance) que le projet connaîtra beaucoup de difficultés, que son succès sera peut-être mitigé. En tout cas, chose certaine, les doutes qui subsistent dans notre esprit à l'endroit de ce projet augurent mal. Ils risquent de saper notre enthousiasme, notre foi. Vous n'y croirez qu'à moitié. Les résultats seront à l'avenant. Nous avons vu précédemment l'importance de la foi et de l'enthousiasme. Si le projet ne vous enthousiasme pas suffisamment, mieux vaut choisir autre chose. L'expérience des hommes riches a démontré qu'ils ne s'engageaient en général que dans les projets auxquels ils croyaient à 100%, ce qui ne veut pas dire qu'ils manquaient de la lucidité nécessaire pour envisager les inévitables obstacles qu'ils rencontreraient. **Mais au départ, ils étaient totalement confiants dans la victoire finale.**

Lorsque vous aurez appris à développer votre rapidité de décision et que malgré tout vous serez confronté à un problème qui vous fait hésiter trop longtemps, **méfiez-vous.** C'est probablement le signe que ce n'est pas une bonne affaire. C'est d'ailleurs une des raisons pour lesquelles, quand vous pouvez prendre une décision rapide sur un sujet, vous devez y voir un signe favorable, même dans les cas où vous avez refusé de vous engager. **Car prendre une décision rapide, c'est aussi savoir dire non rapidement.** Cela ne relève pas nécessairement d'un esprit négatif. Simplement, tout n'est pas nécessairement valable, sinon, tout le monde serait riche. Cependant, si vous dites systématiquement non à tout, que vous n'entreprenez rien, de crainte de faire une erreur, c'est signe que vous êtes mal programmé.

Une autre raison pour laquelle il est souhaitable de prendre des décisions rapides est que **les bonnes occasions ne sont pas éter-**

nellement présentes. Il faut saisir la chance lorsqu'elle passe. Bien sûr, il y aura toujours de nouvelles occasions, mais si, à chaque fois, vous êtes hésitant, ce sera autant d'occasions manquées. Hésiter à accepter un emploi, ou à se présenter pour solliciter un poste, tarder à investir dans un projet, à faire une offre d'achat pour un immeuble, tout cela peut être fatal. Vous n'êtes pas seul dans la course. Et si une occasion est bonne, dites-vous bien que vous n'êtes probablement pas le seul à vous en rendre compte. C'est le plus rapide qui l'emporte, et le plus audacieux. Bien sûr, pour prendre la décision, il vous manque peut-être encore certaines données. **Mais si vous attendez de les avoir toutes en main, les chances sont fortes pour que vous perdiez l'occasion.**

C'est ce qui arrive souvent à ceux qui préfèrent tout analyser au lieu de se fier à leur intuition: c'est-à-dire à la sagesse profonde de leur subconscient. En outre, ce que ces partisans forcenés de l'analyse oublient souvent, c'est qu'une analyse trop longue comporte en soi un risque: la situation change, n'est plus la même et au moment de prendre la décision, les données qui ont permis de la prendre ne sont plus valables et donc la décision est erronée.

Dans son autobiographie, Lee Iacocca, qui après avoir pendant huit ans présidé aux destinées de la compagnie Ford Motor, releva de la faillite la compagnie Chrysler, fait au sujet de la prise de décision un commentaire intéressant: «Rien ne demeure statique ici-bas. J'aime aller à la chasse aux canards où le mouvement est permanent. On peut viser le canard, l'avoir dans sa ligne de mire, il n'interrompt pas son vol. **Si l'on veut le toucher, il faut déplacer son fusil.** Un comité placé devant une décision importante ne peut pas toujours agir avec la rapidité voulue. Quand il est enfin prêt à appuyer sur la détente, le canard est hors de portée de fusil.» Ceux qui tardent trop à prendre des décisions se retrouvent souvent dans la situation fâcheuse de ce chasseur maladroit. Comme dit le vieux dicton: La fortune sourit aux audacieux.

Le répit de dernière heure

La preuve de la nécessité de prendre une décision rapide est établie. Dans la plupart des cas, la célérité du jugement fera la différence. Mais plusieurs hommes à succès, malgré leur audace et leur rapidité de décision, ont développé une habitude ou un truc qui consiste à s'accorder un ultime moment de réflexion avant de plonger. Ce peut être une heure, ou même quelques minutes ou quelques secondes que vous prenez avant de donner votre réponse finale. Pendant ce court laps de temps, révisez un à un tous les arguments. Vérifiez la logique de ces arguments. Et, plus globalement, la manière avec laquelle vous êtes arrivé à prendre votre décision. N'oubliez pas d'écrire vos arguments, si ce n'est déjà fait. Écrire, c'est comme user d'un révélateur en photographie: sans cela, on ne peut avoir un «portrait» juste. Puis, fixez-vous une heure précise, et cessez de jongler avec le problème. Laissez reposer le tout, comme on dit en langage culinaire. Fixez une borne à votre réflexion. Dites-vous: dans une heure, par exemple, à trois heures précises, je serai en mesure de prendre ma décision.

Ou encore, dormez sur votre problème. Le soir, avant de vous endormir, révisez toutes les données du problème puis confiez à votre subconscient le travail. La situation vous apparaîtra souvent avec beaucoup de clarté le lendemain.

Faut-il attendre le moment idéal?

Le moment idéal n'existe pas, du moins en dehors de l'esprit de celui qui le conçoit. C'est donc une sorte de construction de l'esprit. Le défaut de la majorité des gens est d'attendre ce moment. C'est une excuse toute trouvée qui en plus a l'air sérieuse, rationnelle. **Le moment idéal, en général, c'est tout de suite. Immédiatement. Si vous voulez réussir, commencez aujourd'hui même.** Passez à l'action, c'est le but de ce livre.

Tenez-vous-en à votre décision.

Une autre des caractéristiques des hommes riches est qu'une fois qu'ils ont pris une décision, ils s'y conforment. Souvent, contre l'opinion, les circonstances et les obstacles, si ce n'est les échecs, à leurs yeux simplement provisoires: autant d'étapes (aussi pénibles soient-elles) conduisant à la victoire finale.

Le défaut de s'en tenir à sa décision initiale fait avorter bien des projets. S'en tenir à son option, c'est être logique avec soi-même, c'est confirmer par ses actes la certitude intérieure d'avoir choisi la bonne voie. **Ceux qui changent continuellement d'idée ne connaîtront jamais le succès.** Cette attitude trahit un état intérieur rongé par le doute. Or, les circonstances, nous l'avons vu, finissent toujours par s'accorder avec notre état intérieur. Aussi le doute conduit-il assurément à l'échec. En conséquence de quoi — et ce principe est confirmé par l'expérience des hommes riches — deux conditions sont essentielles au succès:

1. PRENDRE UNE DÉCISION RAPIDEMENT.
2. S'EN TENIR À SA DÉCISION ET EN ÉTABLIR LES ÉTAPES POUR PASSER À L'ACTION IMMÉDIATEMENT.

Jusqu'à quel point doit-on s'en tenir à sa décision?

Le principe que nous venons de poser, celui de s'en tenir à sa décision, est un principe général. C'est donc qu'il y a certaines exceptions. Poser comme principe qu'il faille coûte que coûte s'en tenir à sa décision initiale signifie qu'on ne se trompe jamais et que l'on prend toujours la bonne décision. Or, même les plus grands génies des affaires se trompent. Tout le monde fait des erreurs et donc prend de mauvaises décisions. Il faut donc se méfier d'une attitude trop rigide, trop théorique. Il faut savoir s'adapter aux circonstances. Cependant, **une des clés du succès consiste à trouver le délicat équilibre entre la persévérance et la souplesse.**

S'en tenir à sa décision initiale peut parfois être suicidaire. Cependant, **si la plupart des gens ne connaissent pas le succès, c'est qu'ils abandonnent en général trop tôt.** Beaucoup trop tôt.

Savez-vous combien il a fallu d'essais à l'ingénieur Head, qui donna son nom à la marque prestigieuse, pour mettre au point le premier ski métallique? Pas moins de quarante-trois. Et ces essais se répartirent sur trois longues années. Si Head s'était arrêté au 42e essai, le ski métallique aurait peut-être fini par voir le jour, mais ce n'aurait pas été cet ingénieur américain qui aurait fait fortune grâce à lui.

Observez autour de vous à quel point est répandue la tendance à abandonner rapidement. Et dans votre propre vie? Combien de fois n'avez-vous pas renoncé après un échec ou deux? Vous êtes-vous souvent acharné jusqu'à connaître dix échecs d'affilée, sans vous décourager? Trop souvent par orgueil, par manque de confiance, les gens abandonnent dès le premier revers ou la première difficulté. Pis encore, ils se consolent presque de leur échec en se disant que de toute façon ils s'y attendaient. Leur attente inconsciente, qui est une forme de programme, a déterminé les circonstances. Ce qui ne veut pas dire qu'une personne programmée positivement ne rencontrera pas l'échec. Toutes les histoires des grandes réussites sont jalonnées d'échecs. La différence entre une personne positive et une personne négative est que la première ne se laissera pas abattre par un premier échec. **Elle persévérera jusqu'au succès.**

Il existe une sorte de mystère que nous a révélé la vie des hommes les plus riches du monde. On dirait que la vie est conçue comme une épreuve. **Lorsqu'un homme a fait la preuve qu'il pouvait surmonter tous les obstacles et les échecs avec un calme, une foi inébranlables, on dirait que la vie rend en quelque sorte les armes et que l'argent et le succès affluent subitement, séduits pas la puis-**

sance de caractère qu'a démontrée l'homme en question. Dans le récit de sa vie, Honda fait une observation similaire lorsqu'il dit: **«Le laboratoire d'une usine constitue le meilleur centre d'apprentissage des échecs! En effet, tous les chercheurs un peu conséquents reconnaîtront que, dans un laboratoire, 99% des gens s'occupent de cas désespérés. Le modeste pourcentage qui survit à cette hécatombe suffit pourtant à justifier tous les efforts. Finalement, je ne regrette pas les milliers de fois où je suis revenu chez moi sans aucun gibier, en ayant perdu toutes mes munitions et tous mes appâts. Quand les jours deviennent aussi sombres, c'est que la découverte du trésor approche. La grande lumière, l'espoir qui éclate, me fait d'un coup oublier toutes les heures pénibles.»**

Dans son livre à succès, Napoléon Hill fait une remarque similaire, car il a observé que le succès vient souvent après un échec retentissant, comme si la vie voulait récompenser l'âme intrépide qui a su surmonter un revers aussi cuisant.

L'acharnement qui fait défaut à tant de gens est donc souvent récompensé. Cependant, il ne faut pas le confondre avec un entêtement stupide et suicidaire. Dans *Le Prix de l'excellence,* les auteurs citent une expérience extrêmement éclairante qui illustre le fait qu'il faut se méfier d'un trop grand dogmatisme ou d'une forme d'obstination, et savoir s'adapter; c'est là un des secrets des cent compagnies qui ont servi d'échantillon à cette passionnante analyse.

«Si vous mettez six abeilles et six mouches dans une bouteille que vous couchez cul vers la fenêtre, vous verrez que les abeilles ne cesseront pas de chercher à découvrir une issue à travers le verre jusqu'à ce qu'elles meurent d'épuisement ou de faim, alors que les mouches, en moins de deux minutes, seront sorties par le goulot de l'autre côté. C'est l'amour de la lumière des abeilles et leur intelligence qui causent leur perte dans cette expérience. Elles s'imaginent apparemment que la sortie d'une prison doit se trouver là où la lumière est plus vive, elles agissent en conséquence et s'obstinent dans cette action trop logique. Pour elles, le verre est un mystère surnaturel qu'elles n'ont jamais rencontré dans la nature, elles n'ont aucune expérience de cette atmosphère soudain impénétrable, et plus leur intelligence est développée, plus cet obstacle paraîtra inadmissible et incompréhensible. Tandis que ces têtes de linotte de mouches indifférentes à la logique comme à l'énigme du verre, ignorant l'appel de la lumière, volent frénétiquement dans tous les sens et rencontrent là la bonne fortune — qui sourit souvent aux simples qui trouvent leur salut là où les sages périssent — et finissent nécessairement par découvrir l'ouverture qui leur rend leur liberté.»

En affaires, il a été démontré que la capacité de s'adapter rapidement est une des clés du succès et qu'il fallait privilégier le pragmatisme et la méthode par essai aux dépens de l'idéalisme ou du dogmatisme. Mais comment savoir si on doit persévérer dans sa décision ou, comme les mouches de l'expérience, changer de direction pour accéder à la liberté: au succès? Ultimement, il nous semble que le meilleur moyen (d'ailleurs probablement le seul) est de se reposer sur un subconscient bien programmé. Lui vous dira quand persévérer et quand réviser vos positions. **Et quand adapter un plan supérieur à votre plan initial.** Si ce dernier cas se présente en effet, si à la lumière de certaines circonstances nouvelles, ou de certains conseils d'amis éclairés, il vous apparaît une nouvelle manière d'accéder plus rapidement au succès, un raccourci, ou si vous découvrez des faits nouveaux qui vous révèlent que votre décision aurait avantage à être modifiée, n'hésitez pas à adopter ce plan supérieur. Le processus de décision doit s'accommoder, malgré sa fermeté, d'une sorte de réajustement constant vers une plus grande vérité, vers un succès plus grand. Une nouvelle décision rapide, un changement de cap aide d'ailleurs souvent à sauver la situation.

Ceci dit, il faut s'attendre tout de même à faire des erreurs. Mais la meilleure attitude à adopter face aux erreurs est la suivante, et elle fut d'ailleurs partagée par les dix hommes riches. **Il faut que vous ayez en horreur le fait de vous tromper, de faire une erreur, avant de la faire.** Il ne faut pas accepter l'erreur **avant** de la faire. Ceci souvent provoque une sorte d'attitude passive ou trop soumise. Il faut accepter l'erreur **après** l'avoir faite. Mais il faut **tout** essayer pour l'éviter. Ainsi sont les hommes qui ont beaucoup de succès. Mais encore une fois, **A-GIS-SEZ! Prenez résolument le parti de l'action.** Malgré la possibilité d'erreur, toujours présente, **la loi des grands nombres favorise celui qui fait beaucoup d'essais.** L'idéal est de réduire au maximum l'incidence de ces essais infructueux. Le succès des essais fructueux compensera largement pour les pertes légères occasionnées par les échecs et les ratages, et ce autant dans les démarches pour trouver un emploi que pour faire démarrer une entreprise ou lancer un produit. Ainsi, que vous importe, au fond, de vous être cogné le nez à cinq portes, lorsque vous cherchiez un emploi, si, à la sixième, vous trouvez enfin ce que vous recherchiez: l'emploi qui vous convient.

Apprenez à oublier vos échecs!

Une des facultés indispensables au succès est de cultiver l'art subtil **d'oublier ses échecs et de se tourner résolument vers l'avenir. Ceux qui n'arrivent pas à tourner la page restent souvent paralysés**

par le spectre de leurs erreurs anciennes. Ils vivent littéralement dans le passé et craignent l'avenir. Cette conception de l'erreur est tout à fait déplorable. Ces gens croient que parce qu'ils ont échoué une fois, ou deux fois, ou dix fois, ils n'ont pas le talent, ou sont malchanceux.

Tous les gens riches sont passés par là un jour ou l'autre, mais ils ne se sont pas arrêtés. Il ne faut pas se retourner, ni s'attarder sur son passé, au risque d'être pétrifié, comme la femme de Loth. **La vie est devant vous.**

Mais retenez la leçon de vos échecs!

Chaque échec contient un enseignement précieux. D'ailleurs, comme on dit, **on apprend davantage d'un échec que d'un succès.** On se remet sainement en question, on analyse ses idées, ses méthodes, ses conceptions, et on en tire souvent un grand profit. Il n'y a pas de honte à commettre une erreur. Ce qui est moins élégant, et généralement infructueux, c'est de commettre deux fois la même erreur. Ayez une conception juste de l'erreur. Si vous avez bien analysé les raisons d'un échec, vous aurez mieux compris ce qui vous conduira au succès. En ce sens, **chaque échec vous rapproche du succès.** Ceci n'est pas seulement un paradoxe. C'est une vérité que l'expérience des hommes riches a démontrée.

Un des êtres qui ont été des plus articulés au niveau du processus de décision et qui, malgré certaines erreurs, ont su conserver tout au long de leur vie une moyenne remarquable, fut Jean-Paul Getty, le roi du pétrole considéré longtemps comme l'homme le plus riche du monde et qui laissa plus de 4 milliards de dollars à ses héritiers, sans compter une phénoménale collection d'objets d'art. Nous vous présentons le récit de sa vie, qui fut un mélange presque parfait de réflexion et d'action. En effet, à la fin de sa longue et fructueuse existence, Jean-Paul Getty aurait pu dire, comme le philosophe Bergson: «Agissez en homme de pensée, et pensez en homme d'action.»

John Paul Getty: l'homme le plus riche du monde!

En 1892, naissait John Paul Getty, fils de George Franklin Getty et de Sarah MacPherson-Risher. Son père, issu de parents irlandais peu fortunés, connut une enfance misérable et dut très tôt s'engager chez les fermiers des environs pour subvenir aux besoins de sa mère, veuve.

À l'âge de douze ans, un oncle fortuné permit au jeune homme d'étudier dans l'Ohio. Quelques années plus tard, ils ressortait de l'école diplômé en sciences et il enseigna pendant quelque temps. Cependant, George F. Getty était ambitieux, trait de caractère dont le fils allait hériter. Ainsi, au lieu de se contenter de sa situation, George employa tous ses temps libres à l'étude du droit. À l'âge de 27 ans, il réalisa un vieux rêve et fut reçu avocat, avec grande distinction, à l'Université du Michigan. Quelques années plus tard, il devint magistrat.

Selon certains biographes des Getty, Sarah MacPherson-Risher, la mère de Paul, serait en quelque sorte à l'origine de la fortune des Getty. Elle était ambitieuse, décidée, et elle poussa son mari à abandonner l'enseignement pour se consacrer au droit, ce qui, pour G.F. Getty allait être le chemin de la fortune. Cela ferait du petit avocat du Michigan un des pionniers de l'industrie pétrolière américaine.

L'année 1903 allait marquer le début, pour la famille Getty, d'un tournant décisif qui en ferait une des familles les plus riches de l'Amérique.

Une question juridique pour le compte d'un client força George Getty à se rendre à Bartlesville, dans l'Oklahoma. Une fois le litige réglé, l'avocat se laissa prendre par la fièvre du pétrole. Sur les conseils de quelques foreurs, Getty y fit l'acquisition d'un terrain, le Lot 50, d'une superficie de 2 250 hectares. On y commença les opérations de forage. Quarante-trois puits furent creusés en tout. Quarante-deux furent productifs!!! George F. Getty fonda alors la Minnehoma Oil Company avec la ferme intention de se consacrer dorénavant à la recherche de l'«or noir»! L'histoire d'une fortune commençait cette journée-là!

Même si le jeune Paul n'avait que onze ans à cette époque, il se rappelle encore très bien la vive émotion que lui causa la vue de son premier champ pétrolifère. «**...il me semble, rétrospectivement que je me laissais déjà plus ou moins prendre au piège du pétrole. Non pas à l'aspect financier ou aux perspectives de profit des opérations pétrolières, mais plutôt à ce goût du défi et de l'aventure, à cette impression qu'on a tout au long de l'exploitation et du forage, de traquer, de chasser le pétrole comme on le ferait d'un gibier.**» Cette rencontre, entre l'enfant et cette force mystérieuse qui jaillissait du sol, allait faire naître chez Paul une sorte de passion, un défi entre lui et la matière brute, défi qu'il n'allait pas tarder à relever.

Il ne fut pas rare de rencontrer un petit garçon qui errait sur les champs de pétrole du Lot 50 en s'entretenant le plus aisément du monde avec des foreurs de métier, usant même des termes techniques comme s'il avait été un des leurs.

Si le jeune Paul se montra un brillant élève sur les champs de pétrole, il en était tout autrement à l'école. Son père, un homme strict qui tenait bien à ce que son fils sache que l'argent ne se trouvait pas «sous les sabots d'un cheval», décida, en 1906, qu'un séjour à la Harvard Military Academy serait sans doute une excellente médecine pour lui inculquer les valeurs de la discipline personnelle.

Après son séjour à cette Académie, Paul entreprit des études universitaires alors que, pendant les vacances d'été, il continuait à travailler comme manoeuvre sur les concessions pétrolières de son père. Ce dernier avait cependant insisté pour qu'il soit traité au même titre que les autres ouvriers. On lui versait le salaire d'un manoeuvre ordinaire, soit trois dollars par jour pour douze heures de travail. Paul devait, comme les autres, se plier aux instructions et accomplir la tâche qui lui incombait.

Il s'adapta très vite à cette vie et il lui semblait vivre pleinement au contact de ces rudes ouvriers. Il en était tout autrement à l'université où il avait l'impression que tout cela ne menait nulle part!

Découragé par le système d'enseignement américain, lequel, selon lui, étouffait la liberté individuelle, Paul Getty quitta l'Amérique en 1912 pour aller poursuivre ses études à Oxford en Angleterre. Cette vénérable institution l'enthousiasma, et il y passa une année à étudier l'économie et les sciences politiques qui l'emballaient. Il obtint son diplôme avec facilité et revint finalement aux U.S.A. pour se retrouver face à quatre possibilités d'avenir.

Ses études, sa personnalité même le poussaient vers les lettres. Il avait le goût d'être écrivain. Par contre, sa passion pour les sciences politiques l'incitait à entrer dans le corps diplomatique américain. Par ailleurs, comme la Première Guerre mondiale venait d'éclater, il s'était inscrit à l'armée de l'air dans l'espoir de devenir pilote. Finalement l'option qu'il avait le moins envisagée et qui lui plaisait le moins également, était d'entrer dans le monde des affaires. Sur les conseils de son père qui lui demanda de travailler une année entière dans les affaires avant de prendre une décision définitive quant à son avenir, Paul repartit pour l'Oklahoma, mais cette fois en qualité de prospecteur. L'arrangement conclu avec George F. était le suivant: pour un salaire de 100$ par mois, Paul prospecterait. Son père financerait l'achat de concessions et les profits seraient répartis entre eux à raison de 70% pour George F. et de 30% pour Paul.

Mais de longs mois s'écoulaient et rien ne marchait. Il avouera plus tard avoir été tenté à plusieurs reprises de tout laisser tomber. Par contre, **l'idée de l'échec lui était tout simplement insupportable.**

«L'HORREUR DE L'ÉCHEC A TOUJOURS FAIT PARTIE DE MON TEMPÉRAMENT ET A MÊME ÉTÉ, JE CROIS, L'UN DES PRINCIPAUX MOTEURS DE MON EXISTENCE.»

«Ce n'est pas que j'aime le succès pour le succès, mais lorsque je me suis engagé dans une quelconque affaire, une espèce d'irrésistible dynamique intérieure me pousse à tout faire pour aboutir à une conclusion satisfaisante. Dans la plupart des domaines où je me suis engagé, et dans la plupart de mes entreprises, je n'ai connu, en général, que du succès. Et quand ce n'était pas le cas, je m'arrangeais de mon mieux pour que les erreurs que je venais de commettre ne se reproduisent pas.»

Vers la fin de l'année, une opportunité se présenta enfin. Sachant qu'une concession de forage particulièrement prometteuse était à vendre, le jeune homme voulut tenter l'impossible pour l'obtenir. Il imagina alors une ruse pour déjouer les autres prospecteurs beaucoup plus fortunés, déterminés eux aussi à mettre la main sur cette concession. Il demanda à un de ses amis, vice-président d'une banque locale, de le représenter lors de la mise aux enchères et de miser pour lui, mais sans révéler son identité. Les autres prospecteurs, quand ils crurent que le banquier misait pour le compte de quelque grosse compagnie, hésitèrent à faire monter les enchères. Paul avait gagné. Il obtint la concession pour la somme ridicule de 500$ alors qu'elle aurait facilement pu se vendre jusqu'à 15 000$!

Cette concession, le Lotissement Nancy Taylor, fut à l'origine de la fortune de Jean-Paul Getty. Encouragé par cette transaction, Getty forma aussitôt une compagnie afin de financer le forage. Il dut cependant se contenter d'un maigre 15% des actions, faute de capital suffisant. L'équipe de foreurs et de manoeuvres réunie, le travail débuta. Paul mit lui-même la main à la pâte, allant jusqu'à travailler 72 heures d'affilée.

Après plusieurs mois de dur labeur, au début de l'année 1916, les résultats tant attendus se matérialisèrent. Le puits débitait 30 barils de pétrole à l'heure, soit 700 par jour. Pour Getty, ce fut la révélation: sa vie était désormais inexorablement liée à l'or noir!

Getty avait instinctivement mis en oeuvre un principe qui allait si bien le servir toute sa vie:

RECONNAÎTRE, SAISIR ET PROFITER DES OCCASIONS OU DES CIRCONSTANCES DU MARCHÉ!

Une série de nouvelles découvertes et de transactions avantageuses ne tardèrent pas à suivre, si bien qu'à la fin de cette même année Jean-Paul Getty avait accumulé son premier million de dollars! Il avait 23 ans!

À cette époque, la géologie du pétrole n'avait pas encore acquis ses lettres de noblesse, et beaucoup de spécialistes souriaient à l'idée de trouver du pétrole à l'aide de bouquins ou de façon scientifique. La conception populaire voulait que, pour trouver du pétrole, il fallait une espèce de don, comme celui des sourciers. Getty, au contraire, se jeta corps et âme dans l'étude de la géologie. Il prenait ainsi une longueur d'avance sur ses concurrents et mettait en oeuvre un principe qui ne peut que conduire au succès:

RASSEMBLER UNE SOMME DE CONNAISSANCES DANS UN DOMAINE POUR LE POSSÉDER À FOND TOUT EN FIXANT SES PENSÉES ET EN ORIENTANT SON ÉNERGIE MENTALE SUR LE BUT À ATTEINDRE!

À 24 ans, Getty prit alors une bien curieuse décision pour un jeune homme qui entreprend à peine une carrière. Il décida de prendre sa retraite! En effet, il se retrouvait millionnaire et croyant qu'il ne pouvait guère aller plus loin, il décida tout simplement de mettre un point final à l'aventure pétrolière. La Californie, avec son climat merveilleux et ses jolies femmes, était une terre de prédilection pour ce jeune homme qui désirait se payer du bon temps. John Paul devint rapidement très connu à Los Angeles. Pour plusieurs de ses biographes, cette période obscure et mal connue de la vie du milliardaire cadre très mal avec la rigueur, l'ordre et la discipline qu'on lui connaissait. Aussi, il ne faut guère se surprendre de voir qu'à la fin de 1918, il se sent complètement dégoûté de cette vie de fainéantise et qu'il réalise qu'il perdait son temps.

À la sortie de sa retraite prématurée, Getty avait cependant retenu une chose de ces deux années folles. Il savait désormais que:

L'ARGENT DEVAIT ÊTRE CONSIDÉRÉ NON PAS COMME UNE FIN EN SOI, MAIS COMME UN MOYEN.

Imbu de ce principe, il se remet au travail avec acharnement, déterminé à aller jusqu'au bout de sa décision. Il allait livrer bataille simultanément sur deux fronts. Il continua à servir les intérêts de son père, mais en même temps il décida de travailler pour son propre bénéfice grâce à sa fortune personnelle. Cependant **la première transaction en son nom propre se solda par un échec cuisant qui lui coûta la somme de 100 000$.** Ayant acheté une concession, il avait chargé un entrepreneur de voir aux opérations de forage car lui-même était trop occupé par les affaires de son père et il devait faire continuellement la navette entre la Californie et l'Oklahoma. Mais le travail fut négligé et Getty comprit qu'il avait fait une erreur. Il régla l'addition en jurant qu'on ne l'y reprendrait plus!

Désormais, il verrait à tout personnellement. **«À partir de ce jour, que ce fût dans les affaires que je menais avec mon père ou dans celles où je travaillais en indépendant, je restai toujours mon propre seigneur et maître dans les opérations de forage.»**

«UN AUTRE SECRET EST DE NE JAMAIS DÉLÉGUER SON AUTORITÉ QUE POUR CE QUI EST STRICTEMENT ADMINISTRATIF.»

«SI VOUS VOULEZ QU'UNE CHOSE SOIT BIEN FAITE, FAITES-LA VOUS-MÊME, DISAIT BENJAMIN FRANKLIN. JE FAIS TOUT MOI-MÊME!»

En appliquant rigoureusement ces principes, cinq ans à peine après le début de ses propres opérations de forage, l'actif net de John Paul Getty se chiffrait aux environs de 3 millions de dollars, investis presque entièrement dans des concessions pétrolifères. Paul avait eu raison le jour où il était devenu son propre maître.

Entre les années 20 et 30, en plus de tripler sa fortune, Paul Getty prit épouse. En fait, il allait se marier à cinq reprises et divorcer à cinq reprises également. Il avouera candidement: **«Comment ai-je été capable de construire ma propre automobile, creuser des puits de pétrole, diriger une usine d'aéronautique, fonder et diriger un empire économique et me montrer incapable de mener à bien une seule de mes relations matrimoniales?»**

En avril 1930, le deuil frappa la famille Getty. George Franklin, alors âgé de 75 ans, s'éteignit à la suite d'une crise cardiaque. Paul perdait non seulement un père mais surtout un ami et un conseiller. Comme Paul possédait une fortune personnelle, son père ne lui légua que 500 000$. Tout le reste passait entre les mains de son épouse. La fortune de George était évaluée à 15 millions et demi de dollars. Par contre, Paul allait désormais assumer les destinées de la Minnehoma Oil Company et de la Société George F. Getty en tant que président.

Malheureusement, après la mort de son père, Paul comprit que son esprit d'initiative, son goût du risque calculé, son envie de voir grand et ses ambitions s'accordaient très mal avec les idées conservatrices de la vieille dame qu'était sa mère quant aux politiques et orientations futures des intérêts Getty.

La crise économique sévissait cruellement en Amérique. Plusieurs prospecteurs avaient tout perdu et plus d'un empire s'était écroulé aussi rapidement qu'il avait vu le jour. La simple idée d'une expansion terrorisait tous les millionnaires de l'époque sauf les plus avisés. Même **les conseillers financiers de Paul l'incitèrent**

à tout liquider en raison de la conjoncture économique. Mais Paul ne voyait pas du tout les choses de la même façon. Pour lui, c'était le temps d'acheter et non de vendre.

IL AVAIT UNE CONFIANCE INDÉFECTIBLE
EN L'AVENIR.

Il acheta donc. Au plus fort de la récession économique, il se mit à acheter plusieurs concessions pétrolières à prix réduits. Comme il l'avouera plus tard:

«L'HOMME D'AFFAIRES QUI VA
À CONTRE-COURANT DE L'OPINION
PRÉPONDÉRANTE DOIT S'ATTENDRE À ÊTRE
CONTRECARRÉ, TOURNÉ EN DÉRISION
ET MAUDIT. C'EST CE QUI A FAIT
MA RICHESSE!»

Face à ses concurrents, Paul possédait en plus un autre avantage:

IL VOYAIT GRAND!

Cet état d'esprit amena Getty à concevoir l'idée d'une entreprise pétrolière complètement autonome, à partir du pétrole brut jusqu'au transport et au raffinage, y compris l'exportation du produit fini. Ainsi, il n'aurait plus besoin d'intermédiaires parfois coûteux pour écouler son produit et il pourrait réaliser d'importants bénéfices. Ce fut alors qu'il se mit à la recherche d'une raffinerie dont il pourrait prendre le contrôle. Une en particulier l'intéressa vivement, la Tide Water Associated Oil Company. Pourtant, les dirigeants de cette compagnie refusaient systématiquement de passer sous le contrôle de Getty. Ce fut le début d'un long combat. En 1932, en son nom propre, Paul acheta 1 200 actions de cette compagnie au coût de 2,50$ l'action. Six semaines plus tard, il en achetait 39 000 dans l'espoir que le conseil d'administration de la Société Getty et de la Minnehoma le soutiennent dans sa lutte.

Cependant, les vues expansionnistes de son fils inquiétaient par trop la vieille dame. C'est ainsi que Sarah refusa tout net de soutenir son fils dans cette guerre financière et de lui rembourser le capital investi. Elle alla plus loin en l'évinçant tout simplement des intérêts Getty.

Il était cependant allé trop loin. **Il décida de jouer le tout pour le tout:** il fonda sa propre compagnie et transféra dans celle-ci toutes les actions qu'il détenait au sein de l'entreprise familiale. Puis il décida de tout mettre en oeuvre pour prendre le contrôle de la Tide Water. C'est alors qu'il apprit que le véritable propriétaire de la Tide Water était la gigantesque Standard Oil, le géant financier créé par Rockefeller. **«En aurais-je été prévenu dès le début,** écrira-t-il, **je n'aurais assurément pas commencé d'acheter des actions de la Tide Water, car un minuscule entrepreneur indépendant comme moi n'avait pas la moindre chance de l'emporter en se mesurant à l'une des plus puissantes compagnies pétrolières du monde. Mais quand je fus mis au courant des faits, je m'étais trop engagé pour pouvoir tirer mon épingle du jeu.»**

À force de travail, de ruse également, David eut raison de Goliath. En 1952, après vingt ans d'une guerre financière incessante, John Paul Getty s'assura la majorité au conseil d'administration.

«UNE FOIS ENGAGÉ DANS UNE PARTIE,
JE M'EFFORCE TOUJOURS DE RENVOYER
LA BALLE, JE FAIS DE MON MIEUX
POUR BATTRE MON ADVERSAIRE.»

L'ascension vertigineuse de cet homme semblait n'avoir aucune limite. John Paul Getty passait maintenant une partie de son temps en Europe à veiller à ses intérêts qui étaient en train de s'imposer sur le vieux continent. Sa politique expansionniste et les opérations internationales qu'il entendait poursuivre le poussaient à vivre continuellement entre deux valises. Il se rappelle avec émotion cette période fébrile et captivante. Il vivait dans les chambres d'hôtel sans arrêter de faire et de défaire ses valises où il transportait à la fois vêtements et instruments de travail. **Son bureau, c'était là où sa secrétaire ouvrait le sac de voyage de cuir marron fatigué qui renfermait les AFFAIRES URGENTES.** Les journées de travail de douze heures étaient monnaie courante et il avouera qu'il lui arrivait souvent de travailler quatorze heures et plus.

En 1938, Paul délaisse momentanément l'industrie pétrolière et achète le renommé Hôtel Pierre de New York au coût de 2 350 000$, moins du quart de sa valeur d'origine. De plus, Getty se mit à investir dans l'art et il deviendra rapidement un des collectionneurs les plus riches et les plus enviés du monde entier. Il construisit même un musée, le Musée Getty, et il écrira également un traité sur l'art.

Quand survint la deuxième grande guerre, Getty demanda à nouveau à servir dans l'armée. Cependant, à Washington, les dirigeants avaient une autre idée sur la manière dont il pourrait servir sa patrie. En effet, par le biais des différentes transactions pour prendre le contrôle de la Tide Water, Getty avait acquis une compagnie, la Spartan, laquelle incluait une fabrique de pièces pour avions. Mais cette usine était si mal administrée et entretenue que la plupart des manufacturiers préféraient ne pas faire affaire avec elle. On demanda donc à Getty de passer les années de guerre à la tête de la Spartan Aircraft et de la rendre productive pour soutenir l'effort de guerre.

Getty s'acquitta de sa tâche avec la même discipline rigoureuse qu'il mettait dans ses autres affaires et, un rien de temps, la Spartan recevait les éloges des constructeurs d'avions pour la qualité de ses produits. Le Pentagone alla jusqu'à expédier une lettre de félicitations à John Paul Getty pour le magnifique travail qu'il avait fait! Pendant ces courtes années, l'usine avait septuplé sa superficie et le nombre d'employés était passé de quelques centaines à plus de 5 000!

À la fin de la guerre, il devenait impératif pour John Paul Getty de mettre un pied au Moyen-Orient que l'on disait fabuleusement riche en pétrole. Toutefois, attaquer ce nouveau marché convoité par tous les grands producteurs du globe n'allait pas être une tâche facile. Getty avait cependant réussi à obtenir une concession dans un territoire nommé la «Zone neutre» entre l'Arabie Saoudite et le Koweït. Cette zone avait été dédaignée par les grandes pétrolières et Paul put obtenir la concession sur la partie appartenant à l'Arabie. Bien sûr, il lui fallut y mettre le prix. Il devait verser des redevances de 55 cents par baril, restituer 25% des bénéfices nets au gouvernement et respecter toutes sortes de clauses concernant les employés d'origine arabe. Pour plusieurs, Getty s'était tout simplement fait avoir en signant un tel contrat! **Plus d'un même prévoyait qu'il allait y laisser sa chemise.**

Au début des opérations, on fut tenté de leur donner raison puisque pendant quatre ans pas une seule goutte de pétrole ne jaillit des puits. Cela dura jusqu'en 1952.

Getty ne se découragea pas pour autant!

Son sixième sens lui disait qu'il n'y avait aucun doute à ce sujet: le pétrole était là, il suffisait de le trouver, ce qui viendrait tôt ou tard. Sa persévérance ne fut pas vaine puisqu'en 1953 les foreurs touchèrent une première nappe de pétrole enfouie dans les profondeurs. Par la suite, Getty entreprit d'autres forages d'exploration, toujours à l'intérieur de la zone neutre, forages qui révélèrent une région fabuleusement riche en pétrole. L'anticonformisme de Getty et sa façon bien à lui d'ignorer les prophètes de malheur lui avaient permis d'amasser encore une fois une véritable fortune.

«Personnellement, et quels que puissent être mes autres qualités et défauts, avouera-t-il, **je n'ai jamais su être conformiste, c'est-à-dire que je n'ai jamais su me plier à ce que je définirais comme une certaine sagesse conventionnelle. Il m'a plus d'une fois été donné de constater qu'il n'y a rien de plus suspect, de plus faux que cette sagesse conventionnelle. Et cela dans tous les domaines.»**

JE NE ME SUIS JAMAIS CRU OBLIGÉ DE FAIRE CECI OU CELA POUR ME CONFORMER AU MODÈLE COMMUN, ET JE ME SUIS TOUJOURS SENTI ASSEZ LIBRE ET FORT POUR DÉBOULONNER LES STATUES ET TENIR DES PROPOS ICONOCLASTES.»

John Paul Getty, avec son immense fortune, avait joui pendant longtemps de l'anonymat jusqu'au jour où, en 1957, la revue *Fortune* publia un article étalant les dix plus grosses fortunes aux États-Unis. Le nom de John Paul Getty y figurait en tête de liste. Les journaux s'emparèrent de l'affaire et bientôt le nom de Getty était sur toutes les lèvres. On le surnomma «l'homme le plus riche du monde»!

Il faisait partie de ces êtres à part, de ces individus exceptionnels qui sont désormais incapables de calculer leur fortune personnelle. Il disait d'ailleurs que si on était capable de calculer sa fortune, c'est qu'on n'avait pas encore atteint le chiffre fabuleux du milliard de dollars.

Comment, dans les nombreux domaines où Getty a exercé son génie des affaires, cet homme est-il devenu «l'homme le plus riche du monde»? Quelle est donc cette attitude mentale, ce secret qui conduit aux plus hauts sommets de la gloire et de la fortune? Getty nous le révèle à sa façon:

«Je range les hommes dans quatre catégories.

«Dans un groupe se trouvent ceux qui travaillent le mieux lorsqu'ils le font entièrement pour eux-mêmes et qui opèrent leur propre entreprise. De tels hommes ne désirent être employés par personne. Ils souhaitent être entièrement indépendants.

«Ensuite, il y a les hommes qui, pour de nombreuses raisons, ne désirent pas se lancer en affaires à leur compte, mais qui obtien-

nent les meilleurs et les plus remarquables résultats lorsqu'ils sont employés par d'autres et qu'ils participent au profit de l'entreprise.

«La troisième catégorie compte les individus qui ne visent qu'à être employés salariés, qui sont réticents à prendre des risques et qui travaillent mieux lorsqu'ils sont employés par d'autres et qu'ils bénéficient de la sécurité d'un salaire.

«Finalement, il y a ceux qui travaillent pour les autres et ne sont motivés par aucun besoin ni désir de réaliser un projet. Ils se contentent de ce qu'ils ont et ne veulent en rien tenter quelque action qui nuirait à leur sécurité.

«QUE VOUS AIMIEZ ÇA OU NON,
IL Y A UNE CHOSE QU'ON NOMME
LA MENTALITÉ DU MILLIONNAIRE.

Il y a une manière de penser qui conduit un individu en avant des autres sur la voie du succès. Brièvement, la mentalité du millionnaire est toujours et avant tout consciente des coûts et est orientée vers la réalisation des profits. Elle est susceptible de se trouver chez les gens de la première catégorie. La mentalité du millionnaire se trouve rarement chez les individus du troisième groupe et totalement inexistante chez les hommes de la quatrième catégorie.»

À vous de décider dans quelle catégorie vous voulez vous classer! Il ne tient qu'à vous de prendre votre destinée en main, et dites-vous que l'homme, à la différence des autres espèces, possède un immense privilège: celui de CHOISIR!

John Paul Getty s'éteignit à Sutton Place, sa résidence d'Angleterre, le 6 juin 1976. Il était âgé de 83 ans et laissait à ses héritiers (nombreux) le problème épineux de régler une succession évaluée à plus de 4 milliards!

* * *

En conclusion de ce chapitre, retenez ce principe. La meilleure décision que vous puissiez prendre, **c'est d'agir. Maintenant. Le succès n'attend pas,** et boude les timorés qui n'osent le prendre par le cou. Agissez donc immédiatement. Tous ceux qui ont réussi ont été des hommes d'action.

Certains objecteront que, précisément, ce qui les paralyse, c'est qu'ils ne sont pas des hommes d'action. Ils ont peur. Peur de l'inconnu, de l'échec, du risque.

LE MEILLEUR REMÈDE CONTRE LA PEUR,
C'EST L'ACTION.

C'est pour cette raison qu'**il ne faut pas attendre de ne plus avoir peur pour agir.** Agissez tout de suite, malgré votre peur. La peur s'évanouira pendant l'action. Et en agissant, vous développez une habitude. Une habitude capitale. Celle précisément d'agir. Le philosophe Thackeray a écrit à ce sujet une réflexion d'une grande profondeur: «Sème une pensée et tu moissonneras une action; sème une action et du récolteras une habitude; sème une habitude et tu récolteras un caractère; sème un caractère et tu récolteras un destin.»

CHAPITRE 4

La meilleure façon de s'enrichir: faire ce que l'on aime

«J'aurais aimé devenir homme d'affaires, mais je n'en avais pas le talent.»

«Mon rêve était de devenir écrivain, mais mon père désapprouvait ma vocation et je suis devenu fonctionnaire.»

«Je m'ennuie dans mon travail, mais il y a tant de chômage, mieux vaut ne pas me faire d'illusion.»

«J'ai toujours rêvé d'être avocat mais je ne crois pas que j'avais le talent nécessaire pour faire mes études de droit. Aussi j'ai préféré faire autre chose.»

Combien de fois n'entendons-nous pas ces paroles autour de nous, dans des variantes plus ou moins rapprochées, qui n'en ont pas moins la même signification? Combien de fois ne vous êtes-vous pas vous-même tenu plus ou moins confusément ce langage? Sur dix personnes, combien peuvent se vanter d'aimer vraiment leur travail? Fort peu en fait. Car, malheureusement, la plupart des gens n'aiment pas ce qu'ils font. Et le plus dramatique c'est qu'ils sont persuadés qu'ils n'y peuvent rien, qu'ils ne sauront jamais modifier leur condition, en d'autres mots, qu'ils ont été condamnés par le hasard de la fortune (ou plutôt de l'infortune) à une vie médiocre.

Si vous êtes dans cette situation, si votre travail vous déplaît et est pour vous la source d'une frustration constante, réfléchissez un instant à ce qui suit: **Ne trouvez-vous pas grave, tragique même, de mourir sans avoir fait ce que vous auriez aimé vraiment faire?**

Ne trouvez-vous pas que vous valez mieux que ça? Ne trouvez-vous pas que la société vous a eu, qu'elle vous a joué un bien vilain tour, si elle vous a empêché de faire ce que vous vouliez? Elle a été plus forte que vous. Elle vous a brisé...

Considérez une journée ordinaire de votre existence. Vous travaillez huit heures par jour, à faire un travail qui vous déplaît et vous dormez huit heures par jour. Il vous reste donc huit heures, huit malheureuses heures que vous utilisez généralement à récupérer, et à tenter d'oublier les frustrations accumulées dans la journée. Trouvez-vous que c'est une vie? Sans doute que non. Et pourtant, vous continuez à la mener. Parce que vous vous y croyez obligé.

Cette conception passive et fataliste est erronée. Rien ne vous oblige à continuer de faire un travail que vous n'aimez pas. Vous pouvez faire autre chose. **Il existe pour vous un travail qui peut vous passionner et qui peut être autant sinon plus rémunérateur que celui que vous exercez actuellement.** Et vous pourriez commencer à l'exercer. Rapidement. Immédiatement. Ce ne sont pas des promesses en l'air. Mais pourquoi n'exerceriez-vous pas ce travail au moment où vous lisez ces lignes? La vie est-elle si mal faite qu'elle vous frustre constamment et vous prive de ce que vous désirez vraiment? Non! La vie n'est pas si mal faite. Elle vous donne à la mesure exacte de votre foi et de votre image mentale.

LA VIE VOUS DONNE À LA MESURE EXACTE DE CE QUE VOUS EXIGEZ D'ELLE.

Ce qui empêche la plupart des gens de faire ce qu'ils souhaiteraient est qu'**ils ne croient pas que ce soit possible.** Ce qu'ils attendent de la vie, l'ennui, la frustration, les obstacles, les revenus médiocres, eh bien! ils l'obtiennent, en vertu des lois que nous avons précédemment évoquées. Tel un homme pense, tel il est dans sa vie.

Réfléchissez à votre condition actuelle et surtout à la manière dont vous la concevez. Si comme c'est probablement le cas vous ne faites pas exactement ce que vous voulez faire, si vous avez depuis toujours nié vos rêves les plus profonds, analysez-vous. Dressez sans plus attendre la liste des raisons qui vous poussent à croire que vous ne pouvez faire ce qui vous plaît vraiment.

____

____

____

____

____

____

____

____

Maintenant que vous avez dressé cette liste, reprenez-la point par point et réfléchissez à chacun d'eux. Ces obstacles sont-ils vraiment valables? Quels qu'ils soient, à moins évidemment d'un cas de débilité profonde ou d'analphabétisme (deux cas évidemment exclus puisque vous ne seriez pas en mesure de lire cet ouvrage) ils ne peuvent résister à une analyse sérieuse et réaliste. Nous insistons sur le mot **réaliste,** car la tendance générale est de taxer d'irréalisme les ambitions légitimes des êtres.

Cette répression des goûts et des aspirations profondes débute en général très tôt, souvent dans la petite enfance. Et pourtant, **pour être heureux, épanoui, il faut avoir le courage d'être soi-même.** Trop longtemps, vous avez accepté d'être bafoué, vous avez renié ce que vous étiez au nom du conformisme. C'est une erreur. Mais heureusement, rien n'est irréversible.

En analysant la liste de raisons que vous avez dressée, vous vous êtes peut-être aperçu que ces raisons ressemblaient étrangement à celles qui empêchent les gens d'être riches ou de s'enrichir. Cette coïncidence tout à fait naturelle n'est pas due au hasard. En effet (et cela vous surprendra sans doute), on peut établir comme principe que **pour faire de l'argent, pour faire beaucoup d'argent, il faut commencer par faire ce qui nous plaît.** Et ce, pour une raison bien simple. C'est une sorte de cercle... comment dire, vertueux!

Si vous n'aimez pas ce que vous faites, vous ne pouvez le faire bien: c'est un principe absolu. Lorsque le coeur n'y est pas, l'énergie n'y est pas davantage. La motivation est basse. Si vous n'aimez pas ce que vous faites, vous le faites donc médiocrement, ou en tout cas, chose certaine, vous ne le faites pas aussi bien que si cela vous passionnait. Et il s'ensuit que votre employeur, vos associés, ou si vous êtes à votre compte, le public, ne peuvent être satisfaits à 100% de ce que vous faites.

Si vous êtes employé, vous ne risquez guère d'obtenir une promotion intéressante ou une augmentation substantielle. Si vous êtes dans les affaires, les chances sont fortes pour que votre entreprise ne prospère guère. Vos compensations financières risquent donc d'être proportionnelles, c'est-à-dire faibles. Peu rétribué, vous aimez encore moins votre travail, ce qui fait que vous le faites encore plus médiocrement. C'est un cercle vicieux.

Une autre conséquence déplorable. On ne travaille jamais seul, mais toujours avec les autres. Si vous n'aimez pas votre travail, votre enthousiasme sera faible, et vous ne pourrez enthousiasmer les autres. Le contraire est vrai aussi. Et c'est pour cette raison qu'une des clés essentielles du succès est de faire ce que l'on aime.

L'excellent auteur Mark McCormark, dans son ouvrage *What they don't teach you at Harvard Business School,* a écrit au sujet de l'ennui au travail une page très éclairante que nous nous permettons de citer en prenant la liberté de souligner les passages qui nous intéressent particulièrement:

«L'ennui survient lorsque la courbe d'acquisition des connaissances s'aplatit. Cela peut arriver à n'importe qui et à n'importe quel niveau de l'entreprise. En réalité, l'ennui s'abat plus souvent sur ceux qui ont réussi et qui ont, plus que les autres, besoin d'être stimulés et défiés.

«Si vous connaissez bien votre job, ou si vous savez trop bien quel bouton il faut pousser, méfiez-vous; l'ennui vous guette. Je m'arrange simplement pour que cela ne m'arrive pas.

«Je redéfinis toujours mon travail, je me charge de nouvelles tâches, ou je me pose constamment, à moi-même, de nouveaux défis. Si j'atteins un but, personnel ou professionnel, j'en fais aussitôt un tremplin d'un processus d'étude en vue d'un autre but, plus ambitieux. C'est comme cela, je pense, que l'on s'améliore dans son travail et que l'on devient plus important dans son entreprise.»

Et il poursuit d'une manière fort percutante: «**Si vous vous ennuyez, c'est de votre faute.** Vous ne vous efforcez pas de rendre votre travail intéressant. **C'est aussi probablement pour cela que l'on ne vous a rien offert de mieux. Découvrez ce que vous aimez faire et vous y réussirez.**»

Réfléchissez au principe d'apparence simple pour ne pas dire banale, sur lequel l'auteur conclut ce passage: **«Découvrez ce que vous aimez faire, et vous y réussirez.»**

Lorsque nous affirmons qu'il faut aimer son travail pour y réussir, il faut bien nous comprendre. Nous ne voulons aucunement suggérer par là que le travail idéal, c'est-à-dire celui qui vous plaît vraiment, soit totalement dépourvu de frustrations, de déceptions, de difficultés. Ce n'est pas nécessairement le paradis à tous les jours. Mais c'est un peu comme un grand amour. Le lien profond qui dans ce cas unit deux êtres leur fait oublier ou, en tout cas, surmonter les frustrations et les obstacles passagers.

Parfois, certaines personnes hésitent et ne savent guère si elles aiment ou non leur travail. Il faut ajouter, à leur décharge, que même les dix hommes riches qui à l'unanimité vouaient une grande passion à leur travail ont traversé des périodes de découragement, de déprime, et même de remise en question, passagères, sans doute, mais bien réelles. Mais si vous voulez bien savoir si vous aimez vraiment votre travail, nous vous suggérons un petit test très simple, mais d'une efficacité pour ainsi dire absolue, pour peu que vous répondiez honnêtement à la question suivante:

SI VOUS GAGNIEZ UN MILLION DE DOLLARS DEMAIN, CONTINUERIEZ-VOUS À FAIRE LE TRAVAIL QUE VOUS FAITES ACTUELLEMENT?

Si vous avez répondu par l'affirmative, bravo, c'est que vous aimez vraiment votre travail. D'ailleurs, les dix hommes riches auraient tous répondu à cette question par l'affirmative. Leur vie est la preuve vivante que le travail était leur passion. Non seulement disposaient-ils d'un million de dollars, mais de plusieurs centaines de millions...

On entend souvent cette réflexion, au sujet des gens très riches (réflexion en général faite par des gens qui ne le sont pas et qui, au surplus, n'aiment pas leur travail): «Si j'étais à leur place, j'arrêterais de travailler et je voyagerais à travers le monde, je me la coulerais douce...»

Ces gens ne comprennent pas que, même si l'argent est un motif important pour les hommes riches, ce qui les pousse à agir, c'est bien plus la passion de ce qu'ils font et le désir d'entreprendre constamment de nouvelles choses, de relever des défis, de prendre de nouveaux risques.

C'est pour cette raison que la plupart des hommes riches prennent rarement des vacances. Certes, leurs nombreuses obligations ne sont pas étrangères à cet état de choses, mais c'est surtout que leur travail est leur passion. Travailler est pour eux un plaisir, un loisir. C'est pour cette même raison qu'ils travaillent souvent si tard le soir, et qu'ils n'hésitent pas à faire des journées de 15 et même de 18 heures.

Et rassurez-vous, ce travail considérable ne les a pas tués. Loin de là. D'ailleurs, la plupart des dix hommes riches ont connu une belle longévité. Et non seulement ont-ils vécu vieux, mais ils ont pour la plupart travaillé jusqu'à la veille de leur mort. La retraite, pour eux, est un mot qui n'avait pas de sens. Cela ne contraste-t-il pas avec ceux qui planifient toute leur (triste) existence en fonction de leur retraite, et se réjouissent de ces mesures «progressives» qui proposent des retraites anticipées? En fait, d'une certaine manière, ces gens-là sont déjà à la retraite, même s'ils ont 30 ou 40 ans. Si l'on peut dire, ils ont pris congé d'eux-mêmes, ils ont oublié ce qu'ils étaient, ils sont des sortes de morts vivants.

Si vous voulez vivre vieux et heureux, faites ce que vous aimez. Il a été établi qu'une des principales causes du vieillissement était la frustration et le stress. Pour conserver une éternelle jeunesse intérieure, il faut respecter les désirs de son coeur et faire ce que l'on aime.

Steven Spielberg a fait un jour la remarque suivante: «Le plus grand danger de la notoriété, c'est de devenir paresseux.»

Mais sans doute plaisantait-il. Car malgré sa fortune évaluée à plus d'un milliard de dollars, il est réputé travailler une centaine d'heures par semaine lorsqu'il est en tournage. Et il tourne continuellement comme en témoignent ses films successifs qui sont tous autant de succès.

Chez les hommes riches, et chez ceux qui font ce qu'ils aiment, un curieux renversement de valeurs paraît s'être opéré dans leur attitude face au travail. La plupart des gens rentrent au travail à reculons le lundi matin et attendent avec impatience l'arrivée du vendredi après-midi, où ils peuvent enfin déposer le collier, qu'ils ont péniblement supporté pendant cinq longs jours. Ils ne vivent donc que deux jours sur sept. Sans compter que le samedi est généralement journée de décompression et que déjà le dimanche se profile le spectre lugubre et monotone du lundi matin. Pour les hommes riches, pour tous ceux qui font un travail qui leur plaît, une telle chose n'a pas de sens. Alors que le congé est accueilli comme un soulagement par la plupart des gens, pour les hommes riches, c'est presque une punition. Chose certaine, ce n'est pas une chose après laquelle ils soupirent.

Le grand mathématicien et philosophe français Pascal a fait un jour cette réflexion profonde:

«Le passé et le présent sont nos moyens; le seul avenir est notre fin. Ainsi, nous ne vivons jamais, mais nous espérons vivre, et, nous disposant toujours à être heureux, il est inévitable que nous ne le soyons jamais.»

N'est-ce pas le cas de ceux qui ne vivent que pour voir arriver la fin de semaine? Ainsi donc, ils ne vivent pas, mais attendent de vivre, et ne sont jamais heureux. Non seulement ne sont-ils jamais heureux, mais ils ne réussissent en général jamais.

Thomas Watson, l'un des pères de la formidable multinationale IBM, répétait continuellement à ses vendeurs: **«Vous ne connaîtrez jamais de succès si vous n'arrivez pas à vous convaincre que la vente est ce qu'il y a de plus intéressant au monde.»**

Et encore: **«Vous devez garder une place pour le travail dans votre coeur et mettre du coeur dans votre travail.»**

La confidence suivante montre que nous n'étions pas ironiques lorsque nous affirmions que priver un homme riche de son travail c'est le punir. D'ailleurs, Honda lui-même emploie le mot punition. **«Lorsque l'on me voit travailler au laboratoire, certains disent que le commandant est en tenue de campagne. Pourtant, Dieu sait que je ne vais pas au laboratoire avec un sentiment tragique et militaire! J'y vais pour la simple raison que j'aime travailler et ce n'est pas parce que je suis le président que je vais me priver de ce plaisir! Pourquoi un homme, sous prétexte qu'il est le directeur d'une entreprise, devrait-il rester toute la journée assis derrière son bureau à compter les heures sur ses doigts? Bien sûr, il y a d'autres façons de s'occuper, je ne veux pas être méchant et je crois que d'autres dirigeants préfèrent s'intéresser aux chiffres et au statut plutôt que de descendre dans les ateliers. Mais voilà, il serait pénible pour un ingénieur comme moi de se consacrer à la comptabilité, d'autant plus que j'ai la chance d'avoir d'excellents experts en la matière! Je suppose qu'être président ne constitue pas une punition... sans quoi, j'aurais bien trouvé quelque ami fidèle pour me prévenir.»**

Voici maintenant quelques principes à retenir.

1. VOUS POUVEZ FAIRE CE QUI VOUS PLAÎT, SI VOUS Y METTEZ LA DÉTERMINATION ET L'ÉNERGIE NÉCESSAIRES.

2. L'EMPLOI, LA PROFESSION IDÉALE EXISTE POUR VOUS. MAINTENANT. IL FAUT QUE VOUS COMMENCIEZ PAR Y CROIRE.

3. IL EST INEXACT QU'IL FAILLE FAIRE QUELQUE CHOSE DE DÉSAGRÉABLE POUR GAGNER SA VIE.

4. PLUS ENCORE, LA SEULE MANIÈRE D'ÊTRE HEUREUX ET DE FAIRE BEAUCOUP D'ARGENT EST DE FAIRE CE QUE L'ON AIME VRAIMENT. VOUS SEREZ ALORS DOUBLEMENT GAGNANT. NON SEULEMENT SEREZ-VOUS HEUREUX À VOTRE TRAVAIL, MAIS VOUS GAGNEREZ PLUS D'ARGENT.

5. **VOUS SEUL** POUVEZ DÉCIDER DE VOTRE DESTIN ET FAIRE CE QUI VOUS PLAÎT, PEU IMPORTENT LES OBSTACLES EXTÉRIEURS.

6. LE PLUS GRAND OBSTACLE À VOTRE RÉUSSITE EST EN VOUS. CE QUI VOUS EMPÊCHE DE FAIRE CE QUE VOUS AIMEZ, C'EST QUE VOUS NE CROYEZ PAS QUE C'EST POSSIBLE POUR VOUS. CELA N'EST À VOS YEUX VALABLE QUE POUR LES AUTRES.

7. OSEZ FAIRE CE QUE VOUS VOULEZ. BANNISSEZ LA PEUR. VOUS RÉUSSIREZ.

De nos jours, le divorce est fréquent entre les pensées et les sentiments. On tente de tout rationaliser. On nie ses sentiments. On étouffe ses rêves. On ne croit pas qu'il faille mettre son coeur dans son travail. On se contente d'y mettre sa tête. Malheureusement, la plupart des gens oublient que l'être humain est un tout. Lorsque le coeur n'y est pas, le succès ne vient pas non plus. Ou s'il vient, il ne reste pas longtemps. On a vu que pour que nos rêves se réalisent, il faut qu'ils soient soutenus par notre désir, un désir ardent, constant, et par nos sentiments. Si votre coeur est absent de votre travail, empressez-vous de trouver autre chose, avant qu'on ne vous remercie. Ou encore essayez de trouver une nouvelle dimension à votre travail, de vous découvrir de nouveaux défis. **Ayez pour vous-même cet élémentaire respect. Ne reniez pas ce que vous êtes. Vous valez plus que cela. Vous n'êtes pas obligé de subir une existence monotone.**

Beaucoup d'hommes et de femmes qui ont réussi, et entre autres ceux dont nous n'avons cessé de parler, ont mauvaise presse auprès d'un certain public, malgré l'admiration ou l'envie qu'on leur voue. On croit souvent qu'ils ne sont que de vulgaires matérialistes, des machines à faire des sous, de froids calculateurs dépourvus de tout sentiment humain. Ce que l'on oublie, c'est que **tous ces hommes ont été des hommes de passion,** et que plusieurs d'entre eux ont été avant tout des hommes de coeur, des espèces de romantiques du monde des affaires à leur manière. Ils étaient porteurs d'un rêve, un rêve venu souvent de leur lointaine enfance, et ils ont mis tout leur coeur pour le réaliser, ils ont été prêts à tous les sacrifices.

L'un des plus beaux exemples de ce type d'homme est sans contredit le génial réalisateur Spielberg dont nous vous relaterons ici les débuts difficiles. Rien sans doute ne peut paraître plus insensé, plus idéaliste que vouloir vivre du cinéma. Pourtant, un jeune homme sans le sou, et sans relation, qui avait même été refusé à la Faculté de cinéma, est parvenu à réaliser ce rêve.

Steven Spielberg: un homme de coeur devenu milliardaire

«When our wish upon a star,
Makes no difference who your are,
Anything your heart desires will come... to... you.»
(Chanson-thème de *Pinocchio* de Walt Disney)

Juillet 1985. Pour la troisième fois, la prestigieuse revue *Time* consacrait sa page frontispice à Steven Spielberg, le «super-star» hollywoodien. Le premier reportage d'importance s'était produit à l'occasion de la parution de *Jaws,* en 1975, alors que le requin géant, Bruce, faisait les délices des cinéphiles.

Puis, en 1982, un second reportage saluait *E.T.* et *Poltergeist.* Malheureusement, la guerre des îles Falkland, entre l'Angleterre et l'Argentine, détrôna Spielberg.

Le dernier reportage se voulait un hommage au talent de ce «Peter Pan» qui s'acharnait, film après film, à nous entraîner au royaume à la fois merveilleux et cauchemardesque de l'enfance.

Car c'est bien de l'enfance (la sienne) qu'il s'agit tout au long de son oeuvre. Denise Worrell, du *Time,* l'explique: «Entreprendre un reportage sur la vie et l'oeuvre de Spielberg n'est autre chose que de revenir à l'univers de notre enfance.» Voilà tout le secret de son oeuvre magistrale qui a fait de lui le directeur le plus puissant de la capitale du cinéma et même du monde entier et qui lui a permis d'acquérir une véritable fortune tout en faisant ce qu'il désirait de tout son coeur!

Le Spielberg adulte (si l'on peut employer un tel terme en parlant de lui!) croit encore aux «frères de sang»! Avec lui chaque conversation nous fait revivre les rituels secrets de cette enfance, de même qu'elles ravivent ces serments solennels d'amitié éternelle.

Mais l'univers de Spielberg n'est pas que cela. C'est aussi l'obscurité menaçante, une obscurité habitée par des entités inconnues, peuplée des rêves hideux de nos propres peurs. La peur qui se transforme lentement en émerveillement, de l'ordinaire transfiguré en extraordinaire, voyage bouleversant de l'obscurité à la lumière: voilà ce cheminement qui nous fait revivre nos hantises et découvrir à nouveau ce bonheur ineffable que nous gardons précieusement au fond de notre coeur!

Inutile de préciser que Steven Spielberg vit la tête dans les nuages! Bien qu'il ait les pieds fermement ancrés sur la terre, cette terre de la classe moyenne, blanche, financièrement à l'aise et très banlieusarde de l'Amérique du Nord! Mais ce n'est jamais là qu'une apparence. Il l'avoue lui-même: «**Je crois sincèrement que je suis Peter Pan!**» Rien d'étonnant à ce qu'on le compare si fréquemment à son idole (ou, du moins, à l'une de ses idoles) Walt Disney. Comme Disney, il voit tout (et filme tout) comme s'il était haut comme trois pommes. Son univers scénique, il le voit par les yeux d'un enfant!

Plus encore, son oeuvre reflète l'angoisse sourde et inexpliquée de l'oeuvre d'un autre de ses mentors: Alfred Hitchcock.

Mais, en plus, de l'HUMOUR! Toujours de l'humour! Car l'humour est le dernier bastion du bonheur de l'enfance... Tout en plaçant ses personnages ordinaires dans les circonstances les plus extraordinaires.

En un mot, c'est de la MAGIE!

Le père de cet univers magique qui fait nos délices dans les salles de cinémas, naquit, le 18 décembre 1947, à Cincinnati.

Son premier souvenir est d'ailleurs symptomatique de ce monde fantastique qu'il nous révélera plus tard. Spielberg raconte que, dans son premier souvenir, indélébile, tout était obscurité. Puis, un couloir au bout duquel... le mystère! Soudain, de la lumière. Une pièce fortement illuminée et, au fond, une rangée de vieillards barbus avec des chapeaux noirs: sages venus d'un autre monde? Tout au fond de la pièce, une sorte de plate-forme surélevée d'où surgit une lumière rouge presque aveuglante. Le mystère est encore plus angoissant, les sens sont comme engourdis dans cette atmosphère inhabituelle... Ce souvenir ressemble drôlement à une scène d'un de ses films. Et pourtant... Il s'agit simplement d'une visite que ses parents firent à une synagogue de Cincinnati. Steven n'était âgé alors que de six mois!

Cette fascination de l'étrange devint, chez lui, partie intégrante de son être. **«J'ai toujours été intéressé par les phénomènes étranges, ces «lumières dans la nuit», et ce depuis que j'étais tout jeune en Arizona. Là-bas, le ciel est très clair, la nuit. Les nuits étoilées étaient monnaie courante. Je me souviens qu'une fois mon père m'avait réveillé à trois heures, une nuit, et il m'avait entraîné jusqu'au flanc d'une colline et là, étendus sur une couverture, nous avions regardé une fantastique pluie de météorites! C'était... extraordinaire! Je n'avais qu'une idée en tête: découvrir les origines de ces points lumineux là-haut.»**

Et il ajoutait: **«Il faut dire que je suis né l'année même, 1947, où l'aviateur Kenneth Arnold aperçut ce qu'il allait nommer une «soucoupe volante». Auparavant, peut-être 10 000 personnes avaient-elles eu de telles expériences, mais ce ne fut vraiment qu'à partir de cette année-là qu'une véritable psychose s'empara des gens. Je grandissais dans cette atmosphère de paranoïa. Mais moi, au lieu d'avoir peur, j'essayais d'imaginer ce que ce serait de voir quelqu'un qui viendrait de... là-haut!»**

Le milieu familial allait jouer un rôle prépondérant dans l'oeuvre de Spielberg. Son père était ingénieur en électricité et fut membre de l'équipe qui construisit les premiers ordinateurs. À la fin des années 40 et au début de la décennie suivante, l'industrie informatique était éparpillée à la grandeur des États-Unis. Aussi les Spielberg déménagèrent souvent. En 13 ans, Steven passa de Cincinnati à Haddonfield, New Jersey, puis à Scottsdale en Arizona, et finalement à Saratoga, une banlieue de San Jose, en Californie. Il venait tout juste de s'habituer à un nouvel environnement, raconte-t-il, que déjà, une pancarte «À vendre» ornait la devanture!

De son propre aveu, ses parents ne se ressemblaient en rien. Tous deux étaient passionnés de musique classique et ils adoraient leurs enfants. Leurs seuls points en commun! Son père était un maniaque de la minutie, de la ponctualité, bref, un véritable ordinateur. Ce qui fit dire à Spielberg que ce dernier ne parlait que deux langues: l'anglais et... le langage des ordinateurs!

Vision que ne partageait nullement le jeune Steven et il le fit comprendre à ses parents à sa manière particulière. **«Quand j'eus à peu près onze ans, mon père nous réunit tous dans la cuisine. Il avait à la main un minuscule transistor. Il nous dit alors: «Ceci, c'est l'avenir!» Je pris le transistor, me le mis dans la bouche et...**

l'avalai! Papa se mit à rire et, soudain, ne trouva plus ça drôle du tout. L'atmosphère devint très tendue. C'était un de ces instants quand deux mondes diamétralement opposés se confrontent. C'était, à ma manière, une déclaration: c'est TON univers, pas le mien!»

Mais sa mère débordait d'énergie. Elle était le pivot autour duquel le reste de la famille se distribuait. Pianiste de formation classique, elle donnait souvent des récitals en compagnie de ses amies, musiciennes également. Pendant ce temps, son père se retrouvait en compagnie de ses propres collègues à discuter de la façon de réaliser une trappe à souris informatisée! Pour le jeune Steven, son seul refuge, c'était sa chambre. **«La porte de ma chambre est restée fermée pendant presque toute ma vie!»** dit-il plus tard. Il allait même jusqu'à mettre des couvertures aux orifices pour ne pas entendre le piano ou la conversation savante!

Son premier contact avec le cinéma se produira quand sa mère donna, en cadeau d'anniversaire de naissance, une ciné-caméra à son père, «pour conserver des souvenirs de la famille». Sauf que le paternel n'avait décidément pas de talent pour le cinéma. Le jeune Steven, qui était alors âgé de 12 ans, était tout simplement fasciné par cette caméra 8 mm. Par contre, il l'était beaucoup moins par les prouesses d'amateur de son père. **«Comme tout le monde,** avoua-t-il plus tard, **je dus subir cette torture des films-maison!»** La caméra n'était jamais stable ou le sujet était complètement invisible dans cette espèce de brume d'une lentille hors foyer, bref toute la panoplie des erreurs défilait sous les yeux horrifiés du cinéaste en herbe. C'était plus qu'il n'en pouvait supporter. Un jour, au cours d'une telle séance, il déclara tranquillement à son père: **«Tu ne tiens pas ta caméra comme il faut... Ça n'a aucun sens!»** Son père, tout aussi calme, prit la caméra, la lui tendit en disant: **«Tiens! Prends-la! C'est toi désormais le cinéaste de la famille!»**

C'est à partir de cet instant que Steven eut, selon ses propres termes, «la rétine collée à un objectif de caméra»!

CE FUT UNE VÉRITABLE OBSESSION!

«POUR MOI, C'ÉTAIT LE MOYEN IDÉAL D'ÉVASION.»

C'était la porte ouverte à un monde de fantaisie, monde dont il allait nous faire une brillante démonstration plus tard, la voie royale de l'évasion, loin du réel, du quotidien, de l'école avec ses durs-à-cuire qui lui faisaient si peur, avec les peurs dans l'obscurité, et surtout... surtout, loin de ses parents qui ne s'entendaient plus tellement bien et qui étaient déjà sur la voie de la séparation.

DÉSORMAIS, IL N'EUT PLUS QU'UN BUT:
FAIRE DES FILMS!

Mais il y a loin de la coupe aux lèvres!

Pour l'instant, c'était la Californie du Nord et les querelles incessantes des parents. Oh! bien sûr! Pas devant les enfants. Mais Steven était lucide: **«Je crois qu'ils ne se sont jamais vraiment rendu compte à quel point nous étions conscients de leur malheur. Il n'y avait pas de violence, seulement une atmosphère de malheur désespérée qu'on aurait pu couper au couteau. Des années durant j'ai pensé que le mot «divorce» était le plus laid qui puisse exister. Le son de leurs conversations se répandait partout dans les chambres par les conduits du chauffage. Mes soeurs et moi, nous passions toute la soirée debout à les écouter se disputer, refusant de nous rendre à l'évidence. Et pour nous, c'était la panique. Mes soeurs éclataient en sanglots et nous nous serrions les uns les autres dans nos bras.»**

C'est à l'horreur de cette réalité que Steven voulait échapper! Et de bien d'autres aussi! Comme lorsqu'il était enfant! **«J'avais toutes les peurs des enfants!»** C'est-à-dire: peur d'une présence hideuse cachée sous le lit, peur de personnages monstrueux attendant patiemment dans la penderie, peur de ces choses terribles que ces personnages inventés à la faveur de la nuit allaient lui faire. Cet arbre maléfique dans *Poltergeist,* Steven le verra de sa fenêtre pendant des années et il fera les mêmes rêves cauchemardesques que ceux que son jeune comédien vivra sur le plateau! Bref, l'univers inquiétant et souvent maléfique de ses films l'habite déjà. Pour lui, c'est déjà une réalité quotidienne!

C'est grâce à l'oeil magique de la caméra qu'il parviendra à exorciser ses démons et à s'en faire des alliés qui paveront pour lui la voie royale!

«J'AI FAIT DE MON RÊVE UNE RÉALITÉ!»

C'est là toute la clé de l'incroyable succès de Steven Spielberg qui, à 36 ans, a amassé une immense fortune et est devenu l'un des plus puissants personnages du monde du cinéma. Le DISNEY des temps modernes!

Sa passion pour la caméra et les «lumières dans le ciel» ne tarde pas à provoquer cette première étincelle: son premier film. D'amateur, bien sûr. Ce film *Firelight* est tourné (!) en 1964. Il a 16 ans et c'est son premier film de science-fiction. **«140 minutes de «Nous vs Eux»!»** racontera-t-il plus tard. Il avait déjà une quinzaine de telles réalisations à son actif depuis qu'il avait hérité de la ciné 8 mm de son père. Mais c'était là sa première «oeuvre» du moins à ses yeux. Avec un budget de 300$, gonflé à 500$ par la suite (une habitude qu'il gardera toute sa carrière durant, au grand désespoir des financiers de ses films!). Ce fut son premier succès commercial. Papa invita des amis, connaissances, parents, etc... et on réussit à récolter la somme de ... 600$ pour couvrir les frais! Un succès sur toute la ligne!

Pourtant, sa carrière n'allait vraiment débuter qu'avec un autre film et surtout grâce à une rencontre fortuite sur les plages californiennes. C'était en 1967. Steven fit la connaissance d'un homme qui était aussi désireux de produire des films que Steven l'était de les diriger. Mais la différence substantielle entre les deux, c'est que le premier était... millionnaire! C'était Dennis Hoffman, propriétaire d'une compagnie d'appareils optiques. Hoffman visionna quelques-unes des réalisations en 8 mm et en 16 mm de Steven et fut enthousiasmé. Il lui donna alors 10 000$ pour réaliser un court métrage. Pour Steven, une telle somme, c'était la fortune! À une condition toutefois: Hoffman voulait être crédité pour le film. C'est-à-dire qu'on lirait au générique: *Amblin* de Dennis Hoffman au lieu de *Amblin* de Steven Spielberg. **«Je n'hésitai nullement et répondit... «oui» Je pris l'argent et partis réaliser mon premier film en 35 mm. Une vraie chance pour moi!»**

Steven allait également faire à cette occasion la rencontre d'un autre maniaque de la caméra: Allen Daviau qui allait partager, sa carrière durant, échecs et succès. Les deux jeunes gens ne savaient aucunement où ils s'en allaient. Mais une chose était certaine: ils étaient en route pour le succès! Ils n'en doutaient nullement! Cet optimisme presque délirant ne quitterait jamais Spielberg.

Amblin, qui raconte l'histoire d'un adolescent et d'une adolescente qui voyagent en auto-stop jusqu'en Californie, eut beaucoup de succès, À tel point que le petit film impressionna très favorablement le grand manitou de la compagnie Universal Television, Sid Sheinberg

«En fait, tout le mérite de ce succès revient à mon ami Chuck Silvers. C'est lui qui a fait voir le film à Sheinberg. (Ce film fut d'ailleurs présenté en 1969 aux festivals de cinéma de Venise et d'Atlanta. **Le lendemain, Sheinberg me téléphonait et m'invitait à passer le voir à son bureau. Une vraie histoire de Cendrillon!»**

Ces studios de la Universal, Steven les connaissait bien. En effet, alors qu'il n'avait que 17 ans et qu'il était allé visiter de vagues cousins à Canoga Park, ceux-ci l'emmenèrent visiter les studios de la Universal. Steven voulait voir les plateaux de tournage. Aussi, profitant d'un arrêt du tram, il se faufile dans les studios où il furète ici et là, complètement émerveillé. Un homme l'arrête, lui demande ce qu'il fait là. Calmement, Steven lui explique sa passion pour le cinéma, ce qu'il a fait, ce qu'il veut faire, etc... Cet homme, c'était Chuck Silvers, l'artisan de la carrière de Steven. Amusé par ce gringalet qui manifeste tant d'audace (n'entre pas qui veut sur les plateaux de la Universal, surtout pendant un tournage!), Silvers l'invite et lui fait faire la tournée royale. Le lendemain, muni d'un laissez-passer, Steven revient et montre ses films en 8 mm à Silvers. Celui-ci est favorablement impressionné (ce qui explique son enthousiasme quand il visionna *Amblin* quelques années plus tard).

Si pour Silvers tout s'arrête là, pour Steven, cela tourne carrément à l'obsession. Le surlendemain, en habit, cravaté, bien coiffé, attaché-case à la main (celui de son père. «Il n'y avait rien d'autre dedans qu'un sandwich et deux tablettes de chocolat.»), il passe devant le garde de sécurité et entre dans les bureaux de la Universal. Pendant tout l'été, il y élit domicile. En squatter! Il trouva un bureau inoccupé, un téléphone et il y installa ses pénates. Il poussa l'audace jusqu'à inscrire son nom à l'annuaire de l'immeuble, puis il hanta les couloirs et les corridors, surveillant chacune des mille et une opérations du tournage d'un film. Il espérait vaguement qu'un jour il y ait quelqu'un, la Providence (?), qui lui donne quelque chose à faire... mais cela ne se produisit jamais.

Écoeuré, Steven repartit comme il était entré, sans que personne ne remarque sa présence.

Étonnamment, cette fois, sa rencontre avec Sheinberg, le grand patron, allait lui permettre d'entrer officiellement aux bureaux de la Universal... pour y faire exactement la même chose: RIEN!

«C'est un processus excessivement ardu, de raconter Steven au sujet de cette période de sa vie. **Extrêmement pénible et extrêmement ennuyeux. J'ai pratiquement campé à la porte de nom-**

breux dirigeants de la compagnie avant que l'on ne m'accorde la permission de faire quelque chose. C'est très simple: j'étais beaucoup trop jeune et on ne croyait pas à la jeunesse à la Universal. Ailleurs non plus!»

SPIELBERG AVAIT LA FOI. IL CROYAIT EN SON TALENT. IL SAVAIT QU'IL ÉTAIT CAPABLE DE GRANDES CHOSES MÊME S'IL ÉTAIT JEUNE. CETTE OCCASION TANT ATTENDUE, IL ALLAIT LA CRÉER!

Il supplia tant et si bien Sid que celui-ci tordit quelques bras et réussit à obtenir du travail pour Steven. Steven avait ce qu'il désirait: il allait travailler à un film-pilote pour une nouvelle série de télévision. C'était *Night Gallery*, une suite pour la très célèbre émission *Twilight Zone* de Rod Serling. Malheureusement pour Steven, il allait diriger une des actrices les plus... «acerbes» de toute la colonie hollywoodienne: Joan Crawford! Il était dans ses petits souliers!

Il s'en tira assez bien en dépit de sa totale inexpérience! Mais c'était le départ... Ou du moins le croyait-il!

Steven eut droit à la direction d'un épisode de *Marcus Welby, M.D.*, puis *Dr. Kildare*, puis... Plus rien! *Nothing*!

Toute une année, rien! Il supplia, pleura, menaça... mais son contrat stipulait clairement, en petits caractères qu'avait omis de lire Steven dans son enthousiasme juvénile, qu'il devait se soumettre entièrement aux décisions de la Universal. Pas question d'occuper ses loisirs à faire du cinéma d'amateur! Pris au piège. Aussi, quand on lui offrit de tourner des séries pour la télé, il accepta avec empressement. N'importe quoi plutôt que rien! Il aurait préféré rien, en fin de compte. Mais cela lui permit de connaître toutes les ficelles du métier. Il apprit tant et si bien que bientôt il allait être capable de s'occuper d'à peu près tout sur un plateau, sauf le maquillage. Son métier, il le connaissait maintenant à fond!

Au beau milieu de cette année très occupée, 1971, Steven était prêt pour cette «grande occasion». Ce fut sa secrétaire qui, sans honte aucune (nous étions tout de même seulement en 1971) acheta la revue *Playboy* et fit lire à Steven le récit de l'auteur de science-fiction Richard Matheson, *Duel*, l'histoire d'un représentant de commerce doux et paisible aux prises avec un camion-citerne dont le conducteur démentiel cherche à le tuer, sans raison aucune! *Duel* est le récit de cette course contre la mort sur les routes accidentées des Rocheuses!

Spielberg tourna *Duel* en seize jours méticuleusement planifiés dans le canyon Soledad en Californie. Il fut présenté au réseau ABC à l'émission *Movie of the Week* (Le film de la semaine) le 13 novembre 1971. Deux ans plus tard, ce film recevait une Mention spéciale du jury au festival de la télévision de Monte-Carlo. L'accueil délirant que le public avait fait, en Europe, à ce film de Spielberg, renversa les dirigeants de la Universal qui ne s'attendaient certes pas à un tel phénomène. Et ceux-ci durent se rendre à l'évidence: ils avaient sous la main un jeune directeur bourré de talent!

Avec un maigre budget de 450 000$, le jeune directeur avait réussi à produire des bénéfices de 6 millions de dollars. Certainement de quoi impressionner les pontes de la Universal pour qui l'argent vient en premier, le cinéma ensuite...!

Mais avant qu'on ne se rende compte de son génie (il fallut plus de deux ans avant que les échos européens de *Duel* ne viennent aux oreilles des patrons de la Universal), Spielberg dut encore se contenter de diriger des films pour la télé. À 25 ans, c'était encore là sa principale occupation jusqu'à ce que les résultats (financiers, bien sûr) de la location de *Duel* soient enfin connus! Cette fois, Steven le savait bien, plus rien ne pouvait le retenir. Plus rien ni personne ne pouvaient l'empêcher de faire ce qu'il désirait le plus: des films!

On l'invita dans la *tour d'ivoire* où les patrons lui demandèrent tout bonnement: «Vous n'auriez pas quelque projet de film en tête, par hasard?»

Question idiote s'il en était une!!!

Il débuta... en tant que scénariste!

Steven fit le tour des différents studios de cinéma, laissant ici et là quelques scénarios qu'il avait eu (amplement!) le temps d'écrire pendant ses années d'oisiveté à la Universal. À la 20th Century-Fox, Richard D. Zanuck et David Brown aimèrent ce petit texte intitulé «*Ace, Eli and Rodger of the Skies*. Le film fut tourné, mais Spielberg n'y joua aucun rôle actif. Et le film n'eut guère de succès. La manne financière fut un maigre 13 400$ lors de la semaine d'ouverture à Washington et Baltimore et cela dans 16 cinémas différents! À peine de quoi couvrir le coût de la pellicule!

Cependant, Zanuck et Brown allaient être à nouveau les instruments de la percée de Spielberg. Congédié par la Century-Fox, le duo se retrouva à la direction de la Universal. Et cette fois, ils adorèrent le script de *The Sugarland Express*. Steven avait encore beaucoup de difficultés à s'imposer comme directeur mais l'arrivée du tandem Zanuck-Brown allait lui donner le coup de pouce tant attendu.

L'histoire était très simple: une femme, tout juste libérée de prison, aide son amant à s'évader. Tous les deux kidnappent un policier de la route dans le but d'aller récupérer leur enfant qui va être adopté d'une journée à l'autre et qu'ils ne reverront plus jamais! Ce qui risquait de n'être qu'un mélo pathétique devint ce que la critique de cinéma Pauline Kael du *New York Times* décrivit comme «un des débuts les plus fantastiques dans l'histoire du cinéma».

Malgré le désastre financier de *Sugarland Express,* les intuitions des protecteurs Zanuck-Brown se révélaient exactes!

Mais l'argent est l'étalon du succès à Hollywood. Et alors que le grand succès *The Sting* (L'arnaque) avait récolté la somme fabuleuse de 68 450 000$ à la fin de 1974, *The Sugarland Express* n'avait pu faire guère mieux que 2 890 000$!

Mais Steven apprenait! À se faire des alliés! Des collaborateurs! Il apprenait à comprendre les aspects de cette règle d'or: faire confiance à des hommes capables qui assument des postes clés et épousent totalement votre idéal, votre vision!

Ce qui se produisit avec le cameraman Vilmos Zsigmond, le duo Zanuck-Brown et d'autres qui allaient surgir tout au long de la carrière de Spielberg. Surtout le compositeur John Williams qui composera la musique de six des films de Steven en dix ans, les six qui connurent le plus de succès!

Ce fut alors l'explosion! Du génie, tout simplement! Ce fut *Jaws*! «**Je ne suis pas violent**, devait déclarer Spielberg par la suite. **Mais je savais ce que *Jaws* allait faire au public. C'était une expérience de la terreur. Mais ce fut un véritable cauchemar à tourner. Je n'eus aucun plaisir à faire ce film!**»

En fait, la Universal détenait les droits du livre de Peter Benchley mais ne savait qu'en faire. Spielberg adorait ce scénario mais ignorait totalement dans quelle galère il s'embarquait. Ce furent 155 jours de tournage alors que 52 avaient été prévus! Ce fut un budget qui ne cessait d'augmenter. Pour les requins géants (il y en avait trois), chacun pesait environ 3000 kilos et coûtait 150 000$ pièce. Étant donné la complexité de ces machines, il fallut encore ajouter 3 millions supplémentaires au budget initial de 8 millions. Vingt personnes participèrent à la construction de Bruce (surnom sous lequel fut connu le célèbre requin), de plus 13 autres étaient impliqués dans le maniement des appareils pour faire fonctionner cette énorme machine!

Le tournage rendit tout le monde presque fou! Isolés sur la côte de la Nouvelle-Angleterre, en proie à des éléments défavorables, plusieurs ne savaient que faire de leurs dix doigts. «Certains marchaient sur la plage et hurlaient en direction du ciel!» avouera Richard Dreyfuss, un des acteurs du film.

Tous, Spielberg y compris, étaient tellement découragés qu'ils n'avaient qu'une idée en tête: foutre le camp! Dreyfuss avoua qu'il voyait là le plus grand «navet» de l'histoire du cinéma. Et pourtant...

Le film fut considéré comme la plus horrifiante des productions de l'année. L'accueil du public fut délirant. Le 5 septembre 1975, soit 80 jours après l'ouverture dans un peu moins de 1 000 cinémas aux États-Unis et au Canada et avec un budget promotionnel de 2 500 000$, *Les dents de la mer* avait déjà éclipsé les records établis par *L'exorciste, L'arnaque, Autant en emporte le vent* et *The Sound of Music.* Finalement, *Jaws* éclipsa même *Le Parrain* pour devenir le film No 1 de tous les temps!!!

À un point tel que le correspondant à Cuba du *Washington Post* avouait tenir de source certaine que Fidel Castro avait acheté des copies-pirate du film pour le public cubain!!!

Plus encore, *Jaws* était une véritable mine d'or. Uniquement pour s'occuper de rédiger les contrats des différentes firmes qui vendaient les produits *Jaws*, la firme International Creative Management factura 6 millions de dollars! À raison de 10% de commission!

La Universal voulait évidemment que Spielberg réalise une suite. Mais il s'y refusa carrément. En 1975, il avait d'autres plans. Tout ce qu'il voulut avouer, c'est que Richard Dreyfuss serait à nouveau la vedette de son prochain film et que ce film «serait unique»!

Il ne croyait pas si bien dire! En perfectionniste qu'il était, Spielberg poussait sa limite toujours plus loin, cherchant à épuiser ce talent dont il se savait le possesseur!

Ce fut... *Rencontres du troisième type!*

«Le gosse n'arrivera jamais à faire décoller tout ça», commentèrent les dirigeants de la Universal face au projet gigantesque.

Mais Spielberg y croyait, aveuglément!

«Ce n'est pas un film de science-fiction, ni un film futuriste, disait-il. **C'est un film au sujet de gens qui CROIENT! Seize millions d'Américains croient que des OVNI nous visitent régulièrement!»**

Spielberg savait déjà par coeur son credo du cinéma pour que le public réponde favorablement à un film:

D'abord les personnages. Le reste ensuite. En d'autres termes: une histoire crédible!

Mais à Hollywood, c'était... l'argent d'abord, le film ensuite! Et le budget était, comme le film, colossal! Truffaut (qui joua dans le film), habitué à une atmosphère intimiste lors d'un tournage d'un film, était complètement dépassé par le gigantisme de l'opération! Les responsables de l'éclairage, des maquettes, du son, tous faisaient partie de la crème mondiale. Sans égard à l'addition! La créature créée par le grand maître Carlo Rambaldi, cet extra-terrestre qu'on voit surgir du vaisseau mère dans la finale quasi religieuse, coûta la modeste somme de 3,5 millions de dollars.

Mais quand le film fit ses débuts en novembre 1977, les critiques y allèrent à boulets rouges. «Ce sera un échec», commenta laconiquement William Flanagan du magazine *New York*. Les actions de la Universal perdirent au total 18 millions de dollars à cause de la panique créée par la réaction des critiques lors d'un visionnement de préouverture à Dallas.

Mais le public lui réserva un accueil délirant. Encore plus qu'à l'avènement de Bruce! Tous ceux qui avaient participé de près ou de loin à la création du film furent célèbres dans le monde! Après un seul mois dans les cinémas, *Rencontres* devenait le neuvième succès de l'année 1977! En 1978, il était passé au troisième rang et ça continua... jusqu'à ce que *E.T.* survienne!

Après ces deux super succès, Spielberg connaîtrait un revers. Ce fut *I wanna hold your hand* en 1978. Film sur le phénomène des Beatles, il survenait beaucoup trop tard, à une époque où les Beatles étaient dépassés! Résultat: flop! Puis, *1941* une farce sur la panique qui s'était emparée de la Californie après le bombardement d'une ville côtière par un sous-marin japonais. Échec monstrueux, mais nécessaire. Spielberg ne connaît rien à la comédie. Il n'en savait rien auparavant. *1941* le lui fit comprendre. Durement! «Ce fut une nécessité regrettable! Regrettable pour le public! Nécessaire pour le directeur!» furent les paroles d'un critique. Spielberg comprit la leçon. **Il s'en tiendrait désormais à ce qu'il sait faire et rien d'autre!**

Sa manie du perfectionnisme l'aiguillonnant toujours, il réalisa *Rencontres du troisième type, édition spéciale*. Succès mitigé. Puis ce fut *Used Cars* en 1980. Encore un échec!

Ces échecs ne décourageaient pas Spielberg pour autant. Surtout qu'auparavant, lors de vacances à Hawaii, il avait fait la connaissance de George Lucas, dont le fameux *Star Wars* avait conquis le public. L'idée d'unir leurs efforts avait germé et le duo se retrouva bientôt sur les plateaux de tournage avec un scénario sorti tout droit des bandes dessinées d'aventures des années 40. *Les Aventuriers de l'arche perdue* venait de naître!

Spielberg avait toujours eu envie de diriger un film à la James Bond. C'était l'occasion ou jamais! Le projet fut cependant rejeté par tous les «majors» sauf... Paramount Pictures qui imposa des conditions extrêmement restreignantes. On connaissait la propension du duo Lucas-Spielberg à des budgets aussi colossaux que les succès de leurs films, alors... prudence!

Le tournage débuta en juin 1980 et dura 73 jours alors que la Paramount en avait prévu 87. Ce furent Hawaii, la Tunisie et les intérieurs à Elstree, en Californie. Pour épargner, on réalisait des prodiges. Ainsi, 2 000 Arabes étaient prévus pour les fouilles dans le désert. On réussit à faire paraître 600 d'entre eux comme s'ils étaient quatre fois plus nombreux. Le site des fouilles devait couvrir 200 acres. On se débrouilla avec 70 acres réalisant ainsi une épargne de 750 000$. Cette somme fut utilisée pour la location de 4 500 serpents d'une agence danoise! Et le célèbre duel du fouet vs le cimeterre, que Ford tourna à son avantage en utilisant un pistolet, sauva toute une journée ou plus de tournage! Idée géniale qui devait faire le tour de la terre.

C'était meilleur que Bond, déclarait Lucas. Il avait raison. Quand *Les Aventuriers* fut à l'affiche en juin 1981, en même temps que le nouveau James Bond *For your eyes only*, le film du célèbre duo tripla les bénéfices réalisés par le film de Bond! À Paris, cinq cents personnes se virent refuser l'entrée du cinéma à l'ouverture. *Les Aventuriers* est au cinquième échelon des plus grands succès de l'histoire du cinéma avec des bénéfices de $224 millions versés à la Paramount... qui n'y croyait guère au départ!

Pour Spielberg, le plus important aspect du tournage de ce film, c'est que pour la première fois il avait fait un pas de plus dans l'application de la règle d'or de la délégation des pouvoirs: il avait employé une deuxième équipe de tournage qui s'occupait des scènes secondaires alors qu'il se consacrait aux scènes importantes avec Harrison Ford et les autres vedettes!

Un vieux rêve subsistait dans l'esprit de Spielberg: faire un film avec et pour les enfants! Truffaut l'avait d'ailleurs encouragé dans cette voie: «Il est merveilleux avec les enfants!» avait-il déclaré après l'avoir vu travailler avec le jeune Carey Guffey dans *Rencontres*. Pour Spielberg qui gardait de l'enfance le sens de l'émerveillement et du mystérieux, ce rêve tournait à l'obsession!

Avant *E.T.*, Spielberg avait toujours été incapable de faire face à la «vraie vie». **«Il fallait toujours que je l'embellisse, que j'y ajoute des colifichets.»** *E.T.* sera sa «résurrection».

Mais si l'idée faisait lentement son chemin dans son esprit, s'il travaillait inlassablement au scénario avec ses collaboratrices, le tournage lui-même était encore loin. Auparavant, il lui restait un autre démon à exorciser: la PEUR!

Cette peur, elle remontait à ces jours lointains alors qu'une fente dans le plâtre du mur lui laissait croire à l'invasion de créatures menaçantes, où les branches d'un saule s'animaient d'intentions malveillantes à la tombée du jour, où un pantin prenait vie et s'attaquait au bambin terrifié, blotti sous ses couvertures... Cette peur-là, cette terreur presque panique, il lui fallait l'exprimer, s'en défaire une bonne fois pour toutes.

Et ce fut *Poltergeist*!

Son premier film d'horreur! Et quelle horreur!

En le tournant, Spielberg ne faisait que respecter ce principe durement appris:

NE FAIRE QUE CE QUE L'ON CONNAÎT BIEN
ET NE PARLER QUE DE CE QUE L'ON
CONNAÎT BIEN ÉGALEMENT!

Et cette terreur de la nuit, il la vivait encore, nichée au creux de ses souvenirs! *Poltergeist* naquit de deux vieux projets de films abandonnés en cours de route. Il décida de présenter la vie des enfants dans une banlieue (cette banlieue qu'il connaissait si bien), mais de montrer les deux côtés de la médaille...! Tout comme le tournage de *E.T.* se déroula sous le pseudonyme de *La vie d'un garçon*, on pourrait dire de *Poltergeist* que ça aurait pu être *La vie d'une petite fille*!

Il écrivit lui-même le scénario, de 8 heures le matin à 4 heures de l'après-midi, jour après jour, seul moment où il peut vraiment écrire. Pour la direction, il fit appel à un expert du genre, Tobe Hooper, directeur du tristement célèbre *Texas Chainsaw Massacre* (1974), film excessivement controversé et banni à de très nombreux endroits. Quand le tournage débuta aux studios de la MGM, le 11 mai 1981, Spielberg fut sur le plateau jour après jour, heure après heure, sauf pendant trois jours pour la période promotionnelle et la première de *Les Aventuriers...* Cette présence provoqua diverses frictions. En fait, Spielberg dirigeait le film et non Hooper. Celui-ci ne lui en tint pas rigueur, mais Spielberg comprit une autre leçon:

PLUS JAMAIS JE FERAI DIRIGER PAR UN AUTRE UN FILM DONT J'AURAI ÉCRIT LE SCÉNARIO! AUTREMENT DIT, EN AUTANT QUE FAIRE SE PUISSE, AYEZ L'OEIL À TOUT!

Aussi exigeant pour lui-même qu'il l'était pour les autres, Spielberg réalisa un tour de force avec *Poltergeist*. Ce qui faisait d'ailleurs dire à Mike Wood, le spécialiste des effets sonores: «... il vous demandera de faire des choses qui sont tout juste à la limite de l'impossible!»

Le tournage de *Poltergeist* coûta 11 millions de dollars mais le succès fut instantané!

Et ce fut le raz-de-marée *E.T.* Le grand oeuvre! La MAGIE!

Quand on lui demanda, lors d'une conférence de presse à Cannes, comment a été réalisé *E.T.*, il répondit simplement: **«Avec amour!»**

«Je crois sincèrement que ce film est un des meilleurs que j'aie jamais réalisés. C'est celui qui me tient le plus à coeur, avec peut-être *Rencontres du troisième type!*» Avec un budget «misérable» (comparativement à certaines de ses autres réalisations) de 10,5 millions de dollars, Spielberg a réalisé le tour de force de provoquer cet enchantement magique dont seul le grand Disney avait été capable jusqu'à maintenant!

Spielberg dira: **«Je voulais une créature qu'une mère pourrait aimer. Je ne la voulais ni sublime ni béatifique. En fait, E.T. est le plus humain de tous les personnages du film. Il fallut douze coeurs humains pour simplement provoquer un battement de son propre coeur. De plus, il ne coûte que la moitié de ce que nous aurait coûté Marlon Brando!»**

Succès sans précédent! *E.T.* dépassa par trois fois les recettes du meilleur film de l'année. Ce fut le plus grand succès de toute l'histoire du cinéma. Incomparable. La revue *Le Point* n'hésita pas à dire que *E.T.* signifiait «Extrême Tendresse!» C'était tout à fait la pensée de ses créateurs.

En seulement 44 jours dans les cinémas, ce petit film grimpa vertigineusement en cinquième position dans l'histoire du cinéma.

Spielberg affirma: «**E.T. sera le Peter Pan de cette génération. Ils (les enfants) demeureront désormais sur le Continent du Jamais-Jamais et ils ne vieilliront jamais. Vous savez... vieillir... devenir dur! Devenir... vieux!**»

Vieux de coeur, sans doute. Ce qui ne risque guère de se produire dans le cas de Steven Spielberg.

Père de famille (sa compagne Amy Irving lui a donné un fils tout récemment), Spielberg fait la navette entre sa résidence de Coldwater Canyon et son lieu de travail, un superbe studio ultramoderne dénommé «Amblin» et sis sur les terrains de la Universal à Hollywood. Ce lieu ressemble étrangement à ces demeures de la Frontière qu'avait recréées Disney!

Là, Steven reçoit ses collaborateurs. Ce n'est pas un lieu de travail autant qu'un lieu de rencontre et d'échange. C'est là que Spielberg prépare ses prochaines oeuvres au milieu de jardins et de ruisseaux qui reproduisent un paradis d'enfance.

Cet homme qui a fait gagner à la Universal plus de 800 millions de dollars avec seulement *Jaws* et *E.T.* se sent heureux au milieu de tous ces gens qui partagent son idéal et sa vision. Un chien, Brandy, vagabonde amicalement au milieu de cette oasis perdue parmi les studios affairés de la Universal. Ici, «tout n'est qu'ordre et beauté, luxe, calme et volupté»... et AMOUR, doit-on ajouter.

C'est cet amour de son art qui lui fera donner plusieurs millions de dollars pour fonder une école de cinéma où les aspirants cinéastes pourraient apprendre leur métier.

«IL FAUT TOUJOURS REMETTRE DE L'EAU AU PUITS OÙ L'ON PUISE SANS RETENUE. SINON, IL FINIRAIT PAR... S'ÉPUISER!»

Que seront ses prochaines oeuvres après *Twilight Zone, Amazing Stories, The Goonies?* Un autre domaine, avoue-t-il. L'inexploré. *The Color Purple* nous réserve des surprises. De taille!

En a-t-il jamais été autrement avec Steven Spielberg, le magicien?

* * *

Le récit des débuts de Steven Spielberg, et de son ascension prodigieuse, montre que si les préoccupations monétaires sont importantes dans l'esprit de tout homme d'affaires, elles ne sont pas toujours déterminantes. En fait, c'est plus le souci de bien faire, d'accomplir une oeuvre qui plaira au grand nombre, qui pousse des êtres comme Steven Spielberg à agir. Il y a apparemment là une sorte de paradoxe étrange. En effet, tout se passe comme si, parce qu'il ne recherchait pas les profits immédiats, des êtres comme Spielberg feront des profits encore plus grands.

Henri Ford est d'ailleurs de ceux qui partagent cette philosophie, qui au fond est une forme d'humanisme, et qui modifie considérablement l'image qu'on se fait souvent des hommes riches, qu'on croit de vils exploiteurs. Plusieurs passages de l'autobiographie de Ford font foi de ce principe. Celui que nous vous offrons ici en est exemplaire: **«J'ai pris la ferme résolution de ne jamais entrer dans une société où l'argent eût la préséance sur le travail ni dont faisaient partie des banquiers ou des financiers. Je résolus aussi, si je ne parvenais à trouver des concours pour une affaire susceptible d'être conduite avec le souci de l'intérêt général, de renoncer absolument à toute l'affaire. Car mes propres tentatives, jointes à l'observation de ce qui se passait autour de moi, suffisaient à me convaincre que les entreprises, envisagées seulement comme un moyen de gagner de l'argent, ne présentaient pas grand intérêt et ne constituaient pas une passion digne d'un homme sérieux qui veut accomplir une oeuvre. Du reste, j'attends encore qu'on me démontre que c'est là le bon moyen de gagner de l'argent. Car, à mon sentiment, la seule base d'une affaire sérieuse c'est la bonne qualité des produits.»**

Ces remarques de Ford montrent un des grands principes de la richesse. **En général, il faut commencer par voir ce qu'on peut offrir au public, quels services, quels produits, avant de commencer à chercher le profit.** L'argent vient tout naturellement, lorsque le produit est de bonne qualité ou lorsque le service est compétent. **Devenez le meilleur dans votre branche d'activité, et l'argent affluera, comme par enchantement. Comme l'a dit le philosophe américain Emerson: «Celui qui construit le meilleur piège à rats, prêche le meilleur sermon, écrit le meilleur livre, peut construire sa demeure au sein d'une forêt inextricable; les clients se chargeront de créer des routes pour venir jusqu'à lui.»**

Il faut oser être soi-même!

On pense souvent que les hommes riches sont sévères, conformistes, et attachés aux valeurs traditionnelles. L'étude des dix hommes les plus riches du monde a démontré précisément le contraire.

Bien sûr, être original ne veut pas dire chercher à se distinguer délibérément par quelque trait de caractère volontairement accentué ou par des tenues vestimentaires excentriques. Les hommes que nous avons analysés portaient eux aussi le costume trois pièces sobre. C'est au niveau de la **mentalité** et des **méthodes** qu'ils étaient différents. **Ils étaient eux-mêmes.** Du reste, le fait que plusieurs d'entre eux n'aient pas passé par les grandes écoles de gestion n'est peut-être pas étranger à leur originalité. **L'école nivelle la pensée et tend plutôt à brimer l'originalité, malgré ses prétentions libérales.**

Le conformisme de la pensée empêche de voir les avenues nouvelles, les solutions différentes et originales. Il est permis d'ailleurs de mettre en doute la pertinence ou en tout cas l'efficacité de l'enseignement prodigué dans les universités pour la réussite financière. Il est d'ailleurs à noter que de plus en plus les grandes compagnies américaines — après l'engouement des années 60, illusionnées par le modèle rationnel du management — commencent à se méfier des formations académiques poussées et privilégient de plus en plus l'expérience sur le terrain. Au Japon, d'ailleurs, les écoles d'affaires n'existent tout simplement pas. Et pourtant, ne parle-t-on pas du miracle japonais?

Il faut bien nous comprendre. Nous ne rejetons pas la valeur de l'enseignement. Loin de là. Le développement de la technique rend les études supérieures nécessaires. Seulement, tout porte à croire que si ces études sont souvent **nécessaires,** elles ne paraissent en aucun cas **suffisantes** à assurer le succès. Il faut quelque chose de plus, une étincelle, des qualités d'audace et de fraîcheur que l'école n'enseigne pas, quand d'ailleurs elle ne les émousse pas.

La société, les écoles, l'éducation en général, tout contribue à niveler les individus, à aplanir les différences, à faire taire les aspirations personnelles. Ce processus commence très tôt dans la vie de l'individu et est souvent insidieux s'il n'est pas conscient. En fait, les barrières et l'inquiétude de ne pas être comme les autres, de «se conformer» relèvent de la théorie du subconscient que nous avons analysé précédemment.

Une petite voix intérieure subsiste pourtant. Timide, inquiète, elle murmure à l'individu que l'image qu'il montre en public n'est pas la vraie, que sa véritable personnalité est restée cachée, inexprimée. La frustration, la tristesse, et dans certains cas un sentiment de mort intérieure, sont dues à cette espèce de crime contre soi-même que commettent tant d'individus.

Si vous voulez réussir, soyez différent des autres. **Soyez vous-même.** Osez affirmer votre personnalité véritable. N'oubliez pas que vous êtes unique. Dès que vous vous conformez, vous niez votre personnalité profonde.

Répétez-vous les formules suivantes:

DE JOUR EN JOUR, J'AFFIRME DE PLUS EN PLUS MA PERSONNALITÉ VÉRITABLE.

JE SUIS UN ÊTRE UNIQUE ET JE M'EXPRIME PLEINEMENT EN DIRECTION DU SUCCÈS DE LA RICHESSE.

J'AI LE DROIT ET LE DEVOIR D'ÊTRE MOI-MÊME.

MON SUCCÈS SERA À LA MESURE DE MON AFFIRMATION. JE M'AFFIRME DE PLUS EN PLUS DANS TOUS LES DOMAINES DE MON EXISTENCE.

CHAQUE JOUR, JE MULTIPLIE MA VALEUR PAR 100 ET MON SUCCÈS AUGMENTE EN CONSÉQUENCE.

Un des hommes les plus riches et aussi les plus anticonformistes du monde fut sans doute Howard Hughes. Bien sûr, sa vie mystérieuse et caractérisée par de nombreuses excentricités ne peut être érigée en modèle, mais il n'en reste pas moins que Hughes illustre de manière spectaculaire le principe qui veut que pour réussir il faut être soi-même. Le portrait qu'en trace Max Gunther dans son ouvrage *Les Milliardaires* a quelque chose de saisissant: «Il menait ses affaires depuis une cabine téléphonique publique, une chambre d'hôtel ou tout autre lieu où il se trouvait. Pour toute information nécessaire à la conduite de ses entreprises d'une diversité bouleversante, il n'avait aucune fiche; tout était dans sa tête. Ses employés et même ses associés les plus proches ne savaient presque jamais où le trouver. Il surgissait dans ses entreprises, sans aucun plan apparent au programme formel, en déroutant tous ses directeurs à l'esprit méthodique.

Si vous désiriez le contacter, vous appeliez alors un numéro et étiez branché sur un standard qui pouvait, selon les circonstances, être à Hollywood, Las Vegas ou Houston. Vous donniez votre message à une secrétaire. Plusieurs semaines pouvaient ainsi s'écouler et, finalement — si Hughes en éprouvait l'envie — il vous appelait peut-être d'une ville voisine ou d'un point quelconque du monde. L'heure de l'appel ne comptait pas pour lui; ce pouvait fort bien être une heure du matin chez vous et quatre heures à l'endroit où il se trouvait.»

Et l'auteur conclut ainsi son portrait de l'extravagant Howard Hughes qui aurait sans doute pu faire sienne la maxime de Montaigne, qui veut que pour réussir, il faut agir comme un sage et avoir l'air d'un fou: «Toutes les structures classiques du monde des affaires étaient différentes pour Hughes: programmes, horaires de travail ou autres. Il travaillait quand il en avait envie, parfois trente-six heures d'affilée. La fièvre du travail pouvait fort bien le prendre durant le week-end ou après minuit. Un agent de presse qui l'a connu lorsqu'il était dans l'industrie du film dit de lui: «C'était le genre d'homme qui renversait toutes les données enseignées par Harvard Business School. Toutes les règles, sauf celles préconisant que vous devez faire de l'argent.»

La fin de la citation contient peut-être la clé de ces anticonformistes qui ont réussi. Ils renversaient toutes les règles, **sauf celle préconisant que vous devez faire de l'argent.**

Méfiez-vous des pièges du conformisme qui sont d'autant plus dangereux qu'ils sont répandus et apparemment inoffensifs. C'est du reste une tendance naturelle de l'être humain qui à notre avis s'apparente d'une certaine manière à la loi du moindre effort, de faire comme la majorité. Hélas, la majorité ne connaît guère de succès et mène en général une existence médiocre.

Que vous soyez à votre compte ou que vous travailliez pour quelqu'un, soyez vous-même. Ray Kroc a confié un jour: «**Je crois que si deux de mes cadres pensaient de la même manière, l'un des deux serait superflu.**»

Faites en sorte de ne jamais devenir celui qui est superflu. Au contraire, que votre originalité de vue, que votre manière de penser personnelle vous rendent indispensable!

Les dix hommes riches de cette étude ont tous fait preuve d'une forte dose d'individualisme et d'anticonformisme. Ils n'ont pas eu peur de s'éloigner des sentiers battus, de forger des méthodes nouvelles, d'être créatifs. Aristote Onassis, le richissime armateur grec, est un de ceux qui ont porté le plus haut et le plus fièrement le flambeau de l'anticonformisme.

Les fruits qu'il en a récoltés sont innombrables. Ses méthodes à lui aussi étaient particulières. Il disait souvent, sans que l'on sût s'il plaisantait ou non, que son bureau était le calepin noir d'adresses et de numéros de téléphone dont il ne se défaisait jamais lorsqu'il allait d'un continent à l'autre pour faire prospérer sa fortune. Une chose est sûre, ce carnet existait. Et Onassis avait des méthodes qui s'apparentaient à celles d'Howard Hughes, encore que les personnages fussent diamétralement opposés. Onassis aimait le faste et l'éclat mondain alors que Hughes termina étrangement sa vie en véritable reclus, atteint de ce qui semblait bien être un délire paranoïaque: triste fin pour un esprit si brillant! Penchons-nous maintenant sur la vie passionnante de ce petit homme dont on parla bientôt comme du grand Onassis.

Aristote Onassis ou l'audace d'être soi-même

Aristote Onassis vit le jour le 20 janvier 1906 dans le quartier grec de Smyrne, une cité opulente de la côte ouest de la Turquie.

Parmi les dix hommes riches que nous avons étudiés, Aristote Onassis occupe une place à part, au même rang que Getty et Rockefeller. C'est qu'il appartient à la classe des détenteurs de méga-fortune, chiffrée en milliards plutôt qu'en millions. En raison de la vaste publicité que lui valurent ses amours tumultueuses avec la célèbre cantatrice Maria Callas, puis avec la veuve du Président Kennedy, Jacqueline Bouvier, Onassis est entré dans la légende. Et comme il arrive souvent en pareil cas, de nombreuses faussetés, ou en tout cas des demi-vérités, ont été colportées à son sujet, la plus importante concernant la modestie de ses origines. La rumeur voulait en effet qu'il fût issu d'une famille miséreuse, son père en étant réduit pour subsister à vendre dans les rues de la ville des colifichets de sa propre fabrication, cependant que sa mère était femme de ménage. Rumeur qu'Onassis ne chercha jamais à rectifier, du moins publiquement, puisqu'elle servait tout naturellement sa gloire, qu'il ne manqua jamais de soigner. Il était conscient de l'importance de l'image sur le chemin du succès. Mais nous reviendrons là-dessus plus tard.

La vérité est que le père d'Onassis, Socrate, était un riche négociant dont le rang social était élevé puisqu'il occupait la présidence de la banque locale et de l'hôpital. Pourtant, Onassis n'est en aucune façon un héritier. Il ne doit pas son succès à la fortune paternelle. En effet, comme on le verra plus en détail, lorsque, à l'âge de 17 ans, à la suite d'une brouille familiale, il partit pour l'Amérique du Sud, à la conquête de la fortune, il n'avait pour tout viatique que la somme de 450$, dont 250$ seulement provenaient des goussets paternels.

Son père n'avait consenti qu'à la dernière minute à cette contribution car il désapprouvait le départ de son fils. Il faut dire que la relation entre le père et le fils fut loin d'être excellente et ne ressemblait guère à celle, étroite, que l'on retrouvait dans la plupart des familles grecques à l'époque. Le père d'Aristote qui, d'origine paysanne, avait bâti sa fortune à la force des poignets, était un homme d'une discipline rigide, presque spartiate. S'il était animé par un sens aigu du devoir, il n'était en revanche guère chaleureux. Aristote, de son côté, se révéla très tôt ennemi de toute discipline. Il fut un enfant puis un adolescent turbulent et indiscipliné. Ce qui déplaisait à son père. Un autre fait compliqua leur relation. La mère d'Onassis, Pénélope, mourut lorsqu'il n'avait que six ans. À peine un an et demi plus tard, son père se remaria avec une prénommée Hélène. Onassis n'accepta jamais cette belle-mère qu'il considéra toujours comme une usurpatrice.

À l'école, le jeune Onassis, semblable en cela à plusieurs, si ce n'est à la majorité des hommes riches, s'avéra être un cancre remarquable et un chahuteur de premier ordre, si bien qu'il fut renvoyé de plusieurs institutions. En fait, il était la plupart du temps le dernier de sa classe. Un professeur, se rappelant Onassis, dira: «Il était adoré de ses camarades et faisait le désespoir de ses professeurs comme de ses parents. Alors qu'il était encore jeune, on pouvait facilement voir qu'il serait de ceux qui se détruisent ou qui réussissent brillamment.»

Si les résultats scolaires du jeune Aristo (diminutif dont on l'affubla précocement et qui avait quelque chose de prémonitoire, car la vie brillante qu'il mènerait en ferait un véritable «aristo») ne s'avérèrent guère brillants, en revanche, ses dispositions pour le commerce (et la notion de l'argent) se manifestèrent très précocement comme en témoigne l'anecdote suivante. Un de ses amis avait mis au point un modèle réduit de moulin à vent, jouet rudimentaire composé d'une voile de papier fixée à une aiguille, à son tour fixée à un morceau de bois. Fier de sa réalisation, le petit garçon songea à en produire plusieurs modèles dans le but de les revendre.

«Combien demandes-tu pour ton moulin? demanda Aristote à l'ami.

— Heu... je ne sais pas, mettons une épingle...

— Pauvre crétin! s'exclama Aristote. Tu me demandes une épingle, alors que tu me donnes déjà une épingle, une voile et un bout de bois, sans compter le temps que tu as mis à réaliser ton moulin.»

«Je reçus ainsi ma première leçon sur la véritable notion de profit», conclut l'ami d'Aristote. Il ne se doutait sans doute pas à ce moment qu'il venait de recevoir l'enseignement d'un futur grand maître de la finance.

Une autre anecdote illustre le sens précoce d'Aristote pour les affaires. Un jour, un magasin de fournitures scolaires prit feu dans sa ville natale. Aristote racheta à bon compte un lot de crayons invendables parce que le feu les avait endommagés. Il investit un peu d'argent dans l'achat de deux taille-crayons et, grâce à l'aide d'un copain, entreprit de remettre les crayons en condition en faisant disparaître les parties endommagées. Il revendit ensuite ces crayons à ses camarades à un prix défiant toute concurrence, mais qui lui permit néanmoins de réaliser un joli bénéfice. L'exemple peut paraître banal, et pourtant Onassis ne fera pas autre chose lorsqu'il récupérera des navires endommagés pour les remettre à flot. Seule l'échelle différera.

Malgré les années, Aristote ne s'améliorait guère en classe. L'année 1922 s'annonçait mal pour lui. Plusieurs de ses collègues, diplômés du collège, prenaient la route des grandes universités européennes. Pour sa part, Aristote avait échoué aux examens et ses perspectives d'avenir étaient fort peu prometteuses. Un copain d'Aristote se rappelle l'avoir rencontré, quelques jours après la remise des diplômes, errant seul dans un jardin public de la ville. Il s'afforça de le réconforter.

«Ne t'en fais pas, Aristote, tu verras, ça peut toujours s'arranger, il y a encore l'année prochaine et tu réussiras, j'en suis certain.»

«Idiot, répliqua Aristote, tu crois que je vais m'attarder dans cette ville. À mes yeux, le monde n'est que trop petit. Je n'ai pas besoin de diplôme. Un jour ce que j'arriverai à faire t'émerveillera!»

L'avenir montra que ce n'était pas là qu'une fanfaronnade.

L'adolescence plutôt rocambolesque d'Aristote fut assombrie par l'invasion turque de 1922. Smyrne fut occupée, des citoyens furent massacrés sans pitié. Le père d'Onassis, homme en vue, fut incarcéré, et, à l'âge de 16 ans, Aristote devint soutien de famille. Ce fut pour Aristote une période fort difficile au cours de laquelle ses qualités de diplomate et de *survivor* furent mises à contribution. Mais cette expérience, si elle fut pénible, fut très formatrice pour le caractère d'Onassis. Dans *Onassis Le Grand*, les auteurs déclarent: «Aristo émergeait de la catastrophe de Smyrne avec des sentiments mitigés. Les sombres images entrevues ne s'effacèrent jamais de sa mémoire; elles furent escortées par une écrasante conscience en son aptitude à survivre au drame. Il avait misé sur sa chance et s'en était trouvé récompensé. La fortune sourit aux audacieux et il axa sa conception du monde sur ce sentiment.»

Il profita également de l'occupation turque pour faire des affaires, procurant de l'alcool en contrebande à l'armée ennemie, s'efforçant en outre par là de gagner les faveurs des généraux pour faciliter la libération de son père qui fut tout de même incarcéré près d'un an.

Onassis doit en grande partie son succès à son charme immense et à son habileté dans les relations publiques. Certains de ses contemporains l'ont taxé d'être un véritable caméléon. En fait, **il savait s'adapter à tous ses interlocuteurs avec une souplesse de virtuose.** Il avait compris en outre un principe qui lui servit toute sa vie et qu'il résume en ces mots: **«On découvre généralement que, si on facilite les choses pour les gens, on gagne leur sympathie.»**

Au sujet du caractère formateur d'une existence difficile, Onassis confia un jour à Churchill, une de ses prestigieuses relations, alors en visite sur le *Christina,* sa théorie personnelle des «nécessités historiques». Son expérience lui avait appris à considérer que lorsque la nature fournit un climat agréable ainsi qu'une nourriture abondante, l'homme ne fait guère preuve d'énergie et d'initiative. Au contraire, l'homme qui doit vivre dans des conditions précaires, qui doit, somme toute, lutter pour survivre, a plus de chances de pouvoir s'adapter à toutes les situations lui permettant de réussir là où l'autre échouerait par manque de stimuli. Ainsi, selon Aristote, l'épreuve et le malheur sont souvent des coups d'éperon qui permettent à l'individu de trouver des ressources en lui-même, jusque-là insoupçonnées, lui permettant de se dépasser et de briser ses propres limites. L'histoire de sa vie en est, en tout cas, un bel exemple.

Socrate, le père d'Onassis, ne reconnut guère le rôle providentiel joué par son fils au cours de l'occupation ennemie, et, une fois libéré, ne parut pas vouloir lui laisser tenir plus longtemps le rôle prépondérant qu'il avait joué. Aristote en prit tout naturellement ombrage et avoua même avoir souffert pendant de longs mois d'un pénible sentiment d'impuissance. L'ingratitude paternelle et l'impression vivace chez Onassis d'être exclu du clan familial ne furent sans doute pas étrangères à sa décision de tenter sa chance en Amérique du Sud. Il avait d'abord tout naturellement songé aux U.S.A., mais l'obtention d'un visa n'était pas chose facile à l'époque, les postulants étant fort nombreux. Onassis se tourna alors vers l'Argentine: on prétendait que nombreux étaient les Grecs qui y avaient déjà fait fortune.

Onassis débarqua à Buenos Aires le 21 septembre 1923, une vieille valise à la main, avec en poche 450 malheureux dollars. Peu lui importait. Il portait en lui une valeur bien plus précieuse: **la farouche volonté de prouver à son père qu'il pouvait s'enrichir sans sa tutelle, et une confiance qui n'allait jamais se démentir tout au long de son existence.**

Dépourvu de diplôme, de métier, d'argent et de relations influentes, Onassis dut exercer divers emplois guère glorieux. Il fut successivement aide-maçon, porteur de briques sur un chantier, plongeur dans un bar-restaurant et, au bout d'un certain temps, aboutit comme apprenti-électricien à la United Telephone. Pour un homme qui avait une image si avantageuse de lui-même, il n'y avait pas de quoi claironner.

Aussi, peu de temps après ses débuts à la compagnie de téléphone, Onassis demanda à être transféré avec l'équipe de nuit, prétextant qu'il avait autre chose à faire pendant la journée. Ambitieux, Onassis n'entendait pas passer beaucoup de temps à souder des fils. Le rêve d'Aristote était de monter une affaire et le commerce du tabac allait lui en fournir l'occasion.

À l'époque, le tabac grec jouissait d'une certaine réputation, et, aux yeux de plusieurs connaisseurs, passait pour l'un des meilleurs du monde. Toutefois, les problèmes d'importation et d'approvisionnement créaient une certaine rareté du produit. Onassis ayant compris cela écrivit à son père pour qu'il prenne les arrangements nécessaires en Grèce de manière à lui faire livrer du tabac. Socrate accepta et Onassis reçut ses premiers échantillons. Les premières démarches furent cependant décevantes. Onassis laissa des échantillons de tabac chez les fabricants dans l'espoir que ceux-ci le rappellent.

Des semaines passèrent sans qu'Onassis ne conclût une seule affaire. Il comprit alors qu'au lieu de perdre son temps avec des petits fabricants, il valait mieux s'attaquer à un plus gros gibier, en l'occurrence Juan Gaona, directeur de l'une des plus grosses firmes de tabac d'Argentine. Pendant 15 jours, sans relâche, on put avoir Onassis adossé à l'édifice de Gaona, épiant ses allées et venues. Intrigué par ce singulier jeune homme, Gaona finit par l'inviter à monter à son bureau pour savoir ce qu'il lui voulait. Déployant tous ses talents de vendeur, Onassis exposa sa proposition. Gaona, favorablement impressionné, le référa au directeur des approvisionnements qu'Onassis entourloupa grâce à une utilisation judicieuse du nom du patron. Ces démarches lui valurent son premier contrat: 10 000$ de tabac, avec la commission d'usage, soit 5%! Onassis répéta plusieurs fois que les premiers 500$ ainsi gagnés furent les débuts de sa prodigieuse fortune. La seconde commande, plus importante, s'éleva à 50 000$, rapportant à Onassis 2 500$ en commission. Tout cet argent allait à la banque, en prévision de projets futurs. Sagement, et faisant preuve d'un sens de l'économie exemplaire qui lui permit d'ailleurs de se lancer vraiment, et sans emprunter, Onassis vivait avec l'argent de son salaire à la compagnie de téléphone. Son compte en banque atteignit rapidement les cinq chiffres.

Parfois, Onassis devait emprunter, en attendant que ses clients le paient. Mais rarement empruntait-il au-delà de 3 000$. Et dans tous les cas, il s'arrangeait pour régler rapidement ses dettes.

Plus tard, bien entendu, ayant découvert les fécondes vertus de l'O.P.M. *other people money* (l'argent des autres, principe sur lequel nous reviendrons), Onassis contractera des dettes de plusieurs millions de dollars dont le remboursement s'étalera sur plusieurs années. Mais un de ses principes lorsque l'on en est à ses débuts est de rembourser rapidement ses dettes. Ainsi, il établissait son crédit auprès des institutions bancaires: il en aurait grandement besoin dans les années à venir!

Après un an de services (nocturnes), Onassis quitta la United Telephone, sans claquer la porte du reste, alléguant simplement qu'il avait une idée. Il voulait produire ses propres cigarettes. Il finança l'opération grâce aux 25 000$ qu'il avait patiemment économisés, et en empruntant la somme équivalente. Son bon crédit portait déjà ses fruits. La petite compagnie compta rapidement plus de 30 employés, pour la plupart des immigrants grecs au chômage. Cependant, malgré son expansion, l'affaire accusait régulièrement des pertes et Onassis décida de mettre fin à l'aventure. **Sa première entreprise indépendante se soldait donc par un échec.** Mais Onassis n'allait pas se décourager pour autant. Au contraire, ce premier revers allait décupler son énergie. Au demeurant, ses importations de tabac demeuraient fort lucratives.

Cependant, au cours de l'été 1929, de nouvelles taxes excessives sur le tabac, imposées par le gouvernement grec, compromirent son commerce. Ce fut pour Onassis l'occasion de retourner en Grèce où il n'avait pas mis les pieds depuis six ans, pour y plaider sa cause auprès des autorités gouvernementales. L'intervention d'Onassis fut fructueuse. Son sang-froid lui fut utile. Le ministre qui avait accepté de le recevoir était plus occupé à se curer les ongles avec son coupe-papier qu'à écouter les doléances du jeune commerçant. Il lui coupa d'ailleurs bientôt la parole pour le congédier.

Onassis ne l'entendit pas de la sorte. «**Je vous remercie** répliqua-t-il, **et si nous avons le loisir de nous rencontrer à nouveau, j'espère que vous prêterez plus d'intérêt à ma proposition. Je pensais que vous aviez beaucoup de travail et je vois que vous êtes surtout préoccupé par vos ongles. Vos mains ont pour vous plus d'importance que les exportations de notre patrie.**»

Cette douche froide eut un effet inespéré. Impressionné, le ministre eut avec Onassis une conversation sérieuse. Ultérieurement, les négociations entre la Grèce et l'Argentine furent réouvertes.

Onassis profita de son séjour en Grèce pour se réconcilier avec son père. Maintenant qu'il avait fait ses preuves, Onassis jouissait d'une considération plus grande de la part de sa famille. Mais il retourna malgré tout en Argentine pas seulement pour continuer à importer du tabac: il songeait maintenant au commerce maritime, qui allait assurer sa fortune.

C'est à Montevideo qu'Onassis alla faire l'achat de son premier navire. Ce qui est beaucoup dire, car le vaisseau, à la coque rouillée, ressemblait davantage à une épave. Néanmoins, Onassis résolut de l'acheter dans l'intention de le remettre à neuf. **Tous ses amis tentèrent de le dissuader de faire cet achat, lui représentant qu'il courait à sa ruine.**

Cette rengaine, tous les hommes riches l'ont, un jour ou l'autre, entendue de leur entourage. Car ce qui distingue l'homme riche de l'homme ordinaire, c'est qu'il a développé la faculté de voir le possible là où les autres ne voient que l'impossible. Cependant, dans le cas qui nous occupe, ceux qui pressaient Onassis de renoncer à cet achat avaient tout à la fois tort et raison. Car le navire de 25 ans, remis à flot à grands frais, sombra à l'ancre lorsqu'un cyclone vint balayer le port de Montevideo. Décidément, Onassis jouait de malchance. Mais ses conseillers avaient tort car ce fut quand même grâce à la marine qu'Onassis établit sa colossale fortune. Cet échec le rendit cependant plus prudent. Heureusement, ses activités d'importateur de tabac étaient toujours fort rentables et épongèrent cette perte sans trop de difficulté.

Vers la fin de l'année 1932, arriva le temps des grandes décisions.

Son premier échec d'armateur n'avait en rien découragé Aristote d'investir dans le domaine. Les navires le hantaient. **Il**

était animé de la certitude intérieure que c'était dans ce domaine et dans nul autre qu'il réussirait. Aussi rassembla-t-il sa fortune, déjà considérable à l'époque, puisqu'elle s'élevait à 600 000$! Et il partit pour Londres, alors la capitale du monde maritime. Onassis n'avait que 26 ans! Mais déjà il s'était acquis une certaine réputation d'habile commerçant qu'avait d'ailleurs rendue prestigieuse sa récente nomination, par le gouvernement grec, de conseiller adjoint extraordinaire à Buenos Aires. Fonction diplomatique qui, au demeurant, n'occupera jamais une grande partie de son temps.

Le marché de l'époque, affecté par la crise mondiale de 1929, favorisait remarquablement les investisseurs. Les navires étaient bon marché, considérablement en deçà de leur valeur normale. L'idéal était d'ailleurs d'acheter des bateaux vieux de dix ans. Ils avaient coûté lors de leur construction un million de dollars et se négociaient en ces temps difficiles au prix dérisoire de 20 000$ (en tout cas, pour ceux de 9 000 tonnes), somme qui représentait la valeur d'une Rolls Royce. Ce que, enfant, Onassis avait fait des crayons brûlés, il le refit sur une autre échelle, avec des navires, bien entendu.

Malgré sa présence à Londres où il avait ouvert des bureaux de fortune, c'est à Montréal qu'Onassis, pour 20 000$ pièce, acheta, en plein hiver, ses deux premiers navires, le *Miller* et le *Spinner*, qu'il s'empressa de rebaptiser l'*Onassis Socrate,* et l'*Onassis Pénélope,* en hommage à ses parents. Pour faire de l'argent dans la marine commerciale, il fallait à l'époque prévoir les fluctuations du fret et prendre à tous moments des décisions habiles. Onassis possédait ces qualités.

En outre, il était un optimiste incurable. Aventureux, audacieux, il se distinguait de la majorité des armateurs grecs établis à Londres. Il n'avait pas connu, du moins en tant qu'armateur, la dure crise économique. **Il ne craignait donc pas d'investir.**

Grâce à ses talents naturels de diplomate, Aristote parvint rapidement à frayer dans les cercles influents. Il faut ajouter que son ascension sociale fut grandement facilitée par une de ses premières maîtresses sérieuses, la très belle Norvégienne Ingeborg Dedichen dont le père avait été un grand armateur.

Autre trait de caractère qui permit à Onassis de réussir: **il savait écouter**. Certes, il est important de savoir parler. Et bien parler. L'éloquence joue pour beaucoup dans la facilité de persuader et de vendre ses idées, ses compétences. Mais rares sont ceux qui savent écouter. Or, la plupart des hommes riches ont su comprendre les vertus d'une écoute attentive. En écoutant, on apprend énormément de choses, non seulement sur ce que sait son interlocuteur, mais sur ce qu'il est. Or, pour pouvoir influencer les gens, et s'assurer leur collaboration sur le chemin de la richesse, il faut d'abord commencer par savoir qui on a devant soi. Onassis possédait cette qualité de manière particulière.

«Sans doute parce qu'il ne pratiquait pas cette forme d'esprit, peut-on lire dans *Aristote Le Grand,* Lord Moran omit d'observer la faculté qu'avait Onassis d'écouter intensément son interlocuteur. Tous ceux qui l'approchaient intimement étaient surpris par ce don qu'il possédait. Lorsqu'ils se trouvaient en présence de l'armateur, celui-ci leur donnait l'impression qu'il leur attribuait une valeur exceptionnelle.»

En fait, cette qualité révèle qu'Onassis aurait été un politicien hors pair. Ce don, il le poussait d'ailleurs plus loin encore, comme en fait foi ce passage des mémoires de sa maîtresse norvégienne: «Ce jeune homme charmant qu'il savait si bien mettre en scène pour séduire en jouant sur tous les registres, calquait son attitude sur celle de son interlocuteur.»

Certains verront là de la ruse, voire de l'hypocrisie, et dénonceront cette sorte de mimétisme. Mais nous croyons qu'il faut voir là une forme d'empathie — cette faculté de se mettre à la place de l'autre — et un intérêt sincère pour l'humain, comme d'ailleurs pour tous les sujets, car Onassis fit preuve, tout au long de sa vie, d'une curiosité inlassable que servait d'ailleurs une mémoire apparemment phénoménale. On le comparait souvent à une véritable éponge. S'il retenait si bien, du reste, c'est qu'il avait su développer hautement sa faculté d'attention.

Le talent qui consiste à savoir écouter les autres est une des qualités essentielles de tout bon vendeur. Il n'est donc pas surprenant qu'Onassis eût été un vendeur hors pair. Walter Saunders, qui était tout sauf naïf, puisqu'il était, à l'époque où il rencontra Onassis, conseiller fiscal de la prestigieuse compagnie Metropolitain Life, décrit en ces termes l'impression que l'armateur grec lui fit: «J'ai eu la sensation que je me trouvais en présence d'un gaillard capable de vendre des frigidaires à des Esquimos. Mais j'ai aussi eu le sentiment que tous les détails étaient parfaitement agencés.»

La plupart de ceux qui approchèrent Onassis furent sensibles à ses vertus persuasives et furent impressionnés par le sentiment qu'Onassis n'improvisait pas, mais possédait parfaitement ses dossiers.

Jean-Paul Getty, avec qui Onassis entretint des relations professionnelles et amicales, a gardé une excellente impression des talents de négociateur d'Onassis: «C'était un de mes grands amis, et le voir à l'oeuvre était quelque chose de proprement fascinant. Il m'est souvent arrivé de discuter affaires avec lui, et, presque chaque fois, je me trouvais accompagné de toute une suite d'adjoints, d'assistants, de chefs de services, d'avocats et d'ingénieurs. Par contre, on voyait Ari venir tout seul à ce genre de réunion, ce qui ne l'empêchait pas de s'en tirer très bien dans la discussion que nous engagions. Chacune des entreprises dont il était propriétaire ou qu'il administrait, il tenait à en faire son affaire personnelle. Il était cette entreprise et cette entreprise était Aristote Onassis, et personne d'autre.»

Christian Cafarakis, qui fut pendant plus de six ans maître d'hôtel sur le luxueux paquebot d'Onassis, le *Christina* (baptisé ainsi en l'honneur de la fille d'Onassis, actuellement principale héritière de l'armateur en raison du décès prématuré de son seul frère, Alexandre), Christian Cafarakis, donc, nous révèle dans le passage suivant les secrets de la minutieuse préparation d'Onassis à la veille de ses négociations importantes: «Un soir, j'étais sur le pont et je découvris un grand secret, peut-être celui de sa réussite, à savoir qu'avant de se rendre à un rendez-vous d'affaires, Monsieur Onassis se pose à haute voix toutes les questions qu'il pourrait avoir éventuellement à résoudre. Cette nuit pendant deux heures, il s'est interrogé inlassablement. Il a répondu exactement comme s'il avait un auditoire en face de lui. Parfois, il répondait après plusieurs minutes de réflexion ou bien rapidement, ou bien encore en faisant semblant de se mettre en colère. J'ai compris que, lorsqu'il se présente quelque part pour traiter une affaire, tout comme un comédien, Monsieur Onassis répète son texte et essaie de deviner celui de ses partenaires à l'avance.»

Onassis avait commencé à édifier sa fortune en rachetant des vaisseaux à bon compte. Il fit la même chose, sur une échelle encore plus vaste, après la Seconde Guerre mondiale. Le gouvernement des États-Unis mit en vente une bonne partie de ses *Liberty Ships*. Onassis, après avoir su habilement surmonter quelques tracasseries administratives, se porta acquéreur de 13 de ces cargos de 1,5 million de dollars que la marine américaine laissait aller pour 550 000$. Ces navires s'avérèrent ultérieurement une importante source de revenus qui permit à Onassis de bâtir sa colossale fortune. Au demeurant, la guerre l'avait favorisé en ce sens qu'aucun de ces navires n'avait subi de dommages, contrairement à plusieurs de ceux de ses concurrents moins heureux.

C'est en cette même année 1946 qu'Onassis, qui avait définitivement rompu avec sa maîtresse norvégienne de longue date, décida de convoler en justes noces, le 29 décembre, avec Athina Livanos. Mariage d'amour, selon toute apparence. Onassis avait 40 ans, Tina 17. Mais son extrême jeunesse ne résumait pas tout son charme. En effet, son père n'était nul autre que Starvos Livanos, considéré comme le plus riche des armateurs grecs de New York. L'alliance ne desservait donc pas les intérêts d'Onassis qui, tout au long de sa vie, cultiva surtout ses amitiés parmi ses relations d'affaires.

Vers la fin de l'année 1947, Onassis franchit une nouvelle étape dans sa prestigieuse carrière. Pour la première fois, il allait recourir de manière systématique au principe de ce qu'il est désormais convenu d'appeler l'O.P.M. (*Other People Money*: l'argent des autres). Il convainquit la Metropolitain Life Insurance Company de lui prêter 40 millions de dollars pour la construction de nouveaux navires! L'astuce était d'utiliser comme collatéral, c'est-à-dire garantie financière, une compagnie pétrolière dont Onassis assurait le transport et qui lui avait signé un contrat de même durée que l'emprunt. Comme les compagnies pétrolières jouissaient d'une crédibilité irréprochable, le financement fut aisé. En fait, d'une certaine manière, l'organisme financier avançait de l'argent à la compagnie pétrolière plutôt qu'à Onassis. Lorsque Onassis évoquera cet épisode crucial de sa carrière, non sans une certaine forfanterie (qui, on le verra, n'était pas pleinement justifiée) il dira que **«c'était comme si on prêtait de l'argent à quelqu'un qui se propose de louer une propriété au Rockefeller. Que la maison ait un trou dans le toit ou soit plaquée or, le fait n'avait aucune importance; si les Rockefeller consentaient à louer ce logis, cela suffisait au prêteur.»**

Ce principe est maintenant largement répandu. C'est en fait le principe même de l'investissement immobilier. Lorsqu'on emprunte pour acheter un immeuble à revenus, c'est en fait aux locataires que la banque prête. Et ce sont eux qui la remboursent. Sauf que l'immeuble en fin de compte appartient à l'investisseur! Ce principe qui aujourd'hui paraît banal, était à l'époque révolutionnaire. L'originalité d'Onassis était d'autant plus grande qu'il allait à contre-courant de la majorité des armateurs grecs de l'époque dont le principe sacro-saint était: «Des navires et des paiements comptants.»

S'il était novateur en s'écartant des méthodes de ses rivaux grecs, Onassis n'avait cependant pas inventé, malgré ses prétentions, le principe de l'A.D.A. (l'argent des autres). L'idée en vint à un certain Daniel Ludwig, prospère homme d'affaires américain, d'abord investisseur (sa flotte était de beaucoup supérieure à celle d'Onassis) et investisseur immobilier sur le tard. C'est dans les années 30 que Ludwig mit au point ce qui pouvait paraître à l'époque une véritable martingale, avant de devenir une pratique courante. Le concept de l'O.P.M. germa dans son esprit à la suite du refus d'une banque de lui prêter les fonds nécessaires à l'acquisition et à la conversion d'un navire en pétrolier. Ludwig pensa alors offrir en garantie à la banque le contrat de location d'une société pétrolière utilisant les services d'un navire dont il était déjà propriétaire. Les versements de revenus de location seraient faits directement à l'institution bancaire. La banque accepta d'emblée. L'O.P.M. venait de naître. Si Onassis ne l'inventa pas, son opportunisme et son anticonformisme firent qu'il l'utilisa à fond à une époque où il paraissait tomber en... discrédit!

La fortune d'Onassis ne cessa de s'accroître dans les années qui suivirent. En 1953, en partie pour diversifier ses affaires, en partie pour son statut social, Onassis prit le contrôle de la Société des bains de mer de Monaco et du Cercle des étrangers. Cela n'a un sens pour les profanes que si on mentionne que cette société possédait le célèbre casino de Monte Carlo, l'Hôtel de Paris, et quelques autres affaires. Du même coup, Onassis acquit une célébrité soudaine. Pour l'homme de la rue, et aussi pour les milieux de la finance, Onassis était devenu l'homme qui a acheté la Banque de Monte Carlo. La vie brillante qu'il y mena ne fut pas étrangère à son divorce car sa femme aurait souhaité une existence plus rangée.

En 1956, Onassis estimait sa fortune à 300 millions de dollars. Ce citoyen du monde qui, en plus du grec, parlait couramment le français, l'espagnol et l'anglais (et lisait généralement ses journaux dans les quatre langues tous les matins), aurait pu s'asseoir sur ses lauriers. S'il savait prendre du bon temps et dépenser son argent, Onassis ne cessa jamais de parcourir le monde pour accroître sa fortune, faisant la une des journaux en raison surtout de sa vie amoureuse pour le moins mouvementée dont les deux points tournants furent sa longue liaison avec Maria Callas et son mariage tardif et contesté avec Jackie Kennedy.

Vers la fin de sa vie, Onassis demanda à l'un de ses comptables s'il lui était possible de savoir à 10$ près ce qu'il valait.

«Monsieur, ce n'est pas difficile, répondit le comptable. Je peux vous donner cette réponse d'ici deux ans, si tous vos comptables et toutes vos secrétaires consacrent toutes leurs heures de travail à calculer ce que vous avez en banque, la valeur de vos sociétés, les sommes qu'on vous doit et les sommes que vous devez.»

«Et après, on dit que je suis riche», répondit Onassis, qui cependant valait plusieurs milliards.

À sa mort, survenue le 15 mars 1975, il était toujours impossible de savoir précisément quelle était la fortune d'Aristote Onassis. Ce en quoi il remplissait parfaitement la condition édictée par Jean-Paul Getty pour déterminer si un homme est vraiment riche: c'est-à-dire l'impossibilité d'évaluer avec précision sa fortune!

Onassis, contrairement à plusieurs hommes riches, ne céda jamais à la tentation de raconter sa vie ou de codifier par écrit les principes qui le conduisirent au succès. Cependant, il confia un jour à un journaliste des conseils qui prirent la forme suivante: «Mes recettes du succès», et furent publiés dans le journal *Success Unlimited*. Comme le lecteur le notera sans doute, ces conseils relèvent pour la plupart de la psychologie. Plusieurs suggèrent que, pour être riche, il faut faire comme si on l'était déjà, de manière à impressionner favorablement les autres. Il est douteux que les règles édictées par Onassis aient suffi à lui faire connaître le succès phénoménal qui fut sien. Mais sûrement elles ne lui furent pas étrangères. À vous d'en juger. Et n'oubliez pas qu'elles proviennent de la bouche d'un des grands parmi les grands.

«1. Prenez soin de votre corps. Soyez aussi bon que possible. Ne vous souciez pas des incidents. Regardez-moi. Je n'ai rien du dieu grec, mais je n'ai pas perdu mon temps à pleurer sur les aspects disgracieux de ma personne. Souvenez-vous que nul n'est aussi laid qu'il le croit.

2. Mangez modérément; quand vous avez une étude urgente à faire, évitez les mets trop riches et les vins. Passez plusieurs heures à la table, alors que le travail accapare déjà votre temps, est encore le meilleur moyen de raccourcir votre existence.

3. Attendez que vienne le soir et ne festoyez qu'une fois vos cogitations accomplies. Savourez alors un bon repas, en compagnie d'amis, et à table, évitez d'aborder les questions d'affaires.

4. Prenez l'exercice nécessaire et maintenez-vous en bonne forme. La pratique du yoga de base est recommandée, autant pour l'esprit que pour le corps. Si vous pouvez faire du judo pendant une heure ou deux par semaine, ce sport vous débarrassera de tous vos complexes.

5. Gardez le teint bronzé, même si pour cela vous utilisez une lampe. Pour la plupart des gens, le bronzage hivernal veut dire que

vous revenez des endroits ensoleillés et pour tous le soleil signifie l'argent.

6. Une fois que vous avez soigné votre apparence extérieure, choisissez un mode de vie brillant. Élisez domicile dans une belle maison, même si vous logez sous les toits; vous côtoierez des gens huppés dans les couloirs et les ascenseurs. Fréquentez aussi les cafés élégants, quitte à boire votre consommation à petites gorgées. Vous apprendrez vite que la solitude guette ceux qui arrivent à gagner beaucoup d'argent.

7. Si vous êtes à court, faites un emprunt. Ne demandez jamais une petite somme. Demandez des fonds conséquents et remboursez-les toujours, de préférence au plus tôt.

8. Ne confiez vos ennuis à personne et laissez les autres croire que vous vous amusez énormément.

9. Ne dormez pas trop longtemps; à votre réveil, vous pourriez vous dire que vous avez échoué. Trois heures de moins par nuit pendant une année vous donneront un mois et demi de plus pour réussir.»

*

* *

Je ne sais pas ce que j'aimerais faire...

Voilà sans doute une plainte commune de nos jours. Il semble régner dans notre société une confusion à laquelle peu de gens échappent. Cette confusion est en grande partie attribuable à l'effritement de la transmission traditionnelle des rôles de père en fils, la question ne se posant pour ainsi dire pas pour les femmes, leur rôle se confinant généralement à l'époque à la maternité. Les temps ont bien changé depuis. Les femmes ont accédé massivement et d'ailleurs avec un succès rapide au marché du travail. Quant à l'homme, il ne fait plus automatiquement ce que son père faisait. En outre, le profil des carrières modernes ne ressemble guère à celui d'avant. Les changements d'emploi sont fréquents et souvent radicaux. Autant pour les femmes fraîchement arrivées sur le marché du travail que pour les hommes, le choix n'est plus évident. De fait, ainsi que l'a brillamment démontré Alvin Tofler dans *Le Choc du futur,* nous vivons actuellement dans la société de l'hyper-choix. Des avenues quasi infinies s'offrent aux gens de tout âge, les rôles traditionnels ayant perdu peu à peu leur emprise.

Cet hyper-choix conduit à une liberté absolue. Cette liberté engendre une ivresse. Mais elle est également source de vertige.

«L'embarras du choix» prend son sens premier. On ne sait plus où donner de la tête. À chaque instant, les choix et les emplois étant si éphémères, les individus ont l'impression de se trouver à des carrefours. Des carrefours qui prennent la forme d'abîme. Vertigineux.

Les changements rapides, les mutations profondes et pour ainsi dire permanentes de la société actuelle ne sont pas étrangers aux malaises des individus qui n'arrivent pas à mettre le doigt sur le type d'activité professionnelle qui leur permettrait de s'épanouir. Mais il n'y a pas que cela. Si bien des gens font entendre la plainte que nous avons évoquée plus haut, à savoir qu'ils ne savent pas ce qu'ils aimeraient faire, c'est aussi parce que trop longtemps ils ont fait taire leurs aspirations, parce qu'ils n'ont pas été à l'écoute de leur moi profond. À trop vouloir se conformer, on finit par oublier qui l'on est. D'où une inévitable confusion.

Cette confusion est d'autant plus grave que tant qu'un individu ne sait pas vraiment ce qu'il veut faire, tant que ses buts dans la vie ne sont pas précis, il est quasiment impossible qu'il réussisse. Le contraire est aussi vrai. Lorsque l'on sait vraiment ce que l'on veut, **lorsque notre désir est clair, les conditions de sa réalisation ne tardent pas à se manifester.** Souvent, la réalisation d'un désir extrêmement précis est quasiment immédiate.

Seulement voilà, une telle chose qu'un désir parfaitement clair, c'est-à-dire dépourvu de toute hésitation, de toute ambiguïté et de toute contradiction n'est guère répandue. Et pourtant, ce n'est pas un état si difficile à atteindre. Il suffit simplement de prendre les moyens. C'est d'ailleurs une nécessité absolue. Pour une raison bien simple. **La confusion de vos ambitions programme votre subconscient en conséquence.** Vos aspirations n'étant pas claires, les résultats que vous obtenez sont à l'avenant. Il faut que s'opère en vous une métamorphose, **que vous appreniez à voir clair dans vos ambitions et vos désirs. Vous devez les modeler, les ciseler véritablement pour qu'ils deviennent éclatants de précision.**

Ne faites pas l'erreur de sous-estimer l'importance de ce travail sur vous-même. **Tant que vous ne saurez pas clairement ce que vous voulez, vous ne l'obtiendrez pas.** Et si vous ne savez pas du tout, eh bien, les résultats seront semblables à vos pensées. Souvenez-vous de la loi d'attraction.

Tous les hommes riches ont fait preuve de clarté dans leurs ambitions. Plusieurs d'entre eux emploient d'ailleurs l'expression suivante: **«Je savais.»** Leur carrière, le choix de leur vocation se traduisait par une espèce d'intuition profonde, qui ne laissait place à aucun doute.

UNE DES CLÉS DE LA RÉUSSITE
EST DE SAVOIR PRÉCISÉMENT
CE QU'ON VEUT FAIRE.

Bien des gens traversent de longues périodes de confusion et d'hésitation. Ils sont dépourvus, car ils ne savent comment surmonter cet état. **Le plus important est de prendre la décision de changer ce trait fâcheux de sa personnalité.** C'est faisable. C'est facile même. Plusieurs l'ont fait avant. L'autosuggestion est la voie royale qui mène à cette transformation.

Détendez-vous, descendez en vous-même, livrez-vous à l'introspection. Laissez tomber toutes vos défenses et vos barrières habituelles. Laissez libre cours à votre pensée, à votre imagination. Rappelez-vous les rêves anciens que vous avez délaissés avec le temps. En eux parfois résidaient les germes de votre vocation véritable.

Confiez l'équation qui vous confronte à votre subconscient avant de vous coucher. Et répétez-vous des formules comme:

MON SUBCONSCIENT ME FAIT INFAILLIBLEMENT DÉCOUVRIR LE DOMAINE DANS LEQUEL JE RÉUSSIRAI PLEINEMENT ET QUI ME PROCURERA TOUT L'ARGENT DONT J'AI BESOIN.

JE SUIS DIGNE D'EXERCER UN MÉTIER QUI ME PLAÎT À 100% ET QUI ME PERMET DE M'ENRICHIR AU-DELÀ DE MES RÊVES.

JE SUIS UN SUCCÈS.

JE SUIS UNE VICTOIRE.

JE FAIS CE QUI ME PLAÎT VRAIMENT ET AINSI J'EXCELLE ET MES REVENUS AUGMENTENT CONTINUELLEMENT.

JE SUIS UNIQUE. MA VALEUR SE MULTIPLIE ET ME PERMET DE FAIRE UN TRAVAIL QUE J'AIME ET QUI EST REMUNÉRATEUR.

Donnez un ordre à votre subconscient:

SUBCONSCIENT, AIDE-MOI À DÉCOUVRIR CE QUI ME PLAÎT VRAIMENT.

Endormez-vous avec la certitude que la réponse est déjà en vous et que vous avez déjà obtenu ce que vous avez demandé. La puissance formidable de votre subconscient travaille continuellement pour vous, jour et nuit, pour peu que vous l'ayez adéquatement orientée.

Outre ces puissantes techniques introspectives, vous pouvez également consulter des spécialistes en orientation professionnelle, des amis, des journaux, des revues. À chaque époque, il y a des modes. La tendance actuelle est à l'informatique. L'auteur du best seller américain *Megatrend* affirme que, depuis 1985, 75% des emplois sont de près ou de loin reliés aux ordinateurs et à l'informatique. Sans contredit cette tendance ne régressera pas. D'ici l'an 2000, probablement tous les emplois seront touchés par les effets de la révolution informatique. Cela peut être un indice, une piste. Même si l'informatique ne vous intéresse pas en tant que telle, elle vous sera probablement utile.

Ceci dit, notre intention n'est aucunement de vous pousser vers un domaine plutôt qu'un autre. Ce serait maladroit et stupide de notre part. Car il ne suffit pas qu'une chose soit une mode pour que vous devriez vous y intéresser. **Au lieu de suivre la mode, suivez votre moi profond.** Soyez à l'affût des tendances et des courants nouveaux, bien entendu, mais privilégiez votre choix personnel.

Faire pour soi-même ce qu'on fait déjà pour un autre.

Un des filons que vous pouvez songer à exploiter, c'est de vous mettre à votre compte dans le domaine dans lequel vous travaillez déjà pour un autre. L'expérience a démontré que c'est là une des avenues les plus sûres du succès. Une des raisons à cela, que nous expliciterons davantage dans le prochain chapitre, est que les chances sont que vous connaissiez déjà le domaine. Or, l'un des principes fondamentaux du succès est qu'il faut connaître à fond le domaine dans lequel on entend réussir. Le défaut de cette connaissance, que l'on appelle aussi la spécialisation (à ne pas confondre avec la sur-spécialisation comme nous le verrons au chapitre suivant), est une des causes majeures de l'insuccès.

Non seulement vous avez déjà acquis une certaine expérience dans le domaine, mais malgré votre compétence, vous avez probablement déjà fait (surtout dans vos débuts) un certain nombre d'erreurs, parfois coûteuses, que vous ne répéterez plus. C'est une sorte d'économie. Vous risquez donc moins d'échouer au départ en raison des mêmes erreurs. Aux États-Unis, on appelle ce phénomène le *spin-off*. Expression qui a été traduite en français par l'*essaimage* parce que le phénomène rappelle le mouvement par lequel une colonie d'abeilles quitte sa rûche initiale pour aller établir une nouvelle colonie. Pensez à ce principe, assez simple. Il pourra vous guider.

CHAPITRE 5

Savoir ce que l'on fait

Le secret de la véritable éducation

Nous avons parlé précédemment de l'éducation et de son rôle dans le succès. Nous avons montré que plusieurs des dix hommes que nous avons analysés n'avaient pas bénéficié d'une éducation académique très poussée. Il en est d'ailleurs de même pour d'innombrables milliardaires à un tel point que certains analystes en viennent à se demander si l'école ne serait pas un obstacle pour celui qui veut s'enrichir. Nous n'irons pas jusque-là. Et d'ailleurs, il suffirait pour faire taire les tenants de cette hypothèse de citer le cas de Jean-Paul Getty qui fut, on se le rappellera, diplômé de la prestigieuse Université d'Oxford d'Angleterre.

L'instruction académique n'est pas en soi un tort, surtout dans notre société où la technique et la science ont atteint un tel point de raffinement. Mais plusieurs auteurs ont noté — et également plusieurs millionnaires — qu'elle pouvait comporter certains dangers, le premier étant que les études actuelles sont si longues que le moment où l'homme peut se lancer à la conquête du monde et des millions se trouve inévitablement retardé. Des années parfois décisives sont perdues. Celui qui commence à 18 ou 20 ans à vouloir s'enrichir dispose en général d'une longueur d'avance de 5 ou 6 ans, sinon plus, sur l'universitaire, a fortiori sur celui qui a choisi de se spécialiser.

Dans son ouvrage *Les Milliardaires*, Max Gunther note: «Il est remarquable de constater combien peu, parmi les très nantis, sont allés au collège ou même à l'école secondaire. Clement Stone a laissé tomber les études estimant qu'elles n'avaient rien à voir avec le but qu'il s'était fixé: celui de faire de l'argent. Howard Hughes, qui avait le temps et tout l'argent nécessaires pour fréquenter les collèges, en rejeta l'idée, considérant qu'il perdrait là quatre ans. William Lear n'atteignit même pas l'école secondaire. Si l'existence de ces hommes ne permet pas d'en dégager une quelconque idée générale, il semble pourtant qu'on y découvre une vérité: en Amérique, l'école classique n'enseigne rien ou très peu de choses quant à la façon de bâtir une fortune.»

Au cours de la Première Guerre mondiale, Henry Ford fut traité de pacifiste ignorant par un journaliste. Ford, insulté, décida de poursuivre le journal. Voici de quelle manière Napoléon Hill rapporte cette anecdote fort instructive: «Lorsque l'affaire passa en jugement, les avocats du journal essayèrent de prouver qu'il était un esprit inculte, aussi, pour le mettre en difficulté, lui posèrent-ils de nombreuses questions sur des sujets variés et inattendus, par exemple: «Qui était Benedict Harnold?» ou «Combien de soldats les Anglais envoyèrent-ils en Amérique pour mater la rébellion de 1776?» C'est alors que Ford répliqua: «Je ne connais pas le nombre des soldats anglais qui vinrent en corps expéditionnaires, mais j'ai entendu dire qu'ils étaient plus nombreux que ceux qui retournèrent chez eux.» Finalement, excédé par ces colles, il lança à la partie adverse: «Permettez-moi de vous rappeler que j'ai dans mon bureau une rangée de boutons électriques. Il me suffit d'appuyer sur l'un d'eux pour appeler à l'aide l'homme qui répondra à n'importe quelle question relative à l'affaire dont je m'occupe personnellement et à laquelle je consacre tous mes efforts. Maintenant, voulez-vous être assez aimable de m'expliquer pourquoi, dans le seul but de répondre à vos questions, je devrais avoir la cervelle farcie de culture générale alors que je suis entouré de collaborateurs qui suppléent à toute lacune ou défaillance de ma part?» La logique de cette riposte désarçonna l'avocat, et le public de l'audience reconnut que le propos de Ford était celui d'un homme intelligent et instruit.»

De longues études peuvent également comporter comme danger d'émousser une certaine audace, un certain sens de l'initiative, un goût du risque, car la cérébralité et l'analyse (à outrance) sont souvent privilégiées aux dépens de l'action, au point d'engendrer parfois un véritable immobilisme.

Dans *Les Riches et les super riches*, on peut lire ce qui suit: «Les éducateurs qui prônent comme il se doit les bienfaits de l'instruction tentent désespérément de prouver à l'aide de statistiques que, dans l'ensemble, les individus instruits peuvent prétendre à des salaires plus élevés que les ignorants. Cette affirmation est exacte lorsqu'il s'agit des cadres moyens d'une entreprise dont les opérations complètes exigent un personnel hautement qualifié. En ce cas, les rémunérations varient proportionnellement aux responsabilités et à la productivité de chacun. Mais rien n'est moins vrai en ce qui concerne les détenteurs de grosses fortunes. L'instruction peut être au contraire un sérieux handicap pour qui veut devenir millionnaire.»

Et l'auteur poursuit ainsi. «En effet, l'éducation risque de développer chez l'individu une certaine propension aux scrupules. Le fait est vaguement perçu par les néo-conservateurs qui reprochent aux institutions scolaires leur tendance communiste. Or, les scrupules constituent un obstacle presque infranchissable pour l'apprenti millionnaire qui, en toutes circonstances, doit se montrer opportuniste. Cependant, aussi ambitieux soit-il, si pendant des années il a pris l'habitude de rédiger des comptes rendus fidèles, de faire des traductions exactes et des expériences de laboratoire minutieuses, son tempérament est inévitablement marqué par cette discipline. S'il se lance à la conquête de la fortune dans un monde où les contre-vérités hypocrites, les promesses fallacieuses sont monnaie courante, il lui faudra adapter son comportement au milieu dans lequel il évolue. Même s'il réussit, le processus de cette adaptation le met en état d'infériorité vis-à-vis des ignorants qui n'ont pas à gaspiller leur énergie en efforts de ce genre et s'emparent de tout ce qui est à leur portée sans la moindre gêne.»

Ceci dit, il n'en reste pas moins que l'éducation représente des avantages positifs. Nous vivons dans une société où un diplôme peut ouvrir bien des portes. Ce qui ne signifie pas, bien entendu, qu'il assurera votre succès. Mais il vous permet souvent d'avoir votre première chance. Les connaissances générales peuvent en outre être d'une grande utilité. Comme le succès est toujours relié aux autres, puisqu'on ne s'enrichit jamais seul, la connaissance de la psychologie, de la sociologie, de l'histoire, etc., permet d'élargir la vision et de parfaire le jugement. Mais il faut se souvenir que ces connaissances ne seront vraiment valables que dans la mesure où vous saurez les utiliser à vos fins.

Le point le plus important concernant le rapport entre l'éducation et le succès est le suivant: SI BIEN DES HOMMES RICHES N'ONT GUÈRE FRÉQUENTÉ LONGTEMPS LES BANCS DE L'ÉCOLE, PAR CONTRE, TOUS SANS EXCEPTION SONT DEVENUS DES SPÉCIALISTES DANS LEUR DOMAINE.

Tous sans exception ont fait en sorte de devenir des experts dans leur branche et se sont efforcés d'en savoir le plus possible dans ce domaine. Le défaut de se plier à cette exigence conduit nécessairement à l'échec ou condamne à la médiocrité.

Dans son ouvrage *Devenir riche*, Getty a établi les dix règles qui l'ont conduit lui-même au succès, et qui, de son propre aveu, ont permis à tous les millionnaires qu'il a connus de s'enrichir. Ce n'est pas par hasard si la première règle qu'il édicte contient les principes suivants, qui, nous le verrons, ne s'appliquent pas seulement à celui qui désire monter une affaire ou est déjà à son compte, mais à tous les salariés qui désirent gravir rapidement les échelons de la hiérarchie et s'enrichir en conséquence: «**L'homme qui désire se lancer en affaires à son compte devrait choisir un domaine qu'il connaît et qu'il comprend bien. Évidemment, il ne sait pas tout ce qu'il y a à saisir dès le début, mais il ne devrait pas commencer avant d'avoir acquis une bonne et solide connaissance de l'affaire choisie.**»

C'est du reste pour cette raison que pour ceux qui songent à partir en affaires il est plus aisé de le faire dans le domaine dans lequel ils ont déjà travaillé pour un autre (*spin-off*). La règle énoncée par Getty qui semble être à ses yeux la condition de base du succès et qui a été reprise par presque tous les auteurs sérieux ne doit pas s'appliquer seulement **avant** mais **pendant** toute la carrière de l'individu.

Le développement spectaculaire de l'information et le nombre croissant de chercheurs dans tous les domaines font que les connaissances évoluent fort rapidement. Nous vivons dans une société en mutation rapide et pour ainsi dire constante. L'individu qui veut réussir doit vivre dans un état d'éducation permanente, chercher à en apprendre constamment davantage dans son domaine. Ce que l'on apprend aujourd'hui risque d'être périmé dans cinq ou dix ans. Pour suivre l'évolution follement rapide de la société, il faut constamment être aux aguets, vivre dans un état de curiosité et d'attention permanent.

En savoir le plus possible dans son domaine, devenir le meilleur est une règle absolue. C'est la forme d'éducation des hommes riches. D'ailleurs, la plupart des entrepreneurs à succès, contrairement à certains dirigeants de formation plus académique, n'ont pas peur de mettre la main à la pâte, comme on dit, même de se salir les mains, de descendre sur le terrain.

Leur volonté de tout savoir de leur domaine a dans plusieurs cas pu paraître excessive, voire maniaque, et c'est pourtant cette détermination à aller en profondeur, à prendre note des moindres détails, qui a bien souvent assuré leur succès. Car le succès tient souvent à une foule de petits détails que les gens qui ne réussissent pas trouvent insignifiants, ou ne voient même pas.

Ray Kroc devient quasi lyrique lorsqu'il parle des hamburgers, et confirme le principe que nous venons d'énoncer: **«Prenez, par exemple, le petit pain à hamburger. Il faut avoir une certaine tournure d'esprit pour trouver de la beauté à ces petits pains. Et pourtant, est-ce plus extraordinaire de trouver gracieuses la texture et la silhouette doucement arrondie des petits pains, que de penser affectueusement au camail d'une mouche artificielle pour la pêche ou à l'agencement de la texture et des couleurs d'une aile de papillon? Pas si vous êtes un homme de McDonald. Pas si vous considérez le petit pain comme un élément essentiel dans l'art de servir rapidement un grand nombre de repas. Alors, cette masse rondelette de levure devient un objet digne d'une étude sérieuse.»**

La manière dont Ray Kroc parle des frites n'est pas moins surprenante, en tout cas pour le profane. On dirait un véritable roman policier lorsqu'il cherche à découvrir le secret du goût merveilleux des frites des frères McDonald, à l'époque où il n'avait pas encore acheté leur entreprise. Il cherchera d'ailleurs à les améliorer constamment jusqu'à ce qu'il ait établi la formule idéale. Efforts qui ont naturellement porté fruits car une partie de la popularité des McDonald tient à la saveur particulièrement exquise des frites.

Spielberg est aussi un «maniaque» du cinéma, en ce sens qu'il s'implique à tous les niveaux de la production d'un film, dans le scénario bien entendu, mais aussi dans le choix des acteurs, la musique, le montage et les effets spéciaux. Il ne laisse rien au hasard et surveille jalousement chaque étape.

Devenir le meilleur dans son domaine, devenir spécialiste, est tout le contraire de se sur-spécialiser. Comme les acceptions de ces termes sont diverses, établissons d'entrée de jeu la distinction: se spécialiser, c'est savoir ou en tout cas s'efforcer de savoir tout de son domaine; se sur-spécialiser, c'est n'en connaître qu'une partie, la connaître à fond sans doute, mais au détriment des autres aspects. Malheureusement, l'éducation actuelle a souvent tendance à produire des gens qui sont sur-spécialisés. Or aucun des hommes riches ne peut être classé dans les rangs des sur-spécialisés. Chacun connaissait ou s'efforçait de connaître tous les aspects de son domaine.

Honda, par exemple, n'hésitait pas à passer son bleu de travail pour descendre dans les ateliers, même devenu président de la compagnie. Homme simple malgré son prestige, il n'a jamais cessé de vouloir apprendre, comme le montre l'histoire de sa vie.

* * *

«Je deviendrai le Napoléon de la mécanique!»

Soïchiro Honda

Soïchiro Honda est né en 1906 dans un petit village du Japon. Dès sa plus tendre enfance, les moteurs exercèrent sur lui une fascination mystérieuse. En fait, rarement vocation se déclara-t-elle de manière si précoce. En effet, Honda évoque dans ses souvenirs que déjà à l'âge de deux ou trois ans, il éprouvait une vive émotion à la vue et surtout au son d'une machine à décortiquer le riz provenant d'une ferme voisine. **«Ce fut ma première musique**, dit-il **je pouvais apercevoir, de la véranda de notre maison en bois, la toute petite fumée bleue qu'elle dégageait. Un jour, je demandai à mon grand-père de m'y conduire. Cela devint une habitude (...) J'aimais l'odeur du mazout qui empestait, le bruit des pétarades, les crachotements de fumée et je restais des heures accroupi pour observer la machine tandis que mon grand-père me demandait de presser le pas pour reprendre la promenade.»**

Son goût précoce des machines, le jeune Honda l'hérita de son père. Alors que toutes les familles du village se consacraient exclusivement à l'agriculture, le père de Soïchiro, faisant bande à part, se passionnait pour tout ce qui touchait aux nouvelles technologies modernes du début du siècle. Ainsi, il possédait un atelier de réparations pour les machines agricoles, et plus tard, il ouvrit un atelier de vélos. Il pavait en quelque sorte la voie à son fils qu'il put initier très jeune aux mystères des machines. De par ses activités, son père ne tarda pas à être perçu comme un marginal par les paisibles habitants du petit village japonais. On lui prédit ruine et faillite pour sa famille. Combien de fois Soïchiro Honda n'allait-il pas lui aussi entendre au cours de sa fabuleuse odyssée ces prophéties de malheur? Mais chaque fois, **il démontra que la musique grinçante de ces voix pessimistes ne pouvait venir à bout de sa foi.**

À l'école, le jeune Honda s'avéra un mauvais élève. En classe, grâce à de savants calculs de perspective, le jeune Honda parvenait toujours à dénicher une place hors du champ de vision du professeur. Là il était tout à son aise pour rêvasser, ou songer à quelque invention diabolique. «**J'obtenais de mauvaises notes à l'école. Cela ne me causait pas beaucoup de peine. Mon univers tournait ailleurs, entre les engins, les moteurs et les vélos**» dont il avait construit seul, à l'âge de huit ans, un premier spécimen. S'il n'aimait pas l'école, c'est aussi parce que la nature l'avait affligé d'un physique disgracieux ou à tout le moins faible. Le complexe d'infériorité qu'il en conçut ne fut pas étranger à sa farouche volonté de se distinguer à tout prix en empruntant d'autres voies. Son cas, comme d'ailleurs celui du jeune Spielberg, est un autre exemple des vertus souvent étonnantes de la frustration dont certains individus peuvent tirer de grands bénéfices.

Le jeune Honda souffrait beaucoup d'être toujours classé bon dernier aux compétitions sportives ou encore aux courses à pied organisées entre villages. À l'école, il se trouvait toujours quelque excuse pour être porté malade lors des cours d'éducation physique. Ce corps débile, il voulut lui donner un prolongement, le magnifier à travers les machines. C'est ainsi qu'il allait prendre sa revanche. Ses aveux à ce sujet sont on ne peut plus lucides: «**J'ai pris goût à la compétition de motos ou d'automobiles parce que je pouvais gagner et que j'aimais gagner. Je me vengeais des autres, de mes faibles capacités physiques, de mon corps à la traîne en utilisant d'autres talents, ma tête et mes mains. Alors, j'étais amoureux des machines, qui aidaient mon corps à gagner et à faire de moi un vainqueur.**»

Un jour, Soïchiro voulut apprendre à nager. À l'école, les grands savaient nager pour la plupart. Honda demanda à l'un d'eux son secret.

«Oh! c'est très simple, lui rétorqua le grand. Il suffit que tu avales un médaka et tu pourras faire comme lui, te sentir heureux dans la rivière.» Le médaka est un tout petit poisson de couleur noire, guère appétissant car il ressemble à un têtard. Naïf, le jeune Honda se rendit à la rivière, attrapa non sans mal et non sans répugnance un médaka, et l'avala conformément à l'étrange prescription de son maître-nageur improvisé. Il avait cependant pris la précaution de boire une bonne quantité d'eau, de manière à rendre plus confortable la mort du petit médaka. Touchante attention, s'il en est une. Plus ou moins confiant dans les vertus de cette martingale, le jeune Soïchiro se jeta à l'eau mais, comme on le pense bien, coula à pic. Heureusement, il n'était tout de même pas complètement bête et n'avait pas plongé en eaux profondes! Après plusieurs essais infructueux, mais surtout après avoir avalé un bouillon terrible, le jeune homme dut se rendre à l'évidence: le miracle ne s'était toujours pas produit. Avait-il omis de suivre quelque instruction du grand? Peut-être la nature l'avait-elle condamné, à cause de sa constitution chétive, à ne jamais pouvoir goûter les joies de la natation? Contrarié mais non résigné, Honda retourna voir le grand pour en avoir le coeur net.

«Tu es déjà trop gros toi-même, lui expliqua le grand. Retourne à la rivière. Avales-en un plus gros et je suis sûr que ça marchera.»

Le conseil, en plus d'être dispensé avec grande assurance, avait la vertu d'avoir une apparence scientifique. Tout heureux, et obstiné comme il l'était, notre néophyte retourna à la rivière et dut se donner un mal fou pour réussir à trouver un médaka de la dimension prescrite. Il faut ajouter que les médakas sont des poissons rapides et plutôt futés. Comme on s'en doute bien, cette seconde tentative n'eut pas plus de résultat que la première. Cependant, le petit Japonais ne s'était pas encore résigné à l'idée qu'il ne pourrait jamais nager comme tous les autres petits garçons de son âge. Il se mit à parcourir le bord de la rivière et recommença à plusieurs reprises l'expérience: un médaka ingéré, un plongeon. À la fin, il savait nager. Le miracle s'était accompli. «**J'ai compris quelques années plus tard que le miracle résidait dans ma volonté et dans mes tentatives malheureuses, qu'à force de boire le bouillon, j'avais appris à nager (...) Croire profondément en quelque chose permet à chacun de trouver en soi une force immense, et de se surpasser.**»

Si nous nous sommes attardés sur cette petite anecdote ce n'est pas tant pour son caractère drolatique que parce qu'elle illustre de manière plaisante un principe fondamental du succès: la nécessité absolue de la foi.

DEVENIR LE NAPOLÉON DE LA MÉCANIQUE!

Un personnage illustre allait marquer considérablement, en l'inspirant de son exemple, le jeune Honda: Napoléon. Il en avait appris l'existence grâce à son père, mais ne disposait guère de détails sur lui. «**Je l'imaginais au physique comme un homme aussi**

grand et fort que le méritaient sa puissance et sa renommée. Lorsque j'ai appris plus tard, en lisant mes livres d'histoire, qu'il était de petite taille, je n'ai pas été déçu. Je ne suis pas très grand moi-même et je trouvais évident qu'on ne mesure pas la grandeur d'un homme à sa taille physique, mais à ses actes, à l'empreinte qu'il laisse dans l'histoire des hommes.»

«En répétant soigneusement la même chanson, j'avais compris que Napoléon était d'une origine modeste, que probablement sa famille vivait de manière très pauvre (...) Il n'était donc pas nécessaire de naître noble ou riche pour réussir dans la vie. D'autres qualités donnaient aussi le droit au succès. Le courage, la persévérance, le goût rêveur de l'ambition.»

D'ailleurs, pour renforcer son admiration pour son prestigieux modèle, et par le fait même le programmant de manière positive (ce qui est rare), son père lui répétait constamment: «Quand tu seras grand, il faudra que tu sois un homme célèbre et puissant... comme Napoléon.» Le jeune homme ne tarda pas à trouver des points communs entre lui et son héros. Le grand général, tout comme lui, était de petite taille. Tout comme lui, ses origines étaient modestes. En outre, Napoléon était né dans une île, comme Honda, et avait réussi à conquérir un continent. **«Ce que j'ai le plus retenu de cet homme, c'était une sorte de morale, de philosophie, qui guida toutes ses orientations futures; celles du petit étudiant de famille pauvre, qui réussit à narguer les rois et à clamer la révolution pour dominer l'Occident tout entier, et j'aillais, un jour, moi aussi, devenir comme Napoléon, petit et célèbre (...) Napoléon, mon cher Napoléon, le modèle de toutes mes ambitions enfantines, parce que nous avons chacun notre droit de garder des rêves fous.»**

Peu intellectuel de nature, Honda s'adonnait à une seule lecture, un magazine technique intitulé: *Le monde des roues*. C'est dans une des pages de cette revue qu'il tomba un jour sur une petite annonce demandant les services d'un apprenti mécanicien pour la compagnie Hart Shokai, de Tokyo. Il postula l'emploi. Quelques jours plus tard, il reçut une réponse positive. Son père accepta non sans difficulté qu'il abandonne ses études pour partir vers la capitale. Il avait 15 ans.

Le poste qu'on confia au jeune Honda ne correspondait pas tout à fait à ses ambitieuses attentes. Au lieu d'être apprenti mécanicien, il devint en quelque sorte *baby sitter* du dernier-né de la famille de son employeur. C'est que son patron avait estimé qu'il était trop jeune pour se voir confier la réparation d'un moteur. **«Quelle humiliation! J'étais si près du but, et pourtant incapable**

de l'atteindre. Cela renforça ma volonté. Il aurait été trop bête de planter là le bébé et de rentrer chez moi, penaud, faisant disparaître ainsi tout espoir de formation mécanique. On dit que dans chaque homme il reste une parcelle de «trace» du cerveau de Dieu. Je crois que je dois à cette petite trace qui me trotte dans la tête ma patience et ma décision de rester à Tokyo, d'attendre que l'occasion passe, pour cette fois-ci la saisir à pleine main, sans la rater.» Honda sut quand même tirer profit de cette situation. Tout en veillant sur le jeune enfant qu'il portait sur son dos, Honda avait tout le loisir de se promener dans l'atelier de réparation, observant minutieusement les manoeuvres qui s'y déroulaient. Ainsi, il put acquérir un sens général de la mécanique, en fait plus vaste que s'il s'était vu astreint à une tâche trop spécifique.

Les affaires du garage prospéraient, et monsieur Saka Kibara, le patron, décida qu'il était peut-être temps de donner sa chance au jeune homme. Le jour où le patron remit à Soïchiro son premier bleu de travail, ce fut vraiment pour le petit Japonais un très grand jour: il entrait dans l'univers merveilleux de la mécanique. Le jeune apprenti ne tarda pas à se montrer un mécanicien fort doué. Pas un bruit suspect, pas une fuite d'huile ne semblait lui échapper. Il passa ainsi six ans de sa vie à approfondir sa connaissance de la mécanique. Quand il eut 20 ans, son patron le convoqua à son bureau pour lui demander s'il ne souhaitait pas retourner dans son village natal. Le jeune homme crut d'abord que son patron voulait par là lui signifier élégamment sa volonté de se débarrasser de lui. Il avait mal compris ses intentions. Son patron qui voyait pour lui un avenir brillant, lui proposait d'ouvrir une succursale dans la ville de Hamamatsu, alléguant qu'une importante clientèle s'y développait. Il va sans dire que le jeune Honda accepta avec enthousiasme ce défi, surtout qu'il lui permettait de retourner dans sa famille dont il était séparé depuis des années.

«**Je devenais enfin un homme indépendant, un homme véritable, maître de ses bras, de ses jambes, de son cerveau, de son destin, de ses horaires et des risques qu'il saurait prendre.**» Ce sentiment de liberté, il n'y a guère que ceux qui montent une affaire qui le ressentent. L'étude de la vie des dix hommes riches a démontré que ce sentiment paraît largement compenser l'inquiétude qu'engendre le fait de couper les ponts derrière soi. Cependant, il semble qu'il faille une disposition de caractère spéciale pour se «jeter à l'eau» sans être paralysé par l'angoisse de l'incertitude matérielle des débuts.

Pendant la longue absence de Honda, bien des choses avaient changé dans son paisible village natal. Entre autres, deux ou trois garages avaient ouvert leurs portes. Honda avait d'abord cru qu'il serait le seul. Il lui faudrait composer avec la concurrence, trouver un moyen de faire plus et mieux que les autres. Notre petit homme ne tarda pas à comprendre que, pour réussir avec son garage, il lui fallait faire deux choses précises: d'abord accepter les réparations difficiles qui décourageaient les mécaniciens des autres garages, puis procéder le plus rapidement possible afin que le client n'ait pas à se priver de son véhicule pendant plusieurs jours. Avec semblables méthodes, Honda ne tarda pas à se tailler une solide réputation. Il faut dire que parfois il n'hésitait pas à travailler toute la nuit pour être en mesure de remettre dès le lendemain matin le véhicule à son propriétaire. **Voilà le prix qu'il était prêt à payer.** Son génie inventif, toujours en éveil, se manifesta à cette époque de manière particulière. Le rayon des roues des voitures d'alors était en bois, et résistait mal aux chocs de la route. Honda eut l'idée de remplacer le bois par le métal. L'idée était simple. Mais il fallait y penser.

À 30 ans, Honda signait son premier brevet d'invention. Ses rayons d'acier connurent un grand succès et furent exportés à travers le monde. «**Cette invention m'avait donné un avant-goût, la patience artisanale de l'aventure industrielle. On dirige un garage ou un commerce comme on conduit un autobus. Il fait des haltes à tous les villages et recueille une clientèle locale, mais il est incapable de se lancer sur de plus grandes distances. Certes, on peut vivre heureux sur son tortillard, mais moi j'avais l'ambition de conduire d'autres trains à plus grande vitesse.**»

Peu à peu, germait dans son esprit l'idée de monter une affaire véritablement à lui, de rompre les attaches avec son patron de Tokyo, pour fonder sa propre entreprise. Dans quel domaine? Les segments de pistons lui semblaient offrir des possibilités intéressantes. Mais ses associés, plus conservateurs, ne partagèrent pas son enthousiasme. Il les convainquit quand même. Et il investit toutes ses économies pour fonder la «Tokai Seiki», entreprise industrielle de production de segments de piston. Cependant, les premiers essais ne furent guère fructueux, le segment que fabriquait Honda, ne possédant pas l'élasticité nécessaire, demeurait invendable. Honda se souvient de la réaction de ses amis au sujet de cet échec: «**Mes amis venaient nombreux me dire que j'aurais mieux fait de rester dans mon garage, de l'agrandir progressivement, et de laisser ainsi prospérer mes affaires plutôt que de me lancer dans des aventures incertaines. J'avais investi dans cette opération tout l'argent que j'avais économisé. Je me sentais responsable de ceux que j'avais entraînés avec moi et je me disais qu'à l'âge de 30 ans, j'avais peut-être, en fermant mon garage,**

laissé passer la chance et brûlé déjà tous mes vaisseaux.» Sous le poids de l'échec et de la responsabilité, Honda tomba gravement malade. Mais après une convalescence de deux mois, il revint à la charge, résolu à surmonter son problème de piston.

Évidemment, les fonderies de la région se refusaient à dévoiler leurs secrets de fabrication. Honda devait trouver seul. Il s'acharna jour et nuit à trouver la solution mais sans succès: les pistons qu'il produisait étaient toujours durs comme la pierre. Même avec la plus grande détermination du monde, Honda dut se rendre à l'évidence: il lui manquait les connaissances techniques pour aller plus loin.

Sans doute plusieurs auraient-ils renoncé à la place de Honda, mais ce dernier, mettant son orgueil de côté, accepta de retourner sur les bancs de l'école. Il s'inscrivit à l'université dans le but de parfaire sa formation d'ingénieur. À chaque matin, il prenait le chemin de l'école, et, aussitôt les cours terminés, revenait en toute hâte à l'atelier, tentant de mettre en pratique ce qu'il avait appris. Son séjour à l'université dura deux ans et se termina par son renvoi. C'est que, plutôt entêté, Soïchiro n'avait assisté qu'aux cours qui concernaient la fabrication de segments, boudant tous les autres. «**J'étais comme celui qui a faim, à qui l'on expliquerait longuement les lois générales de la diététique et leurs prolongements au lieu de lui donner à manger.**» Honda tenta en vain de s'expliquer avec le directeur. Il ne venait pas chercher un diplôme, mais bien des connaissances. Cela offusqua le directeur.

Honda retourna à son usine, fort de ses nouvelles connaissances, et finit par produire des pistons possédant toutes les caractéristiques voulues. Il avait gagné la partie. Grâce aux efforts soutenus de Honda, la Tokai Seiki, raffermit progressivement sa position sur le marché et commença à jouir d'une excellente réputation. Cependant, la Deuxième Guerre mondiale freina l'essor de l'entreprise. En fait, en juin 1945, les usines de Honda furent détruites par les bombes américaines.

En 1946, au lendemain de la guerre, après une année sabbatique qu'il occupa à mettre au point diverses inventions, et à réfléchir, Honda, toujours optimiste malgré la morosité générale, décida de créer seul, pour sauvegarder une indépendance totale, le laboratoire de recherches techniques Honda. Il avait une petite idée derrière la tête. La situation du pays paraissait désespérée à la plupart des industriels. Mais le diagnostic de Honda était tout autre. Les transports communautaires avaient été pratiquement détruits par les bombardements. Il ne restait tout au plus, pour assurer le service, que quelques trains et des autobus insuffisants. Les automobiles étaient rares, comme du reste l'essence devenues au surplus hors de prix. Les Japonais s'étaient tout naturellement rabattus sur la bicyclette qui était devenue le moyen de transport le plus répandu. L'idée de Honda était simple, mais brillante. Et surtout elle **correspondait à un besoin général de la population**: fabriquer un moteur qui s'adapterait au vélo et en ferait en quelque sorte, à peu de frais, un cyclomoteur de fortune.

Au début, Honda se contenta de transformer des moteurs rachetés à bas prix à l'armée. Le succès fut immédiat. Devant la demande croissante, et comme l'armée avait écoulé tous ses stocks, Honda dut mettre au point son propre moteur, le modèle A Honda. Le nouveau-né de Honda fut bientôt baptisé le bike motor. Le succès de ces motor bikes fut en partie attibuable au fait que Honda avait réussi à développer un moyen ingénieux de réduire la consommation d'essence ayant mis au point un mélange de résine et d'essence et un carburant apte à le recevoir.

Encouragé par la reprise des affaires, Honda ouvrit en février 1948 une usine plus grande de montage de moteurs. Mais Honda ne pouvait s'arrêter là. Il lui fallait faire mieux: fabriquer des motos. Le projet parut utopique, voire insensé. Depuis la défaite japonaise, il n'y avait pour ainsi dire plus une moto au pays. Et le retard technologique qu'accusait le Japon était sérieux. Pourtant, le 24 septembre 1948, Honda créait la Honda Motor Company. Les premiers essais furent plutôt décevants, les cadres des motos ne résistant pas au poids du moteur. Mais en août 1949, le premier prototype de moto était sur pied. Il fut baptisé «Dream». La nouvelle moto n'avait que 98 c.c. de cylindrée, une puissance de 3 CV. Pour Honda, c'était cependant la moto de ses rêves. Elle correspondait à ses rêves de vitesse d'enfant.

Cependant, malgré cette première réussite, la production de la moto «Dream» engendra de nombreuses difficultés financières. Le marché était instable et limité, sans compter que plusieurs distributeurs faisaient faillite. Honda encourut rapidement de graves pertes qui lui firent risquer la faillite. Il faut dire que, de son propre aveu, Honda, qui était fondamentalement un inventeur, s'avérait un assez piètre gestionnaire. Son intelligence lui fit comprendre cette faiblesse de personnalité. Il dira même: **«Si j'avais dû gérer moi-même mon entreprise, j'aurais été condamné très rapidement à la faillite.»**

Mais une de ses anciennes relations lui fit rencontrer Takeo Fujisawa, un gestionnaire de grand talent, qui d'une certaine manière sauva la jeune société Honda. Lorsque l'on dit que le succès ne se fait jamais seul, cette association décisive du rêveur de génie et du gestionnaire de génie en est un bel exemple. Au sujet de l'importance du facteur humain, Honda dira: «**Quand je fais le bilan — provisoire — d'une vie, je mesure combien les rencontres ont de l'importance, comme elles valent plus que toutes les inventions de machines, parce qu'elles nous permettent de multiplier notre regard sur les choses et de nous associer à mille expériences différentes qu'autrement nous n'aurions pas connues.**»

Loin de se décourager par l'échec de la moto «Dream», Honda mit au point un nouveau modèle révolutionnaire, plus rapide et plus silencieux que son prédécesseur. Dix ans plus tard, ce même modèle allait être copié par tous les constructeurs du monde. «**Au fond**, avouera Honda, **je ne regrettais rien des premières réactions du public, elles m'avaient forcé à pousser plus loin mes talents et à imaginer un moteur très en avance sur son temps.**» Belle preuve, s'il en est une, qu'en chaque échec, aussi cuisant soit-il, se trouve le germe d'un bénéfice plus grand, pour qui ne se laisse pas abattre par l'infortune.

L'engin connut un succès monstre, et on produisit rapidement 900 unités par mois. Honda dut songer à une plus grande production, à moderniser l'usine, même à ouvrir d'autres plans. Pour cela, il lui fallait des capitaux, beaucoup de yens. Pour quelqu'un qui n'appartenait pas à l'establishment japonais, un self-made man dans le sens fort du terme, convaincre les banques de lui avancer les sommes nécessaires n'était pas une sinécure. Mais Honda se montra convaincant, et les banquiers lui accordèrent finalement l'argent nécessaire. Il modernisa aussitôt l'usine et produisit massivement un nouveau cyclomoteur à raison de 25 000 unités par mois avec un réseau de 13 000 concessionnaires Honda. L'homme devint bientôt millionnaire, car il était propriétaire de cinq usines qui portaient son nom.

Il restait maintenant à Honda un autre défi à relever, celui de prouver à la face du monde que le Japon, par son entremise, savait construire des motos aussi fiables et rapides que les mécaniques européennes. «**Je suis parti de la conviction simple que, si d'autres arrivaient à construire des engins aussi rapides, il n'y avait aucune raison pour que je ne puisse pas en faire autant.**»

Se rendant en Europe, Honda acheta les meilleures motos alors disponibles sur le marché. De retour dans son pays, il les démonta, les étudia soigneusement, et créa à partir de ces engins sa propre moto de course. Les motos Honda participèrent bientôt aux compétitions. Elles ne tardèrent pas à remporter des distinctions. En l'espace de quelques années, la réputation de la marque

Honda franchit toutes les frontières, et les différents modèles, du scooter aux engins de course, inondèrent le marché. D'ailleurs, au fil des années, des filiales Honda s'établirent un peu partout à travers le monde, aux U.S.A, en Allemagne, en France, en Angleterre, en Suisse, en Belgique, en Australie, au Canada, au Brésil, au Mexique, au Pérou, en Thaïlande...

«Le moment était maintenant venu de me lancer vers la réalisation d'un autre rêve. Tenter la victoire en Formule I, c'était pour beaucoup tenter l'impossible. Mais ma décision était prise une fois pour toutes. Je mettrais là encore le temps qu'il faudrait, mais rien ne pourrait m'empêcher de vaincre.» Ce qu'il avait accompli avec les motos, Honda voulut ensuite le faire avec les automobiles. Et, en 1962, la Société Honda déclarait officiellement qu'elle se lançait désormais dans le monde de la construction automobiles. Le petit Japonais n'allait pas avoir la tâche facile, et, tel David, il allait devoir affronter dans un singulier duel le géant Goliath: en l'occurrence les États-Unis, qui dominaient le marché.

Tout comme il l'avait fait avec les motos, c'est par la compétition qu'Honda s'implanta sur le marché. Il choisit de faire son entrée dans le monde hermétique de la Formule I. Malgré d'innombrables difficultés initiales, le 24 octobre 1965, Honda vit son rêve se réaliser: l'une de ses voitures franchissait la première le fil d'arrivée d'une grande compétition. Les voitures Honda avaient devancé des rivales aussi prestigieuses que les Ferrari, les Lotus, issues d'écuries qui comptaient pourtant plusieurs années de compétition et de recherches à leur actif.

Forte de ses premiers succès, la firme Honda résolut, en 1967, de fabriquer des voitures destinées au grand public. Fidèle à l'inspiration qui lui avait fait construire des motos de consommation économique, Honda prit parti de fabriquer de petits véhicules. Son instinct le servit au-delà de ses espérances car la crise du pétrole des années 70, à ce moment-là encore imprévisible, allait donner au fabricant japonais une formidable longueur d'avance sur ses concurrents, surtout concentrés dans les grosses voitures. En fait, au moment du choc pétrolier, ses concurrents durent repenser entièrement leurs véhicules en fonction de l'économie du carburant. Pour une, l'industrie américaine allait mettre dix ans à rattraper le retard et à repenser toute sa philosophie de l'automobile.

Pendant que la concurrence piétinait, Honda, lui, inondait le marché avec une petite voiture que les consommateurs s'arrachaient: La Honda Civic. En outre, Honda fut l'un des premiers constructeurs à munir ses véhicules d'un système antipollution. Aussi, lorsque plusieurs gouvernements légiférèrent à ce sujet, il était prêt à répondre aux nouvelles normes, tandis que ses concurrents durent adapter tous leurs véhicules aux nouvelles réglementations. Un autre des facteurs prépondérants dans le succès spectaculaire de Honda fut sans doute la robotisation précoce de ses usines, qui a émerveillé le monde.

La réussite spectaculaire de Honda est surtout instructive en ce sens qu'elle illustre non seulement le principe qu'on peut réussir à partir de rien, mais surtout qu'on peut le faire dans les circonstances extérieures extrêmement précaires. Au lendemain de la guerre, le Japon était en effet un pays ruiné où le salaire moyen s'établissait à environ 1 000$ par année. C'est grâce à des individus comme Honda que ce qu'il est convenu d'appeler le miracle japonais a eu lieu. Souvenez-vous de l'exemple de ce petit Napoléon japonais lorsque vous prétextez que les conditions économiques environnantes ne sont pas propices à votre enrichissement.

Au cours des années, Honda a dégagé les grands principes de sa réussite qu'il a pris soin de consigner à la fin de ses mémoires. Pour clore le récit étonnant de la vie de Honda, nous vous livrons sa philosophie du succès qu'il a résumée en cinq points:

1. **Toujours agir avec ambition et jeunesse.**

2. **Respecter les théories saines, trouver les idées nouvelles et employer notre temps pour le meilleur rendement.**

3. **Prendre plaisir à notre travail et en rendre les conditions agréables.**

4. **Constamment rechercher une cadence harmonieuse du travail.**

5. **Toujours avoir à l'esprit la valeur de la recherche et de l'effort.**

CHAPITRE 6

La magie de l'objectif

Une fois que vous avez trouvé le domaine dans lequel vous voulez exceller et vous enrichir — vous en avez maintenant les moyens — il est une autre règle que vous devez suivre absolument. Comme bien des règles du succès précédemment énoncées, elles vous paraîtra peut-être simple, voire simpliste. Mais laissez-nous vous citer au sujet de la simplicité un passage fort intéressant du *Prix de l'excellence*. Qui peut le plus peut le moins, dit-on. On pourrait paraphraser cette maxime en disant que ce qui vaut pour les grandes compagnies vaut également pour les individus. Car il ne faut pas oublier que les grandes compagnies ont d'abord été petites et, en règle générale, elles ont à leur origine un individu, un seul, dont les valeurs, l'enthousiasme et le rêve se sont concrétisés. Cédons la plume aux auteurs Thomas Peters et Robert Waterman qui parlent du paradoxe de la simplicité:

«Nous conclurons sur une contradiction apparemment étrange. Nous l'appellerons la règle de l'idiot intelligent. Beaucoup des managers actuels — formation M.B.A. ou l'équivalent — sont peut-être un peu trop intelligents. Ce sont ceux qui changent de direction tout le temps, ceux qui jonglent avec des modèles à cent variables, ceux qui conçoivent des systèmes stimulants compliqués, ceux qui concoctent des matrices. Ceux qui ont des plans stratégiques de 200 pages et des documents de 500 pages pour décrire les besoins du marché qui ne représentent qu'une étape dans les exercices de développement du produit.

«Nos amis «plus idiots» sont différents. Ils n'arrivent pas à comprendre pourquoi tous les produits ne peuvent pas être de la meilleure qualité. Ils n'arrivent pas à comprendre pourquoi chaque client ne peut obtenir un service personnalisé, même dans le domaine des chips. Ils prennent une bouteille défectueuse comme un affront personnel (rappelez-vous l'histoire de Heineken). Ils n'arrivent pas à comprendre pourquoi il est impossible d'obtenir un flot continu de nouveaux produits, ou pourquoi un ouvrier ne peut faire une suggestion tous les quinze jours. Les simples d'esprit vraiment: simplistes même. Oui, simpliste peut avoir une connotation négative, mais les gens qui dirigent les meilleures entreprises **sont un peu simplistes.**»

En fait, cette conclusion ne surprendra que ceux qui ne sont pas assez «simplistes» et qui, en général, pour cette raison n'ont pas vraiment réussi, en tout cas pas au-delà d'une certaine limite. Pour croire qu'on peut devenir millionnaire, qu'on peut faire autant d'argent qu'on veut, pour croire en son rêve, pour faire fi des sarcasmes des autres, il faut une bonne dose de «naïveté», de «simplicité». Les gens trop rationnels, trop «intelligents», peuvent réussir. Mais leur «intelligence» limite souvent le niveau de leur réussite, qui atteint rarement des sommets spectaculaires.

Pour comprendre et croire en la règle que nous allons énoncer, il faut de la simplicité. Plusieurs de ceux à qui nous en avons parlé ont souri, s'ils ne se sont pas carrément moqués. Par contre, **plusieurs gens que nous avons rencontrés au cours de la rédaction de cet ouvrage nous ont avoué qu'ils avaient commencé à faire vraiment beaucoup d'argent à partir du moment où ils ont suivi cette règle**. Plusieurs de ces hommes, qui oeuvraient d'ailleurs dans des domaines totalement différents sont devenus plusieurs fois millionnaires. D'ailleurs, les dix hommes riches n'ont pas dérogé à cette règle. La voici:

> IL FAUT SE FIXER UN OBJECTIF PRÉCIS: UN MONTANT ET UN DÉLAI POUR L'ATTEINDRE.

Peut-être certains d'entre vous sourient-ils déjà ou se sont-ils déjà passé la réflexion que les auteurs leur faisaient perdre leur temps. Et pourtant, ce qui vous a empêché jusqu'ici de réussir est peut-être le défaut de vous soumettre à cette règle. Ou encore, ce qui a limité votre succès c'est que vous n'avez pas su utiliser correctement la puissance de l'objectif en vous limitant inconsciemment.

N'oubliez-pas ceci: **les gens qui échouent n'ont jamais d'objectif précis**. Ou encore, plus secrètement, plus subtilement, pour toutes sortes de raisons souvent inconscientes, **ils se sont fixé un**

objectif très bas, et ils l'atteignent. Constamment. Année après année. En d'autres mots, et sans que cela soit un véritable paradoxe, **leur échec est un succès**.

Ce principe évoque dans notre esprit une anecdote maintes fois citée par plusieurs auteurs. C'est celle d'un vendeur d'assurances qui ne parvenait jamais à vendre plus de 5 000$ de primes par mois. Lorsque lui était assigné un territoire où la moyenne des ventes était faible, et fort inférieure à ce montant, il parvenait malgré tout à atteindre cet objectif qui dans ce cas était un succès. Mais quand on le plaçait dans un territoire plein de potentiel où les autres vendeurs avaient des performances largement supérieures, il ne pouvait quand même dépasser sa moyenne de 5 000$, ce qui évidemment était faible pour un tel territoire. En fait, le problème de cet homme était un problème d'objectif et d'image (nous verrons plus loin comment ces deux concepts sont intimement liés). Il ne croyait pas qu'il pouvait vendre plus (ou moins) que 5 000$, et son objectif inconscient était fixé en conséquence. Ceci est une preuve spectaculaire de la puissance du subconscient et du fait qu'**il est aussi difficile ou aussi facile pour lui de nous faire atteindre n'importe quel objectif**.

Attardez-vous à réfléchir à votre expérience. Ce qui vous arrive n'est-il pas toujours directement lié à votre objectif? Celui qui a un objectif flou, incertain, ou qui n'a pas d'objectif du tout a des résultats en conséquence. Celui qui a un objectif précis **et** qui met en marche le plan pour l'atteindre, le réalise toujours.

Pour quelle raison? La théorie du subconscient nous donne la solution. En fait, un objectif est une manière, sans doute la plus simple et la plus efficace, de programmer son subconscient. C'est une sorte de mot de passe, indispensable, pour entrer dans le monde du succès. Et savez-vous le plus beau de l'affaire? C'est que non seulement vous ne travaillerez pas nécessairement plus fort pour atteindre cet objectif, mais peut-être travaillerez-vous moins, surtout si vous êtes de ceux qui travaillent beaucoup mais n'ont pas l'impression de récolter les fruits légitimes de leurs efforts.

Comprenez-nous bien. Il faut en général travailler, souvent fort, pour réussir. Mais on peut travailler moins et avoir des résultats supérieurs. Et on peut travailler un nombre d'heures égal à ce que l'on a toujours fait et multiplier ses résultats. Encore une fois, **le secret tient dans l'objectif.**

Une chose est certaine, même parmi les gens travailleurs et doués de toutes les qualités pour réussir, la majorité des gens n'ont pas d'objectifs précis, quantifié comme il se doit. **La plupart se**

contentent de souhaiter une vague amélioration de leur sort sans jamais penser ou oser y apposer un chiffre.

Arrêtez-vous à votre propre cas. Quel est votre objectif pour l'année prochaine? Combien voulez-vous gagner? 20 000$? 30 000$? 50 000$? 100 000$? Un demi-million? Un million?

Si vous travaillez déjà et que vous êtes salarié, vous savez que si la situation suit son cours normal, et si vous ne faites rien de spécial pour la changer, vous aurez droit à une certaine augmentation de salaire en général assez maigre. Si vous êtes satisfait de cela, tant mieux. Mais si vous désirez une amélioration substantielle — et tout à fait légitime — de votre sort, alors demandez-vous quel objectif vous vous êtes fixé. Plusieurs salariés, qui se plaignent de leurs maigres revenus, affirment que leur situation est sans issue, que même s'ils se fixaient un objectif, **ils n'auraient pas le temps pour trouver les moyens de le réaliser**. Ceci n'est qu'une excuse.

Si la situation que vous occupez ne comporte pas de possibilité tangible d'augmentation ou de promotion, et qu'elle devienne donc contradictoire avec l'objectif que vous vous êtes fixé, faites en sorte que, malgré vos éventuelles obligations familiales, dès que retentit le coup de sifflet, c'est-à-dire dès que 17 heures sonnent, vous consacrez au moins une heure ou deux à la recherche de nouvelles avenues. C'est la seule façon de vous en sortir. Et ce n'est probablement pas si difficile que vous pensez. Mais si vous cessez tout effort dès la fin de votre journée normale de travail et que vous ne vous occupez plus que de vos loisirs, les chances que vous amélioriez votre condition sont faibles, pour ne pas dire nulles.

Si vous désirez une amélioration substantielle de votre sort, demandez-vous quel objectif vous vous êtes fixé (et quels efforts vous êtes prêt à faire pour l'atteindre). Si vous ne faites qu'avoir de vagues ambitions en vous disant: «S'il pouvait arriver quelque chose, une promotion, une offre d'emploi avantageuse, mais que vous ne vous êtes pas encore fixé d'objectif précis, le «miracle» que vous attendez ne se produira pas.

Vous valez ce que vous croyez que vous valez!

Commençons par un test fort simple. Prenez un papier et, après un instant de réflexion, notez le montant que vous aimeriez gagner l'année prochaine. C'est fait? Bon. Maintenant, lisez bien ce qui suit.

QUAND VOUS AVEZ ÉTABLI VOTRE OBJECTIF,
VOUS L'AVEZ NÉCESSAIREMENT FAIT
EN FONCTION DE L'IMAGE
QUE VOUS AVEZ DE VOUS-MÊME.

Ainsi, si vous gagnez 25 000$ par année, vous avez peut-être commencé par noter que vous souhaiteriez gagner 40 000$. Mais aussitôt vous vous êtes ravisé et vous avez inscrit à la place le montant de 30 000$, 32 000$ si vous étiez optimiste cette journée-là. Le raisonnement que vous vous êtes inconsciemment tenu c'est que vous ne valiez pas suffisamment pour gagner 40 000$, que vous n'aviez pas la valeur ou les qualités nécessaires pour une telle rétribution ou encore que, dans votre situation, il était impossible que les circonstances puissent vous faire atteindre cet objectif. En d'autres mots, et bien que cela puisse sembler surprenant, **vous valez ce que vous croyez que vous valez**. Pourtant, les raisons que vous avez évoquées dans votre esprit pour limiter ou réduire votre objectif vous ont toutes paru raisonnables et logiques. Elles ne sont ni l'un ni l'autre. Elles sont purement et simplement des produits de l'image que vous avez de vous-même.

Visez haut!

Souvenez-vous du grand principe que nous avons évoqué: **La plus grande limite qu'un homme puisse s'imposer c'est sa limite mentale**. Nous avons établi qu'un homme vaut ce qu'il croit qu'il vaut. **En règle générale, la plupart des gens se sous-estiment même si en apparence ils paraissent avoir confiance**. Rares sont les gens qui, au fond d'eux-mêmes, considèrent qu'ils ont une valeur réelle. Chacun souffre plus ou moins d'une sorte de complexe d'infériorité qui fait qu'il ne croit pas qu'il mérite le succès, l'estime des autres et de l'argent à profusion.

La meilleure manière d'augmenter votre valeur est d'augmenter votre image de vous-même. Nous avons vu précédemment les techniques nécessaires pour effectuer ce travail capital sur soi. Une des manières décisives de compléter ce travail est de travailler avec un objectif monétaire.

Faites le petit exercice suivant. Vous vous êtes tout à l'heure fixé un objectif. Multipliez-le carrément par deux. Et évaluez honnêtement votre réaction. Vous vous étiez fixé, disons, 40 000$ par année. Pourquoi pas 80 000$? Comment vous sentez-vous face à cet objectif? Le considérez-vous tout à fait farfelu? Irréalisable? Vous trouvez que c'est beaucoup, 80 000$. Vous avez raison d'une certaine manière en ce sens que ce n'est qu'une petite portion de la population qui peut se targuer de toucher semblable revenu. Cependant, chaque année, des milliers de gens à travers le monde deviennent millionnaires. Et des milliers de gens ont des revenus largement supérieurs à 100 000$ par année.

Tous les hommes et les femmes riches ont commencé par avoir en eux l'image (et donc la valeur) d'un millionnaire avant de le devenir. Pour augmenter votre valeur, visez haut. N'ayez pas peur de le faire. La première année, ne vous fixez cependant pas un montant qui vous paraisse totalement inatteignable. Allez-y par étapes. Mais fixez-vous un objectif ambitieux. Si vous visez haut et que vous ratiez de peu, vous obtiendrez quand même un résultat satisfaisant. Mais si vous ne visez pas haut et que vous n'atteigniez pas tout à fait ce que vous souhaitez, vous serez déçu et n'aurez réalisé que de faibles progrès.

L'utilisation de l'objectif quantifié est une véritable magie. Ce qui se passe en général lorsqu'on y recourt pour la première fois est qu'on conserve une dose de scepticisme qui limite nos ambitions. Mais dès qu'on est fort d'une première victoire, on peut et on doit se fixer des objectif plus élevés. Et savez-vous ce qui, en général, surprend le plus ceux qui se sont fixé un objectif pour la première fois? C'est qu'ils l'atteignent. Non seulement l'atteignent-ils, mais bien souvent ils le dépassent! D'ailleurs, **mettez-vous vous-même au défi de dépasser votre objectif!** C'est un jeu passionnant qui remporte en général des dividendes surprenantes. Peut-être aurez-vous atteint en six mois ce que vous vous étiez donné un an pour atteindre. Vous serez le premier à en profiter.

VOUS VALEZ BEAUCOUP PLUS QUE VOUS NE CROYEZ!

Vous valez infiniment plus que vous ne pensez. Seulement, on ne vous l'a jamais dit. Et on s'est d'ailleurs probablement évertué à vous persuader du contraire. Retenez bien ce point: l'intelligence, le travail, la motivation, l'imagination et la discipline, l'expérience ont certes de l'importance dans le succès, mais combien comptons-nous de gens autour de nous qui sont nantis de ces qualités et qui pourtant ne réussissent pas ou en tout cas à la mesure de leur valeur? Peut-être est-ce votre cas? Malgré vos qualités et vos efforts, le succès vous échappe inexplicablement. En revanche, sans doute connaissez-vous des gens, à votre bureau, ou dans votre compagnie, ou encore des entrepreneurs concurrents qui ne semblent pas doués de qualités particulières — **et qui de fait**

ne le sont pas — et qui pourtant obtiennent cette augmentation de salaire que **vous méritez**, ou présentent à la fin de l'année un bilan financier qui fait glousser de plaisir les associés ou les actionnaires.

La véritable raison n'est pas la chance ou le hasard. Ces gens ont une image d'eux-mêmes différente et se sont fixé un objectif précis. Ils croient sincèrement, viscéralement, qu'ils méritent ces revenus substantiels. Aucun doute ne subsiste dans leur esprit à ce sujet. Quant à vous, il est probable qu'au fond de vous-même, sans vous en rendre compte, **vous ne croyez pas que vous méritez d'importants revenus.**

Faites éclater vos limites mentales et décupler votre valeur en visant le plus haut possible! Et rappelez-vous que ce n'est pas en fait plus difficile pour votre subconscient de vous faire atteindre un objectif plus élevé qu'un objectif bas. Et s'il est une chose, c'est diablement plus agréable pour vous! Car ainsi, vous vous engagez sur la voie du succès!

Écrivez votre objectif.

«La discipline à laquelle on s'astreint en écrivant les choses est le premier pas vers la réalisation. On peut dans la conversation esquiver les problèmes en demeurant dans le vague, souvent sans même s'en rendre compte. Mais lorsqu'on couche ses idées sur le papier, on est tenu de se pencher sur les détails. Il est ainsi plus difficile de s'abuser... ou d'abuser autrui.»

Celui qui a écrit ces lignes percutantes et pleines de finesse psychologique, c'est Lee Iacocca.

Prenez le temps de relire le début de cette citation d'un homme qui a démontré au cours des années des qualités exceptionnelles de meneur et de créateur car il est entre autres considéré comme le père de la fameuse Ford Mustang qui séduisit toute une génération.

«La discipline à laquelle on s'astreint en écrivant les choses est le premier pas vers leur réalisation...» Ce n'est pas banal comme affirmation. C'est lourd de sens. À la vérité, le fait d'écrire son objectif le concrétise. Il ne reste plus dans le clair-obscur de la consience. Écrire son objectif équivaut à faire un premier geste, un acte: c'est vraiment le premier pas vers sa réalisation. Et comme il faut faire le premier pas avant de faire les suivants, jugez de l'importance de cet acte en apparence banale.

Le second avantage que Lee Iacocca explique est le fait qu'en écrivant l'objectif on ne peut plus s'abuser, se jouer des tours à soi-même. De la même manière, n'ayez pas peur de proclamer votre objectif, ou tout au moins de vous en ouvrir à vos proches. Bien sûr, vous courrez la chance de vous exposer aux sarcasmes. Mais rassurez-vous. Les dix hommes riches sont sans exception passés par là un jour ou l'autre, de même que tous ceux qui ont atteint le succès financier. Ces derniers ne riront jamais de vous. Peut-être souriront-ils, mais ce sera un sourire complice, parce qu'ils comprendront que vous aussi vous avez trouvé le secret et que vous ne tarderez pas à les rejoindre, dans le cercle des gagnants. Quant aux autres, restez indifférent à leurs rires. Bientôt, ce sera à votre tour de rire... dans votre barbe! Vous connaissez une vérité qu'ils ignorent et qu'ils ne veulent pas partager:

UN BUT PRÉCIS EST LE POINT DE DÉPART DE TOUT ABOUTISSEMENT.

L'obsession magnifique

Faites de votre objectif votre obsession magnifique. Écrivez-le à plusieurs endroits. Gardez-le bien en vue. Et surtout, gardez-le constamment à l'esprit. Un grand principe de l'esprit affirme que *l'énergie va où va la pensée*. En vertu de ce principe, en pensant constamment à votre objectif, et en en faisant une sorte d'idée fixe, toutes vos énergies (et il en est d'insoupçonnées) concourront à vous conduire au succès. Mieux encore, grâce au travail mystérieux de votre subconscient, les circonstances et les gens vous aideront de manière nouvelle, et au début surprenante, à atteindre votre objectif. L'objectif est comme une loupe. Il focalise vos énergies en un point. Et le feu du succès ne tarde pas à s'embraser.

Cette idée fixe, que certains auteurs appellent aussi monoïdéisme (du grec 'mono et idée', une seule idée) permet non seulement de décupler votre énergie et votre coefficient de réussite, mais il vous prévient contre un mal très grave et infiniment pernicieux: l'éparpillement. Tous les hommes riches ont été habités par une idée fixe, et cet objectif les a infailliblement conduits au succès.

Un autre avantage de l'obsession magnifique est qu'elle permet d'orienter beaucoup plus facilement sa vie professionnelle et d'ailleurs sa vie en général. Comment? Bien simplement. **Tout ce qui contribue à vous rapprocher de votre objectif doit être encouragé**. Tout ce qui vous en éloigne doit être rejeté. Comment savoir si une chose vous éloigne ou vous rapproche de votre objectif? Dans les cas litigieux, votre subsconcient, qui est programmé en ce sens, vous l'indiquera à coup sûr, à sa manière habituelle, grâce à une intuition, une lecture, le conseil d'un ami ou d'un collaborateur.

Un des hommes riches qui toute sa vie fut animé d'une obsession magnifique fut Walt Disney, comme le montre sa vie.

Walt Disney ou l'obsession magnifique d'un homme éternellement jeune...

Qui d'entre nous, jeunes ou vieux, n'a pas regardé *Disney World* à la télévision et vu ce monsieur à l'allure bienveillante et un peu candide, assis à son bureau, nous parler des animaux ou, un livre à la main, nous inviter dans l'univers fabuleux de ses personnages? Cette image de Disney, celle qui nous reste, c'est celle d'un homme au sommet de sa gloire. Mais qui peut dire si, pour certains, il ne fut pas seulement l'animateur d'une émission de télévision? Pourtant, l'une et l'autre de ces images ont leur part de vérité mais il n'en reste pas moins qu'elles masquent toutes deux l'audace et la persévérance du grand innovateur et du travailleur acharné qu'il fut.

La vie de Disney peut se résumer en une éthique qui fut également celle des grands noms de la finance ou de l'art:

TRAVAILLER AVEC ACHARNEMENT, PERSÉVÉRER POUR RÉUSSIR ET SURTOUT, AVOIR UNE OBSESSION MAGNIFIQUE.

Walter Elias Disney naquit à Chicago le 5 décembre 1901. Sa mère, Flora Call, était d'origine germano-américaine alors que son père, Elias Disney, était un Canadien de souche irlandaise. L'année 1901 fut aussi celle où Theodor «Teddy» Roosevelt devint Président des États-Unis. Son investiture marqua le début d'une époque pour laquelle la réussite était synonyme de travail et d'audace. La richesse semblait accessible à quiconque, indépendamment de ses origines, était prêt à s'assurer la maîtrise de sa destinée par ses efforts.

L'enfance du jeune garçon allait être marquée par plusieurs déménagements successifs car le père, bien qu'intéressé par les affaires, n'y montrait guère d'habileté et les revers de fortune étaient monnaie courante. Elias Disney était ce genre d'homme prêt à franchir mers et monde pour mettre la main sur une affaire prospère. Malheureusement, son rêve ne se réalisa jamais. Pour son fils cependant, les choses allaient être bien différentes.

En 1906, la famille Disney s'installe à Marceline, au Missouri, où le père de Walt venait d'acheter une ferme. La vie à la campagne et le contact direct avec la nature eurent pour effet d'éveiller chez le jeune garçon sa passion pour les animaux, lesquels allaient devenir les vedettes de ses dessins animés. Walt se souvient mieux de ces petits animaux apprivoisés à la ferme que des gens qu'il connut lors de son séjour à Marceline.

Par contre, un personnage est à jamais gravé dans sa mémoire: l'oncle Ed. Incapable de gagner sa vie parce qu'un peu simple d'esprit, cet oncle était hébergé gratuitement par les divers membres de la famille. Ce curieux personnage gagna bientôt le coeur de l'enfant. Aux yeux de Walt, Ed représentait un adulte totalement différent des autres: il était libre de faire ce qui lui plaisait et paraissait totalement heureux. Disney raconte à ce sujet: **«L'oncle Ed était la gentillesse même. Il ne possédait peut-être pas toutes ses facultés, mais jouissait fort bien de la vie à sa manière. Il savait le nom de tous les animaux et de toutes les plantes et reconnaissait les oiseaux à leur chant. Les promenades en sa compagnie étaient ma plus grande joie. (...) Je n'ai jamais rencontré d'être plus heureux et plus doux. Il représentait à mes yeux la joie de vivre, sous sa forme la plus simple et la plus pure. C'était à se demander qui était fou, lui ou les autres!»**

De cet oncle un peu étrange, Disney allait tirer une grande leçon, qu'il appliquera d'ailleurs tout au cours de son existence:

POUR VRAIMENT RÉUSSIR,
POUR PERCER ET ÊTRE HEUREUX,
IL FAUT FAIRE CE QUE L'ON AIME!

Pour le moment, le jeune Walt s'y employait très bien surtout depuis que sa tante Margaret lui avait donné un cahier à dessin et des crayons de couleur. Il passait des heures entières dans les bois à observer les animaux pour ensuite les fixer sur sa planche à dessin.

Mais, par suite de mauvaises récoltes, la situation des Disney devint plus que précaire. C'est ainsi qu'en 1910 on dut vendre la ferme et toute la famille prit la route de Kansas City. Ayant réussi quand même à réaliser quelques gains grâce à la vente des bâtiments, Elias Disney put acheter une concession de distribution de journaux. Les beaux jours du jeune garçon insouciant étaient terminés. Les dures réalités de la ville et du travail l'attendaient. Avec son frère aîné, Roy, le jeune Walt, qui n'avait pas encore dix ans, devait se lever à trois heures trente du matin pour aller guetter l'arrivée du camion de livraison des journaux. Alors commençait une longue marche à travers la ville, et l'on pouvait voir dans les rues grises de Kansas City un bambin parfois transi par le froid et la pluie qui semblait sur le point de crouler sous le poids d'un sac démesurément énorme par rapport à sa taille. Parfois, le froid était si intense que Walt s'allongeait sur le sol à l'entrée des maisons pour trouver un peu de chaleur et de repos.

Elias Disney veillait personnellement à ce que le travail de ses garçons soit accompli avec minutie et rigueur. Walt en savait quelque chose et dut subir plusieurs fois les foudres de son père parce qu'un client un peu grincheux s'était plaint que son journal avait été livré avec quelques minutes de retard ou détrempé par la pluie. Tout au cours de sa vie, il arriva à Walt Disney de se réveiller en sursaut et trempé de sueurs parce qu'il venait de rêver qu'il avait oublié de livrer un journal à un client et qu'il devait, à son retour, affronter la colère paternelle.

Pour arrondir les fins de mois, la mère de Walt aidait souvent son mari qui s'était fait représentant d'une laiterie de la région. Souvent, après sa livraison de journaux, Walt allait retrouver sa mère pour lui prêter main forte. La voir ainsi obligée de pousser l'énorme chariot était un spectacle auquel il ne pouvait s'habituer et qui soulevait en lui de nombreuses questions: travailler comme des forcenés toute une vie pour n'avoir en retour qu'un misérable salaire, était-ce vraiment là tout ce que l'on pouvait attendre de l'existence? N'y avait-il pas moyen de déjouer ce cycle infernal?

Il semblait bien pourtant y avoir une porte de sortie à en juger par les opulentes demeures où Walt livrait ses journaux et l'amoncellement de jouets magnifiques que possédaient les enfants de riches, jouets parfois laissés négligemment sur les perrons des maisons. En faisant sa tournée du matin, le jeune Walt ne pouvait s'empêcher de jouer un peu avec le train ou la petite auto exposée à sa vue. Puis, après quelques instants de jeu, il remettait le jouet à l'endroit où il l'avait trouvé et reprenait son travail.

Sans doute ces événements contribuèrent-ils à faire comprendre au jeune garçon que les gens se divisaient en deux catégories: ceux qui réussissent et les autres.

IL SE JURA DE FAIRE PARTIE
DE CEUX QUI RÉUSSISSENT.

Une autre chose irritait également le jeune camelot. Depuis le départ de son frère Roy, Elias Disney avait engagé d'autres camelots pour suffire à la tâche. Ce qui frustrait le plus Walt, c'était que ces jeunes garçons faisaient le même travail que lui, mais étaient payés en retour! Lui ne recevaient pas un sou! Malgré son insistance, son père avait clos le débat une fois pour toutes avec un «je te nourris, je t'habille, tu n'as donc rien à réclamer!»

Pendant les six années où Walt Disney livra des journaux pour le compte de son père, jamais il ne reçut un sou. Il dut donc trouver de l'argent de poche par d'autres moyens. Par exemple, il eut l'ingénieuse idée, à l'insu de son père, de livrer des journaux à de nouveaux clients recrutés dans un autre secteur de la ville. De plus, il avait réussi à dénicher un travail comme garçon de course chez un confiseur. Somme toute, l'enfant faisait de l'autonomie financière. Toute sa vie il n'eut qu'un seul but: être son propre maître et seigneur!

Avec la Première Guerre mondiale, la situation se gâta et Elias Disney dut vendre sa concession de journaux. La famille s'installa à Chicago où le père venait d'acheter des parts dans une petite fabrique de confitures. Walt y travailla quelque temps, mais écraser des fruits et entreposer des boîtes de conserves toute la journée semblait bien ennuyant aux yeux d'un jeune homme de 16 ans qui ne rêvait que d'aventure. Surtout depuis qu'il avait appris que son frère aîné s'était enrôlé dans l'armée. En dépit des cours de dessin et de caricature qu'il suivait à l'école des beaux-arts de Chicago, la tentation fut plus forte. Il s'enrôla comme ambulancier volontaire pour la Croix-Rouge même si, pour cela, il lui fallut mentir sur son âge. Son entraînement n'était cependant pas encore terminé que l'armistice était signée! Mais par un concours de circonstances, une unité spéciale dont il faisait partie fut désignée pour se rendre en France s'occuper du rapatriement des soldats américains blessés au front.

Ses supérieurs ne tardèrent pas à découvrir que ce jeune ambulancier un peu spécial possédait un vif talent pour le dessin. En plus de conduire les ambulances, Walt réalisa à partir de ce moment ses premières affiches destinées à guider les soldats vers les différents services médicaux. Avec l'aide d'un ami, le jeune ambulancier utilisa également son talent à des fins moins humanitaires. Pour se faire un peu d'argent, un ami de Walt avait eu l'idée de récupérer, sur les champs de bataille, des casques de guerre allemands afin de les revendre aux soldats américains de retour au pays, en guise de trophée de guerre!

Connaissant les talents artistiques de Disney, l'ami en question lui demanda s'il était possible d'ajouter une touche réaliste à ces précieux «souvenirs». Usant d'un ingénieux procédé, grâce à un mélange de peintures de mauvaise qualité qui s'écaillait presque aussitôt appliquée, Walt réussit à donner l'impression d'un objet ayant servi tout au long des combats. Cette opération terminée, il ne restait plus qu'à percer les casques d'une balle et d'y coller, à l'intérieur, une mèche de cheveux! Et voilà un trophée de guerre qui allait faire l'«orgueil» de l'heureux propriétaire et alimenter bien de «valeureux souvenirs» de guerre!

Ce séjour en France transforma l'adolescent un peu rêveur en un homme mature et très déterminé. «**C'est pendant les onze mois que j'ai passés en France**, dit-il, **que j'ai acquis la véritable expérience de la vie. (...) En ce qui me concerne du moins, c'est au cours de cette période que j'ai fait l'apprentissage de l'indépendance.**

J'AI SU DÉSORMAIS NE PLUS COMPTER QUE SUR MOI-MÊME!

À son retour, Elias Disney avait déjà tout tracé l'avenir de son fils: il travaillerait à l'usine de confitures pour pouvoir prendre, un jour, la relève. Cependant Walt voyait un tout autre avenir se tracer devant lui. Il voulait avant tout faire ce qu'il aimait le plus: dessiner! Malgré la vive opposition de son père à qui il paraissait presque immoral de gagner sa vie en crayonnant, Walt resta sur ses positions. Plus encore, pour mettre fin à un débat qui risquait de s'éterniser, il quitta tout simplement la maison paternelle pour s'installer au Kansas où son frère Roy habitait.

À peine arrivé dans la ville de Kansas City, Disney fonça vers les bureaux du *Star*, un important journal de la ville. Malheureusement le directeur lui fit comprendre de manière expéditive qu'il n'y avait pour l'instant aucun poste comme dessinateur et qu'il ferait beaucoup mieux de tenter sa chance dans un autre domaine. Malgré la façon quelque peu cavalière avec laquelle le jeune homme fut reçu, il ne se découragea pas pour autant. Quelques jours plus tard, il retourna au même journal mais pour y rencontrer, cette fois, le directeur du personnel. Il avait pris soin de revêtir son uniforme militaire, question de se donner plus de prestige et de crédibilité. Après les premiers échanges d'usage cependant, le directeur coupa court aux propos de Walt.

«Je regrette, mais vous êtes trop vieux.
— Mais j'ai à peine 17 ans, lança Disney.
— De toutes façons, ce genre d'emploi est très peu rémunérateur.
— Peu importe le salaire, je tiens beaucoup à travailler comme dessinateur.
— Quelle expérience possédez-vous?
— Eh bien... j'ai fait un peu de dessin à l'armée et j'ai conduit des ambulances.
— Dans ce cas, jeune homme, adressez-vous plutôt au ministère des transports!»

Ce jour-là, ce directeur ne se doutait nullement que ce jeune homme qui venait de refermer la porte derrière lui allait bientôt devenir un des plus grands créateurs de toute l'histoire du dessin animé, celui qui allait nourrir l'imagination de millions d'enfants à travers le monde entier.

Par un curieux hasard, le frère de Walt, qui travaillait alors dans une banque, connaissait deux clients qui dirigeaient une agence de publicité (la Gray Advertising Company) et qui recherchaient un apprenti dessinateur. Walt dut paraître très déterminé car il fut engagé sur-le-champ. C'est pendant ces quelques mois où Disney travailla pour cette agence qu'il apprit vraiment son métier et passa maître dans l'art du dessin et des effets spéciaux.

Toutefois une idée germait dans sa tête: **travailler pour son propre compte**. Surtout depuis qu'il avait appris qu'une partie du personnel allait être congédié une fois la saison terminée. Cette perspective le fascinait pour deux raisons: d'abord il voulait être autonome, ensuite, il avait envie de faire quelque chose de nouveau, d'original, et non seulement de satisfaire aux exigences d'un patron et de différents clients.

C'est ainsi qu'avec l'aide d'un ami, Ube Iwerks, Disney fonda sa première agence de dessins publicitaires. Leur premier client fut une chaîne de restaurants. Grâce à un arrangement, Disney et son associé purent, sans débourser un sou, s'installer dans un local qui leur servait d'atelier et de bureau dans l'édifice même de la New Restaurant. En échange, les deux hommes devaient réaliser les affiches publicitaires pour le compte de cette entreprise.

À part ce contrat, les jeunes associés avaient tout loisir et liberté de travailler à d'autres projets. Pour attirer des clients, Walt avait mis au point une formule qui se résumait ainsi: se présentant chez un commerçant ou un industriel, il s'empressait de s'enquérir si ce dernier possédait un service artistique. On lui répondait généralement par la négative, tout en prenant soin de préciser qu'un tel service ne leur apparaissait guère d'une quelconque utilité. C'est alors que Walt proposait de leur fournir ce service, d'en assumer la responsabilité. S'ils n'avaient pas de travail à leur confier, cela ne leur coûterait absolument rien. Par contre, si jamais ils avaient besoin de tels services, ils étaient tout prêts, Ube et lui, à réaliser les projets. Ce petit stratagème permit aux deux hommes, en l'espace de quelques mois, d'économiser beaucoup plus d'argent qu'ils n'auraient pu le faire à l'emploi d'une quelconque agence.

L'affaire semblait prometteuse jusqu'au jour où Walt tomba par hasard sur une annonce dans un journal demandant les services d'un caricaturiste pour une agence de publicité cinématographique, la Kansas City Film Ad Company. Le dilemme était de taille. Poursuivre avec Ube ou réaliser un vieux rêve, celui de faire du dessin animé. Autre argument qui militait en faveur du dessin animé, c'était qu'une fois maîtrisée la technique du septième art, rien ne l'empêchait de repartir à son compte. Cet argument lui semblait irrésistible. C'est ainsi que, en 1920, Disney fit son entrée dans le monde du dessin animé. Il ne tarderait pas à y imposer sa marque et les personnages qu'il allait créer deviendraient populaires dans le monde entier.

La Kansas City Film Ad Company se chargeait de la publicité cinématographique sous toutes ses formes et, bientôt, le nouveau caricaturiste se fit remarquer. En effet, quelque temps seulement après son entrée au studio, Walt reçut commande d'une affiche: un homme coiffé d'un chapeau à la mode de l'époque. Il exécuta le dessin, mais à la place du nez, il dessina une ampoule électrique! Lorsqu'on projeta l'affiche sur un écran, le grand patron poussa un cri: «Enfin quelque chose de nouveau dans cette boîte! J'en ai assez de toutes ces têtes d'éphèbes!»

Toutefois l'originalité du jeune Walt et sa façon de voir les choses ne tardèrent pas à déranger certains de ses supérieurs et de ses collègues. On le jalousait. On voyait en lui quelqu'un qui perturbait l'ordre établi.

C'est ainsi qu'on lui refusa d'essayer un nouveau procédé pour perfectionner la technique de la bande dessinée. Disney avait eu l'idée géniale d'effectuer plusieurs dessins sur du papier de celluloïd, les photographiant un à un pour ensuite les superposer et les filmer. Les supérieurs de Walt ne voulurent rien entendre de ce nouveau procédé. «Notre façon de faire a, jusqu'à ce jour, donné de bons résultats. Nous ne voyons donc aucune raison de changer nos procédés puisque tous nos clients sont satisfaits.» Walt savait qu'il avait raison. Suivre le courant n'est pas toujours le meilleur moyen d'arriver à bon port!

À force d'insister auprès de ses supérieurs, Walt obtint finalement la permission d'apporter chez lui une des caméras dont disposait la Kansas, question de procéder à quelques expériences. À partir de ce jour où il put mettre la main sur une caméra, la grande aventure commença.

Dans un vieux garage inoccupé qu'il transforma en studio de fortune, il se mit à tourner de courts dessins animés selon sa propre technique. Le produit terminé, il alla le montrer à un important directeur de salles de cinéma. L'homme fut enthousiasmé. Les dessins de Walt et sa technique cinématographique s'écartaient nettement des méthodes classiques. Et les premiers dessins animés de Disney prirent l'affiche dans les salles de cinéma...

Ils servaient, au début, à distraire le public pendant les entractes ou tenaient lieu d'annonces publicitaires. Walt baptisa ces petits films d'animation «Laugh-O-Grams». Ceux-ci firent rapidement la conquête du public et désormais, à Kansas City, Disney n'était plus ce jeune homme quelque peu original mais il était considéré avec respect. On lui accorda même une augmentation de salaire. Rapidement, Disney devint une célébrité dans sa ville adoptive.

Il rendit la caméra empruntée et s'empressa, avec le petit capital accumulé, de s'en acheter une. Les Laugh-O-Grams gagnaient rapidement en popularité, et Walt loua un autre local pour fonder une modeste compagnie, la «Laugh-O-Grams Corporation» avec un capital initial de 15 000$. Il engagea quelques apprentis dessinateurs et un représentant pour promouvoir la vente des Laugh-O-Grams à New York. Son rêve d'autonomie et d'indépendance était en train de se réaliser alors qu'il avait à peine vingt ans.

Il décida alors de quitter la K.C. Film Ad Company pour servir uniquement ses propres intérêts. Le succès n'en était pas pour autant assuré. Les coûts de production étaient élevés et le penchant perfectionniste de Disney (qui l'incitait à réinvestir tous ses profits dans l'amélioration de son produit), de même que le marché réduit où il oeuvrait le conduisirent bientôt à la banqueroute.

Ce fut une période bien sombre dans la vie du jeune artiste qui, pourtant, s'était cru à l'abri du besoin. Disney n'avait plus un sou et fut dès lors obligé de vivre dans son atelier. Le seul fauteuil qu'il possédait lui servait à la fois de lit et de table. Walt était obligé de se rendre, une fois la semaine, à la gare centrale où, pour un prix modique, il pouvait prendre une douche.

Il réussit finalement à dénicher un petit contrat de dessins animés destinés à faire comprendre aux enfants la nécessité de se brosser les dents. Un soir, le dentiste responsable de l'affaire lui téléphona pour lui demander de passer à son bureau y discuter du projet. **«Impossible»**, de répondre Disney. **«Pourquoi?»** **«Parce que je n'ai pas de chaussures. L'unique paire de souliers que je possède est chez le cordonnier et je n'ai pas de quoi le payer!»**

Malgré l'adversité, Walt Disney ne se découragea pas. Il avait une idée en tête. Grâce à ses maigres économies, un soir de juillet 1923, c'est un homme à la silhouette amaigrie, vêtu d'un vieux complet ciré, qui prit le train pour Hollywood. Cet homme était bien décidé à devenir quelqu'un dans le monde du cinéma.

Lorsque Disney arriva à Hollywood, il n'était qu'un illustre inconnu comme tant d'autres avant lui, venus dans l'espoir de réaliser leurs rêves. Son frère Roy habitait la Californie depuis peu et il se fit un plaisir de l'héberger. Walt entreprit alors la tournée systématique des studios de cinéma de la région. Il était prêt à accepter n'importe quoi pourvu que ce travail ait un rapport avec le cinéma.

**«POUR S'IMPOSER DANS UNE SPÉCIALITÉ,
IL FAUT D'ABORD Y ENTRER
COÛTE QUE COÛTE!»**

Disney réalisa rapidement que n'entre pas qui veut dans les studios de cinéma d'Hollywood. Bien d'autres avant lui avaient frappé à ces mêmes portes et avaient reçu le même genre d'accueil.

Il ne se laissa pas abattre pour autant.

Si d'autres hommes avant lui avaient réussi à imposer leur nom dans cette ville, pourquoi en irait-il autrement pour Walt Disney? Ainsi raisonnait-il. À ses yeux, il y avait deux catégories de gens:

«IL Y A CEUX QUI SE CROIENT PERDUS LORSQU'ILS NE TROUVENT PAS D'EMPLOI ET CEUX QUI, DANS LES MOMENTS DIFFICILES, ARRIVENT À FAIRE QUELQUE CHOSE POUR GAGNER LEUR VIE.»

Disney s'était toujours efforcé de faire partie de la deuxième catégorie.

L'expérience lui avait appris que, bien souvent, il ne faut compter que sur soi-même. Il reprit donc sa planche à dessin, bien décidé à se tailler une place au soleil. Il réalisa une série de petites histoires en images (*comic strip*), dans l'intention de les vendre dans certaines salles de cinéma. Il s'agissait somme toute de rééditer l'expérience de Kansas City et des Laugh-O-Grams. L'idée enchanta un directeur de salle qui acheta toute une série de *comic strips* et lui commanda une suite de **Alice au pays des merveilles** dont Disney avait commencé le tournage au Kansas. On lui offrait 1 500$. C'était beaucoup plus que n'en avait espéré Walt. Les **Alice** furent projetés pendant trois ans. Si bien qu'ils permirent à Walt de s'acheter une maison. Il possédait même son propre studio de tournage.

Mais après la série des **Alice**, Walt voulut créer quelque chose de nouveau, d'entièrement original.

C'est ainsi qu'allait naître une petite souris rusée du nom de Mickey Mouse, ainsi baptisée par la femme de Walt, Lillian Bounds. Mickey Mouse, allait rapidement devenir une célébrité mondiale, encore plus populaire que bien des vedettes hollywoodiennes. Toutefois les producteurs réservèrent un accueil plutôt froid à Mickey.

À peu près à la même époque, le cinéma parlant fit son apparition et le public se mit désormais à bouder les films muets. Disney ne tarda pas à réagir. Avec une équipe de collaborateurs, il élabora une technique de synchronisation originale qu'il allait désormais intégrer à la réalisation de ses dessins animés.

La petite souris parlante fit sensation et Disney reçut dès lors 5 000$ pour chaque film de Mickey Mouse. Toujours à la recherche de nouveaux procédés susceptibles d'améliorer son art, Walt appliqua le principe «technicolor», technique qui le libéra du vieux procédé qui ne permettait qu'une combinaison de deux couleurs à la fois. C'est ainsi que pour la forêt dans le film *Bambi*, il alla jusqu'à utiliser 46 teintes différentes de vert! Son premier dessin animé en couleurs, *La symphonie folâtre* déclencha une véritable rage chez les amateurs de cinéma. De plus en plus Disney réalisait que pour poursuivre sur une grande échelle il devait réunir autour de lui un cerveau collectif, **c'est-à-dire s'entourer de collaborateurs compétents en vue d'offrir un produit de qualité.**

«JE COMPRIS QUE POUR NOUS IMPOSER DÉFINITIVEMENT, IL NOUS FALLAIT AVOIR DES COLLABORATEURS QUE NOUS AURIONS FORMÉS NOUS-MÊMES.

«**Nos dessinateurs**, disait-il, **utilisaient en effet trop souvent de vieux procédés qui n'étaient plus que des ficelles. Je ne pouvais y remédier qu'en créant un cours de perfectionnement.**»

«MON OBJECTIF ÉTAIT SIMPLE: AMÉLIORER LA QUALITÉ DES DESSINS MÊMES ET LA TECHNIQUE DE L'ANIMATION!»

La société Disney prenant de l'expansion, Walt décida de créer en 1930 sa propre école de dessins où il enseignerait aux futurs dessinateurs toutes les techniques et subtilités de son art. L'école allait bientôt ressembler à un véritable zoo. En effet, pour donner plus de réalisme aux héros de ses dessins animés, Disney avait transformé les salles de classe en de véritables laboratoires de biologie où les élèves passaient de longues heures à observer différents animaux autant pendant leur sommeil qu'en éveil, en train de manger, bref dans toutes les phases de leur existence. Ces études minutieuses du comportement animal allaient en outre servir plus tard à la réalisation de films documentaires sur les merveilles de la nature.

En 1938, Disney lançait son premier long métrage, *Blanche Neige*, qui demanda deux ans de dur labeur. Ce film fut l'un des grands chefs-d'oeuvre de Disney et allait lui rapporter la gloire et la fortune. Il fit construire peu de temps après des studios de tournage modernes à Burbank, en Californie, studios qui allaient employer jusqu'à 1 500 personnes. Il semblait désormais avoir atteint son but. Mais il n'en restait pas moins intransigeant quant à la qualité de ses films.

Il devenait progressivement l'homme qu'il était voué à être — le maître d'oeuvre d'une opération complexe demandant patience, persévérance et professionnalisme.

«JE NE TRAVAILLE VRAIMENT BIEN QUE LORSQUE J'AI DES OBSTACLES À VAINCRE.»

«C'EST QUAND LES AFFAIRES MARCHENT TROP BIEN QUE JE ME FAIS DU SOUCI, CRAIGNANT QUE LA SITUATION NE CHANGE BRUSQUEMENT.»

Pendant la Seconde Guerre mondiale, les frères Disney (Roy s'étant associé à Walt) reçurent plusieurs contrats de l'armée américaine pour produire des documentaires ou diverses affiches destinées à du matériel militaire. La guerre terminée, les Studios Disney reprirent de plus belle leur production et Walt se donna plus que jamais à son art. Il lui arrivait souvent de rester tard le soir aux studios. **Souvent,** raconte-t-on, **il faisait le tour des corbeilles à papier pour en examiner le contenu**. Il n'était pas rare que le lendemain, il demande à ses collaborateurs de revoir le contenu de celles-ci, car prétendait-il, il y avait parfois là des idées fort intéressantes à exploiter! C'est à cette période que Walt réalisa la plupart de ses chefs-d'oeuvre comme *Cendrillon, Peter Pan, Bambi*, etc...

Vers les années cinquante germa dans l'esprit de Walt son rêve le plus fabuleux: Disneyland! À l'époque, tous les amis de Walt et en particulier les banquiers, qualifièrent ce projet d'insensé. Encore une fois cependant, Disney allait démontrer qu'il n'y a pas de limites aux rêves d'un homme!

L'idée de Disneyland lui était venue alors qu'il avait l'habitude de se promener avec ses deux filles, Sharon et Diana, dans les parcs. Il avait imaginé un gigantesque parc d'amusement pour les enfants où l'on retrouverait tous les principaux personnages de ses dessins animés. Quoi qu'il en soit, le jour où Walt décida de mettre son projet à exécution, rien ni personne ne put l'en dissuader. N'en avait-il pas toujours été ainsi pour tout ce qu'il avait décidé d'accomplir auparavant? Le premier Disneyland en banlieue de Los Angeles fut inauguré en 1955. Ce fut, pour Walt, un grand jour. **«Si je m'écoutais,** avoua-t-il, **mon parc ne serait jamais terminé. Voilà au moins une oeuvre que j'ai la possibilité de perfectionner à l'infini!»**

En 1985, Disneyland accueillit son 250 millionnième visiteur.

En 1966, à la mort de Walt Disney, le cinéma perdit un de ses plus grands créateurs. Deux grands principes l'avaient constamment animé: faire ce qu'il aimait et croire en ses idées.

Sinon, il n'aurait jamais été l'homme qu'il fût: le récipiendaire de 900 citations, 32 Oscars, 5 Emmys et 5 doctorats honorifiques, un pionnier dans l'histoire du dessin animé et un de ses hommes les plus riches du monde. Il avait réalisé au-delà de ses espérances son obsession magnifique...

* * *

Le plan d'action

Ce qu'il y a de surprenant lorsqu'on se fixe un objectif, si tant est qu'il soit le moindrement ambitieux (si ce n'est que d'obtenir une augmentation annuelle de 5%, vous l'obtiendrez sans doute sans rien faire de spécial) c'est qu'il engendre généralement une importante et brusque prise de conscience.

> SE FIXER UN OBJECTIF ENGENDRE
> EN GÉNÉRAL CHEZ L'INDIVIDU
> UNE IMPORTANTE ET BRUSQUE
> PRISE DE CONSCIENCE.

Cette prise de conscience prend généralement la forme suivante:

IL EST ÉVIDENT QUE JE NE GAGNERAI PAS 5 000$ OU 10 000$ OU 100 000$ DE PLUS CETTE ANNÉE, QUE JE N'OBTIENDRAI PAS UN NOUVEL EMPLOI (OU UN PREMIER EMPLOI) OU UNE PROMOTION IMPORTANTE, **SI JE NE FAIS RIEN**. SI LES CHOSES CONTINUENT COMME ELLES VONT ACTUELLEMENT, JE VAIS ME RETROUVER SENSIBLEMENT DANS LA MÊME SITUATION À LA FIN DE L'ANNÉE. IL FAUT DONC QUE JE FASSE QUELQUE CHOSE. IL ME FAUT UN PLAN D'ACTION POUR ATTEINDRE MON OBJECTIF.

Ce raisonnement est parfaitement juste. Souvent, ce quelque chose que vous devez faire, c'est carrément autre chose. Il est bon que vous en preniez conscience une fois pour toutes. Il est hélas certains postes qui ne seront jamais lucratifs. Il n'y a, par exemple, jamais de fonctionnaires qui sont devenus millionnaires en exerçant exclusivement leur métier. Certains hauts fonctionnaires sont relativement bien payés, mais ils sont l'exception. Enfin, nous n'avons rien contre les fonctionnaires. C'est un exemple parmi tant d'autres. Celui qui est commis dans une épicerie ou vendeur de souliers peut devenir millionnaire — et il y en a bien des exemples — mais ce ne sera sûrement pas dans l'exercice de son actuel métier où il touche probablement le salaire minimum. Donc, si vos ambitions sont grandes, trouvez un domaine qui recèle de grandes possibilités. Et, nous le rappelons: **Prenez conscience une fois pour toutes que votre condition matérielle ne s'améliorera pas si vous ne faites rien**.

Mettez sur pied votre plan d'action.

Si vous cherchez un premier emploi, rédigez un curriculum, faites des appels téléphoniques, sollicitez des entrevues. Si vous cherchez une bonne occasion pour investir quelques milliers de dollars dans l'immobilier, par exemple, soyez à l'affût. Parlez-en à vos relations dans le domaine, consultez les journaux spécialisés, partez à la chasse. Si vous voulez obtenir une augmentation de salaire, analysez bien la situation. Trouvez la personne qui peut le plus vous aider à l'obtenir. Essayez de trouver les meilleurs arguments pour convaincre votre patron **en quoi il peut tirer profit de l'augmentation qu'il vous donnera**. Si vous êtes entrepreneur, cherchez à découvrir un nouveau filon, ou comment exploiter davantage un marché déjà existant ou encore comment réduire vos coûts.

Nous en sommes conscient, les suggestions ci-haut indiquées pèchent par excès de généralité. Ce qui, du reste, est inévitable. Chaque situation est particulière et nous n'avons pas l'espace pour nous attarder sur la manière de rédiger un curriculum ou de passer avec brio une entrevue, ou bien de s'informer sur la pertinence de l'achat d'un immeuble. Les ouvrages spécialisés existent à ce sujet qu'il est bon de consulter, surtout lorsqu'on ne dispose pas de toute l'expérience souhaitable dans le domaine.

L'important, c'est de préparer un plan d'action. Par étapes. De manière que ce que vous allez faire vous apparaisse le plus clairement possible. Il faut savoir s'en tenir à son plan initial, malgré les difficultés et les obstacles. Cependant, il faut aussi savoir faire des ajustements en temps opportuns, et adopter tout plan qui paraît supérieur, lorsqu'il vous vient à l'esprit. Il faut également savoir renoncer lorsque l'échec est évident. Ainsi, certains produits ne s'imposent jamais, ne rencontrent jamais la faveur du public. Il est certains emplois particuliers, dans certaines compagnies, que vous ne pourrez jamais obtenir. Mais consolez-vous à l'idée que vous obtiendrez possiblement mieux ailleurs. C'est même, à coup sûr ce qui arrivera si votre subconscient est programmé de la sorte.

Nul être humain n'est infaillible, même l'homme d'affaires le plus expérimenté. Seuls ceux qui ne font rien ne font jamais d'erreur. La loi de la moyenne que nous avons déjà évoquée vous sauve cependant, de même que votre programmation positive. Ce qui compte, c'est que même si vous essuyez des échecs provisoires dans certaines situations, **vous atteindrez quand même votre objectif, si votre subconscient est adéquatement programmé**. Seulement ce sera par des voies légèrement différentes. Parfois imprévues. Telle est la puissance secrète de l'objectif monétaire précis et assorti d'un délai. Tous les chemins mènent à Rome, dit le dicton. Le subconscient paraît avoir fait sien ce proverbe. Ses voies sont parfois mystérieuses, mais il y a une chose que vous connaissez comme lui: c'est votre objectif.

Pour votre plan, faites preuve d'un mélange de rigueur et de souplesse, en vous rappelant qu'un excès de l'un ou de l'autre peut se révéler fâcheux. Mais retenez également ceci: la plupart des gens échouent parce qu'ils abandonnent trop tôt, dès le premier échec ou à la première contrariété. Donc, si vous avez à choisir, tenez-vous-en à votre plan initial. Tous les hommes riches ont agi de la sorte.

Pour mettre en application votre plan d'action, vous serez probablement appelé à prendre certains risques. Vous ferez face à une sorte d'insécurité. Surtout si c'est la première fois que vous vous fixez un objectif et un plan d'action. Tout changement engendre une dose d'angoisse, d'insécurité. Mais n'ayez pas peur de foncer. Lee Iacocca fait dans son autobiographie une réflexion amusante à ce sujet: «(...) Il est essentiel de prendre un minimum de risques. Mais je suis conscient que cela ne peut concerner tout le monde. Il y a des gens qui sont incapables de partir de chez eux le matin sans emporter un parapluie, même s'il fait soleil. Mais malheureusement, le monde ne nous attend pas toujours pendant que nous essayons d'imaginer nos pertes. Il faut parfois prendre des risques... et corriger sa route à mesure que l'on avance.»

Si vous êtes de ces gens qui partent toujours le matin avec un parapluie, même lorsque le soleil brille, il est peu de chances pour que, dans un premier temps, vous ayez cru bon de vous fixer un nouvel objectif et, dans un deuxième temps, d'établir un plan d'action pour l'atteindre.

Un objectif n'est pas exclusivement de nature financière. Vous pouvez vous être fixé comme objectif, par exemple, de devenir le meilleur avocat, le meilleur romancier, le meilleur comptable, le meilleur investisseur immobilier, le meilleur vendeur d'assurances, le meilleur fabricant de souliers dans un délai fixé. Et c'est tout à fait légitime. C'est d'ailleurs une des meilleures façons de parvenir au succès. Rappelez-vous la définition véritable de la richesse: la rétribution touchée en échange d'un service (au sens large) aux autres. Si vous rendez le meilleur service, il est normal que votre rétribution soit faite à l'avenant. Les mêmes règles s'appliquent pour un objectif qui n'est pas purement monétaire. D'ailleurs, l'idéal est d'assortir les deux. Le désir de devenir le meilleur dans un domaine particulier, et celui d'atteindre, dans un délai donné, un montant précis en termes de revenus. La combinaison est tout à fait naturelle, efficace.

Pas plus de deux objectifs à la fois.

Méfiez-vous de vous fixer trop d'objectifs à la fois. Cela conduit rarement, pour ne pas dire jamais, au succès. Notons que l'ambition de devenir le meilleur dans son domaine et celle d'atteindre un objectif déterminé en termes de revenu, ne constituent pas à proprement parler deux objectifs. C'est plutôt un objectif double. Car les deux sont étroitement interreliés.

Que voulez-vous faire de votre vie?

Se limiter à deux objectifs par année, soit par exemple de passer maître dans tel domaine ou, en tout cas, de s'améliorer le plus possible, et d'atteindre tel revenu, dans l'exercice du travail que vous faites actuellement ou d'un autre, que vous réussirez à dénicher, ne veut pas dire que vous ne devriez pas vous fixer des objectifs à plus long terme. Il n'est pas mauvais de vous fixer un autre objectif, à moyen terme, par exemple, pour les cinq années à venir dans lequel votre objectif d'un an pourra s'inscrire tout naturellement et dont il sera une étape. Beaucoup d'hommes riches vont même jusqu'à se fixer un objectif pour leur vie entière. À la lumière des nombreuses réflexions de ces géants de la finance dont est émaillé ce texte, vous avez pu constater que plusieurs **savaient** très jeunes ce qu'ils entendaient faire de leur vie. L'expression «Je savais que telle activité serait toute ma vie» revient d'ailleurs souvent sous leur plume.

Pourquoi ne pas s'inspirer de leur exemple? Interrompez momentanément votre lecture et demandez-vous ce que vous voulez faire dans votre vie, ce que vous voulez être. Ne vous censurez pas. Laissez libre cours à votre imagination. Écoutez votre coeur. Soyez à l'écoute de vos rêves. Vous êtes seul avec vous-même. Nul n'est là pour vous critiquer ou vous ridiculiser. Comment aimeriez-vous être dans cinq ans, dans dix ans, dans vingt-cinq ans? Quelle est la vie dont vous rêvez? Quelle position aimeriez-vous occuper? Ne tenez pas compte dans cette projection de votre situation actuelle, de vos échecs antérieurs, de votre passé. Ne tenez pas compte de votre âge, non plus. Souvenez-vous de l'exemple de Ray Kroc, qui, à 52 ans, considérait que les plus belles années de sa vie étaient devant lui. À tout âge, vous pouvez rendre votre vie plus féconde, plus fructueuse. Et bien souvent, les rêves que l'on nourrit de ses pensées et de ses sentiments se réalisent plus aisément qu'on ne le pense, peu importent son âge et sa condition.

L'avantage de chercher à savoir ce que l'on fera de toute sa vie, ou encore des années qu'il nous reste à vivre, et qui peuvent être les plus belles de toutes, de se projeter dans un avenir lointain, est que cela vous aide à donner un sens à vos objectifs à court terme. Prenez une plume et du papier et notez ce que vous entendez faire de votre vie. Mettez le plus de détails possible. Quel genre de travail aimeriez-vous exercer? Quels revenus aimeriez-vous gagner? Dans cinq ans? Dans dix ans? Dans vingt ans? Quel genre de maison aimeriez-vous habiter? Quel cercle d'amis souhaitez-vous fréquenter? Les voyages feront-ils partie de votre vie? Et les vacances? Et la vie familiale?

Notez tout, donc, avec le plus grand luxe de détails possible. Visualiser ainsi votre avenir a un grand pouvoir. Cela peut littéralement modeler votre vie à venir. En fait, en rêvant ainsi de manière systématique, vous programmez votre subconscient. Vous l'imprégnez d'images qui tendront à se réaliser dans les circonstances de votre vie. L'avantage, c'est que **vous** détenez alors les leviers de commande. **Vous devenez l'architecte de votre propre vie au lieu que ce soit les circonstances ou les autres.**

VOUS POUVEZ DÈS AUJOURD'HUI DEVENIR L'ARCHITECTE DE VOTRE VIE

Cet objectif à long terme deviendra votre idéal de vie et simplifiera plusieurs choix qui autrement auraient été difficiles, ou pis encore, vous auraient paru arbitraires, sinon absurdes. Lorsque l'on ne sait pas ce qu'on veut faire de sa vie, il est difficile de justifier ses moindres décisions quotidiennes, puisqu'elles ne sont pas inscrites dans un plan plus vaste, dans une logique supérieure qui donne un sens à tout acte, à toute démarche, à toute pensée, même. Ceux qui ne savent pas ce qu'ils veulent de leur vie, ceux qui ne savent pas se projeter dans l'avenir, de manière à le modeler au gré de leurs désirs, parviennent rarement au succès. Ils sont comme des bateaux sans gouvernail sur les flots houleux de l'existence.

Se faire un plan de vie est quelque chose de très stimulant, de très motivant, et qui est d'une grande aide pour atteindre le succès dans tous les domaines. Cependant, dans l'établissement de ce plan, gardez toujours à l'esprit qu'il faut conserver une certaine souplesse face à l'avenir, que tout dans la vie est adaptation, et qu'un excès de rigueur n'est pas souhaitable. En effet, ce que vous ferez dans dix ans, même dans cinq ans, ne correspond pas nécessairement à ce que vous avez prévu. Ce qui ne veut pas dire du reste, que ce qui vous arrivera ne sera pas mieux que ce que vous avez prévu. En fait, lorsqu'on est bien programmé, les changements qui surviennent dans notre plan sont toujours «pour du plus». À mesure que vous avancerez dans le développement personnel, à mesure que votre subconscient deviendra plus intégralement positif, les plans que vous concevrez seront plus audacieux, plus ambitieux, et vous laisserez tomber vraisemblablement certains plans conçus au début. Cela n'est pas grave. Les choses se passent souvent ainsi. Ce qui compte, c'est de progresser constamment, vers un épanouissement plus large, un enrichissement total.

Précisez votre objectif pour l'année à venir.

Une fois que vous avez bien en tête votre objectif pour la prochaine année, et le délai pour l'atteindre, fractionnez-le. Mettez dans l'ordre les choses que vous devez accomplir. Toujours par écrit. Mettez une date pour chacune de ces étapes. Et respectez ces nouveaux délais. Essayez de voir si vos revenus mensuels sont l'équivalent du douzième de ce que vous entendez gagner en une année grâce à votre nouvel objectif. Si vos revenus sont établis sur une base régulière et que vous ne gagniez pas en un mois le douzième de votre objectif annuel, c'est donc que vous devez nécessairement faire autre chose, pas nécessairement en quittant votre emploi, mais en surplus, pour atteindre votre objectif.

Bien sûr, la nature de certaines entreprises ne se prête pas toujours à une subdivision si simple. On fait parfois dans les six derniers mois les trois quarts de ce que l'on entendait faire en un an. Mais il est cependant une chose que **vous pouvez et devez planifier** avec le plus de soin possible, tout en restant souple si une occasion inopinée et lucrative se présente. Cette chose, ce sont les tâches et les démarches, en un mot, le travail que vous avez à accomplir pour atteindre votre objectif. Séparez votre objectif annuel en mois, puis ces mois en semaines. Une bonne planification évite bien des tracas et limite les imprévus, même s'il y en a toujours.

Disciplinez-vous!

Il est beau de se fixer un objectif, et c'est même nécessaire pour qui veut s'enrichir, mais pour le mettre en application, le vivre au jour le jour, il faut de la discipline. Et la meilleure discipline, la seule valable au fond, c'est celle qui vient de vous, qui ne vous est pas imposée de l'extérieur. Souvenez-vous de la maxime profonde du philosophe grec Héraclite: «Caractère égale destinée.» Attardez-vous un instant à cette équation qui paraît simple et qui l'est, et qui cependant recèle une profonde sagesse. Observez les gens autour de vous. Pensez à ceux que vous connaissez. La loi édictée par l'antique philosophe ne connaît pas d'exception. Tous ceux qui réussissent ont du caractère, du tempérament: ce sont des gens qui ont une discipline. Faites le recensement de vos connaissances. Vous ne verrez personne qui réussit sans force de caractère. Rappelez-vous la mystérieuse Loi que nous avons évoquée précédemment, celle voulant que tout être humain ait un maître. Pour devenir son propre maître, et prendre en main sa destinée, il faut de la discipline. Incidemment, les dix hommes riches de cet ouvrage firent sans exception preuve d'une discipline inflexible. Cela va sûrement à l'encontre de l'imagerie populaire qui croit que les riches sont désoeuvrés et fainéants. Il est vrai que parmi ceux qui ont acquis leur fortune par héritage, certains n'affichent pas une conduite exemplaire. Mais c'est précisément qu'ils n'ont pas eu à faire preuve de force de caractère et de discipline pour gagner cet argent. Il en va tout autrement des self-made men, qui font l'objet de notre étude.

CARACTÈRE ÉGALE DESTINÉE.

Il ne faudrait cependant pas croire que nous entendons par discipline un régime spartiate qui ne laisse aucune place à la fantaisie et à la détente. Cette conception puritaine et militaire de la discipline est non seulement surannée mais s'avère en général inefficace, si ce n'est pour conduire à l'infarctus ou à un ulcère perforé.

Se discipliner signifie aussi prévoir du temps pour ses loisirs, pour sa détente, pour de l'exercice physique. L'erreur de bien des gens qui partent à la conquête de la fortune est de perdre de vue qu'ils ne sont pas des machines, et qu'ils ont besoin de répit pour bien fonctionner. Le surmenage n'est jamais productif. Il faut se ménager du temps pour recharger ses batteries. Il faut trouver un sain équilibre.

Cependant, il faut noter que bien des gens se trouvent continuellement débordés et pourtant sont loin d'accomplir un travail considérable. Se plaindre qu'on est débordé fait bien, en tout cas est à la mode. Pourtant, la majorité des gens n'utilisent pas le dixième de leur potentiel et ont développé la fâcheuse habitude d'être toujours fatigués. Jean-Paul Getty, dans *Devenir riche* fait au sujet du surmenage une réflexion amusante et éclairante: «**Un médecin déclare que de nombreux directeurs qui se plaignent d'ulcères n'en ont pas. Souffrir d'ulcères est devenu un symbole de rang,** dit-il en souriant. **Il existe certains types de cadres qui aimeraient mieux mourir que d'admettre qu'ils n'ont aucun mal d'estomac. Cela équivaudrait à admettre qu'ils sont semblables à la multitude!**

«N'étant pas une autorité en médecine, je peux difficilement passer jugement en cette matière. Je puis, cependant, me permettre de rire en privé, et de tout coeur, lorsque j'entends un cadre âgé de 28 ou 30 ans et qui travaille au plus 48 heures par semaine — moins le temps qu'il dépense dans des dîners d'affaires d'une durée de trois heures et à jouer au golf — pleurnicher qu'il est surmené ou qu'il travaille sous une tension terrible. Les géants et les génies remarquables et authentiques du domaine américain des affaires travaillent normalement 16 ou 18 heures par jour — souvent 7 jours par semaine — et prennent rarement des vacances. Comme résultat, la plupart d'entre eux vivent jusqu'à un âge avancé.»

Ces hommes qui parviennent à tant travailler ne sont pas si différents de la majorité. Ils n'ont pas davantage d'énergie, en fait. Ils savent mieux l'utiliser. Elle dort dans le subconscient des gens. Eux l'ont éveillée. Vous savez maintenant comment. En outre, les hommes et les femmes disciplinés ont pris l'habitude du travail. Tout dans la vie est habitude. L'homme est un être d'habitudes. Seulement, la plupart des gens ne réussissent pas parce qu'ils ont de mauvaises habitudes. **Par la discipline et la programmation mentale, vous pourrez développer l'habitude du succès.**

LE SUCCÈS EST UNE HABITUDE.

Devenez l'esclave de cette habitude du succès, de la même manière que vous avez été jusqu'à maintenant esclave d'habitudes qui vous conduisaient à l'échec. Chassez le naturel, il revient au galop, dit-on. En substituant l'habitude du succès à celle de l'échec, vous vous créerez une nouvelle habitude, donc une nouvelle seconde nature. **Vous aurez beau vouloir chasser le succès, il reviendra au galop**! Il sera irrésistiblement attiré par vous comme la limaille par un puissant aimant.

Un homme qui commença très jeune à cultiver l'habitude du succès et du profit, et qui était très discipliné, est le célèbre milliardaire John D. Rockefeller. Nous vous proposons maintenant le portrait surprenant de sa vie.

John Davison Rockefeller ou La magie des chiffres!

Celui que le multimillionnaire Andrew Carnegie, le roi de l'acier, surnomma «Reckafellow» (la ruine d'un gars) et, par la suite, «mon comillionnaire», naquit en 1839 dans une maison de ferme de sept pièces près de Moravia, à l'ouest de l'État de New York. Le père de John, William Avery, ne fut pas un modèle de fidélité conjugale ni un père exemplaire pour ses enfants, au nombre de six. En effet, la légende familiale veut que William Avery, un homme de haute taille et bâti en force, portait une veste de brocart, une épingle à cravate en diamant et se méfiait à ce point des banques qu'il avait continuellement dans ses goussets la «modeste» somme de 1 000$! Ce qui était considérable à l'époque!

Le mystère planait sur la profession du paternel. Il disparaissait pour de longues périodes, laissant à son épouse, Eliza Davison, le soin d'éduquer les enfants. Puis, quand il rentrait, c'était habituellement les poches bourrées d'argent et de cadeaux pour sa femme et les enfants. Ce ne fut que beaucoup plus tard que John découvrit que son père n'était en fait qu'un charlatan! En effet, William sillonnait les réserves indiennes en se faisant passer pour un sourd-muet (ce qui, chez les Indiens, était le signe de quelque pouvoir surnaturel) et il leur vendait toutes sortes d'objets de pacotille.

Plus tard, cependant, William découvrit qu'un autre domaine était beaucoup plus rentable: les produits pharmaceutiques. Ce fut à partir de ce moment-là qu'il suivit les réunions des prédicateurs itinérants et qu'il s'y présentait comme un spécialiste du... cancer!!! Il distribuait sa carte qui se lisait comme suit:

«Dr William A. Rockefeller, célèbre spécialiste du cancer, présent pour un jour seulement.

Tous les cas de cancer guéris sauf s'ils sont trop avancés, et même alors, le malade est grandement soulagé.»

L'élixir «miraculeux» (probablement une mixture à base de ce pétrole qui allait faire la fortune du fils) se vendait fort bien, et les consultations étaient nombreuses bien que coûteuses.

John tenait beaucoup plus de sa mère, Eliza. Visage étroit, presque inexpressif, yeux impassibles, voilés, bouche en estafilade, prédisposée au silence... Frederick Gates, qui sera plus tard son aumônier et grand argentier, aura ces mots à ce sujet: «S'il était très méticuleux dans le choix de ses mots, il l'était également dans le choix de ses silences!»

Eliza ne légua pas seulement son physique à son fils, John D., elle lui inculqua également cette morale calviniste qui était sienne. D'une piété rude, très stricte, Éliza répétait sans cesse toutes sortes de maxime comme «À GASPILLAGE ÉHONTÉ, HONTEUSE PAUVRETÉ!». Ces paroles modelèrent l'esprit du jeune homme et dirigèrent sa conduite toute sa vie durant.

En 1853, la famille s'installa à Cleveland, alors grand centre portuaire sur la lac Érié. Pour John, ce fut une révélation. Son intérêt pour le monde de la finance n'en fut que fouetté davantage. Tout jeune déjà, John D. manifestait des talents certains pour les transactions financières. Enfant, il se faisait quelques sous en vendant à ses compagnons de classe des cailloux colorés aux formes variées. **Plutôt que de dépenser cette menue monnaie, il l'accumulait dans un bol de faïence bleue caché au haut d'une commode dans la salle de séjour familiale**. Ce fut, selon ses propres termes, son premier «coffre-fort»! Grâce à de telles «opérations financières», le jeune John ne tarda pas à se retrouver avec un joli magot de 50$!

Ces 50$ allaient déterminer l'orientation future du garçon. En effet, un fermier des environs avait besoin de cette somme pour régler une dette urgente. John D. la lui prêta de bonne grâce... mais au taux de 7%! Le fermier acquiesca, probablement en maudissant cet enfant qui savait déjà si bien compter! Pour John, ce fut une découverte extraordinaire, un an plus tard, de se voir remettre le capital prêté en plus des trois dollars cinquante d'intérêt. À partir de ce jour, écrivit-il plus tard,

«JE PRIS LA RÉSOLUTION DE FAIRE TRAVAILLER L'ARGENT À MA PLACE!»

Il venait de découvrir que L'ARGENT CRÉE L'ARGENT et génère ainsi le capital!

Désormais, tous les gains de John D. allaient être religieusement comptabilisés dans un carnet qu'il nomma le «Registre A». Selon certains, il n'était pas rare de voir John D., à la fin de sa vie, le regard perdu, compulser amoureusement ce carnet où il revivait son enfance et son adolescence. Ce Registre A, c'est en quelque sorte l'autobiographie de Rockefeller, car les chiffres étaient, à ses yeux, dotés d'un pouvoir mystérieux et ils devenaient cent fois plus éloquents que les mots. Il n'hésitera d'ailleurs pas à déclarer:

«APPRENEZ À FAIRE PARLER LES CHIFFRES! ILS VOUS DIRONT DE DURES VÉRITÉS ET VOUS RÉVÉLERONT L'AVENIR!»

Ce goût du monde des affaires fut stimulé par le Cleveland commercial. Après la classe, John D. arpentait les docks, se délectant de l'atmosphère fébrile des places de commerce. Diplômé en 1855, Rockefeller décida de se lancer dans ce monde qui le passionnait.

«J'ai essayé les chemins de fer, les banques, le négoce en gros, négligeant tous les établissements sans envergure... JE CHERCHAIS UNE ENTREPRISE IMPORTANTE!»

Son premier emploi, il l'obtient le 26 septembre 1855 chez Hewitt & Tuttle, courtiers et négociants en grains et autres produits agricoles. Ce fut un instant décisif dans sa vie, instant qui devint un second anniversaire de naissance à ses yeux. Jusqu'à la fin de sa vie, en 1937, au sommet du mât de son vaste domaine de Pocantico, sur les bords de l'Hudson, on pouvait voir flotter en ce jour un drapeau qui commémorait cet anniversaire!

Dès 6 heures trente le matin, il était au travail, se perdant dans cette mer de chiffres qui faisait sa délectation. Il était d'une telle efficacité que ses patrons se félicitaient à chaque jour d'avoir mis la main sur un tel employé. Le jeune homme faisait des affaires sa religion. Le soir, dans son lit, il repassait dans sa tête les opérations financières de la journée, essayant de découvrir en quoi il aurait pu les rendre plus fructueuses...! Il faisait sienne cette parole biblique:

«VOIS-TU UN HOMME ZÉLÉ DANS SON TRAVAIL? IL SERA L'ÉGAL DES ROIS.»

Il ne cessait de se répéter: «**C'est une chance qui se présente. Mais attention. L'orgueil précède la chute. Pas de hâte, pas de faux pas. Ton avenir dépend de chaque jour qui passe.**» Le code de sa vie, dès lors, devint:

DISCIPLINE, ORDRE, ET UN COMPTE FIDÈLE DES CRÉDITS ET DES DÉBITS.

En 1858, il gagnait 600$ par an, mais conscient de ce qu'il valait pour la firme qui l'employait, il demanda une augmentation annuelle de 200$ que ses patrons s'empressèrent de... refuser! Il décida alors de démarrer une affaire pour son propre compte avec Maurice Clark, un Anglais de douze ans son aîné, dont il avait fait la connaissance et qui était à l'emploi d'une autre maison de courtage. John D. avait économisé 800$ mais il lui en manquait encore 1 000$ pour faire démarrer leur maison de courtage. Il se rendit donc auprès de son père pour lui emprunter cette somme. Son père accepta mais, avec un malin plaisir, il exigea un intérêt annuel de 10% jusqu'à ce que John ait atteint sa majorité! John D. avait alors 18 ans! À plusieurs reprises d'ailleurs, aux débuts de sa carrière, le jeune homme dut recourir aux finances paternelles et, chaque fois, William exigeait le même taux usuraire! Il écrira plus tard à ce sujet: «**Cette petite discipline aurait dû me faire du bien. Elle m'en fit peut-être, mais en vérité, bien que je le lui aie soigneusement caché, je n'appréciais pas tellement cette politique paternelle qui consistait à me faire des crocs-en-jambe pour voir si mes capacités financières étaient à la hauteur de ce genre de coups.**»

La firme Clark et Rockefeller réalisa, la première année, des profits de 4 000$ sur un chiffre d'affaires de 450 000$. La deuxième année fut encore plus profitable puisque les profits furent de 17 000$!

En 1861, la guerre civile éclata. Si elle fut source de misères pour la très grande majorité des gens, elle fut, pour la firme, la clé de la fortune! Tout était question d'organisation, de méthode, d'attention aux détails, d'âpreté impitoyable dans l'établissement des contrats, tous domaines où John était passé maître. Dès lors, le succès était assuré.

John Davison apportait aux affaires un sérieux qu'il possédait tout naturellement. D'une piété qui ne se refroidira jamais, il fréquentait une petite église baptiste de la rue Érié, temple qu'il fréquenta d'ailleurs tout le temps qu'il habita cette ville et à laquelle il léguera avec une régularité de métronome, une partie de ses gains, et cela même lorsqu'il fut multimillionnaire! Ce sérieux, il le manifestait ainsi dans tous les aspects de sa vie. Un de ses associés, beaucoup plus tard, à qui on avait posé la question de l'âge de Rockefeller, répliqua: «À mon avis, il doit avoir cent quarante ans, car il en avait sûrement cent à sa naissance!»

C'est alors que se produisit une véritable révolution. En 1859, deux ans avant la guerre civile, Edwin Drake avait foré, à Titusville, en Pennsylvanie, un puits de pétrole. Jusqu'alors, le pétrole n'était considéré que comme un médicament, mais on avait découvert ses propriétés éclairantes. La découverte de Drake provoqua une véritable ruée vers le pétrole! Pour de nombreux hommes d'affaires, ce fut l'occasion d'investir et Rockefeller ne manqua pas d'être impressionné. Pourtant, perspicace, il comprit que l'argent à faire était dans le domaine du transport et du raffinage et non dans l'exploitation, trop soumise à des impondérables coûteux. Comme les transports étaient alors anarchiques et les méthodes de raffinage pratiquement inexistantes, John D. choisit d'attendre un moment plus propice.
Quatre ans plus tard, la compagnie des chemins de fer de l'Atlantique et de l'Ouest prolongea sa ligne jusqu'à Cleveland, mettant ainsi la ville en contact direct avec New York en passant par cette région du pétrole. Le moment était venu!

Rockefeller avait rencontré une connaissance de Clark au temple baptiste de la rue Érié, Samuel Andrews. Clark et Andrews ne tardèrent pas à faire partager au jeune financier leur enthousiasme pour l'or noir. Alors âgé de 23 ans, mais toujours sceptique, Rockefeller investit 4 000$ à titre de commanditaire dans la nouvelle firme Clark, Andrews et Cie.

En mars 1864, il se fiançait à Laura Spelman (mieux connue sous le surnom de Cettie) qu'il épousa le 8 septembre suivant. Avec son flegmatisme coutumier, John D. annotera laconiquement dans son Registre: «**À 2 heures de l'après-midi, mariage avec Miss L.C. Spelman, célébré par le révérend D. Wolcott assisté du révérend Paige à la résidence des parents de la jeune fille.**»...!

Le mariage célébré, il se replongea corps et âme dans ses affaires. Les raffineries poussaient comme des champignons à Cleveland qui devenait un des centres les plus importants du pétrole. C'est alors que Rockefeller s'intéressa de plus en plus à ce nouveau domaine, délaissant le commerce des grains. Sa discipline sévère lui valut des dividendes commerciaux. Dans une ville pleine de trafiquants retors, il passait pour un des commerçants les plus avisés!

Lui qui avait été le plus réticent du groupe au début était devenu le plus enthousiaste. Mais Clark, alors que la firme avait un passif de 100 000$, craignait l'expansion prônée par Rockefeller qui disait d'ailleurs:

«LA RÈGLE D'OR DE LA RÉUSSITE, C'EST L'EXPANSION!»

Clark refusait obstinément de suivre cette voie. C'était l'impasse. Une seule solution: la vente aux enchères de la compagnie. L'événement mémorable eut lieu le 2 février 1865.

Très rapidement les enchères montèrent jusqu'à ce que Clark, abattu, marmonne «72 000$». Rockefeller, imperturbable, riposta immédiatement: «72 500$». Clark leva les bras au ciel et déclara: «L'affaire est à vous!»

Ce jour-là, dans son bureau, John D. sautait de joie en se répétant: **«Et maintenant, je vais être riche. C'est du tout cuit! Du tout cuit! Du tout cuit!»** L'affaire, appelée désormais Rockefeller & Andrews, était la plus grande raffinerie de Cleveland avec une capacité de 500 barils par jour et des revenus d'un million de dollars par année, revenus qui allaient doubler l'année suivante. Pour John D., aucun doute ne subsistait dans son esprit car il avait une confiance absolue en l'avenir. Il allait plier le destin à sa volonté!

Rockefeller savait aussi s'attirer des lieutenants de haute valeur, ainsi Henry M. Flager lequel avait gagné et perdu des fortunes mais qu'un mariage avantageux avait rendu riche à nouveau. Il ne fut que l'un des directeurs audacieux que Rockefeller plaça à la haute direction de ses affaires.

«L'APTITUDE À MANIER LES GENS EST UNE DENRÉE QUI S'ACHÈTE COMME LE SUCRE ET LE CAFÉ, ET CETTE APTITUDE, JE LA PAIE PLUS CHER QUE TOUTE AUTRE AU MONDE.»

Il voulait ainsi dire que le succès exige plusieurs ingrédients dont un des plus importants est de savoir s'associer des hommes intègres, loyaux et dévoués à l'idéal qui anime l'employeur. Ce que sut faire Rockefeller avec la minutie proverbiale qu'on lui connaissait. Flager fit tant et si bien qu'il négocia avec les chemins de fer des tarifs plus qu'avantageux en faisant valoir la position de force de la firme Rockefeller & Andrews à Cleveland. Pour les chemins de fer, le problème que représentait le transport du pétrole, c'était celui de la régularité du fret. Seule la raffinerie Rockefeller & Andrews était en mesure de garantir cette régularité. Les transporteurs ferroviaires n'eurent guère le choix, ils se plièrent aux exigences de Flager, représentant de la firme. Bien sûr, quand la chose s'ébruita, ce fut un tollé de protestations, mais rien n'y fit. Rockefeller était déjà trop puissant.

Ce rabais avantageux devint une autre arme dans l'arsenal déjà bien garni de Rockefeller. Il en ajouta un autre encore plus puissant: le 10 janvier 1870, il fonda une nouvelle société au capital de un million de dollars, la Standard Oil!

En 1870, la Standard Oil est l'une des plus grosses raffineries de pétrole du centre des États-Unis! Et l'idée d'inclure d'autres raffineries plus petites dans la gigantesque toile d'araignée qu'il est en train de tisser hante Rockefeller. Ainsi, en 1872, il réitère ce que Flager avait réussi quelques années auparavant mais sur une échelle infiniment plus vaste. Il rencontre deux des plus importants raffineurs de Pittsburg et de Philadelphie. Dans le plus grand secret, ils concluent une entente qui leur permettra de dicter leurs volontés aux chemins de fer. Alors que le transport coûtait 2,50$, ils obtinrent un tarif préférentiel de 1,25$. Plus encore, sur ce 1,25$ de plus que payaient leurs concurrents, les chemins de fer leur donnaient une ristourne.

C'était tout simplement génial! Plus les concurrents s'appauvrissaient, plus Rockefeller s'enrichissait! La concurrence était menacée d'extinction, exactement ce que désirait John D.

Résultat: en trois mois à peine, Rockefeller avait racheté 22 des 25 raffineries de Cleveland. La Standard Oil raffinait maintenant le quart de toute la production de pétrole des États-Unis! Lorsqu'il avait démarré sa campagne, Rockefeller avait pour le concurrencer quinze raffineries à New York, douze à Philadelphie, vingt-deux à Pittsburg et vingt-sept dans la «Région»... À la fin, il n'y en avait plus qu'une, la STANDARD OIL!

Le TRUST était né!

En avril 1878, Flager nota dans une étude présentée au conseil d'administration que la capacité totale de raffinage des États-Unis était de 36 millions de barils par jour. La Standard à elle seule en raffinait... 33 millions!

En 1880, c'est 95% de la capacité totale qui est dévolue au Trust. Par son obstination, sa discipline, un travail constant et une foi indéfectible en son destin, Rockefeller était devenu ce qu'il avait voulu être: le Napoléon du capitalisme!

La force de Rockefeller ne résidait pas dans l'innovation (dont il se méfiait, surtout pour ses implications financières), **mais dans l'organisation et le déploiement de la puissance**. Son grand principe était:

MÉTHODE ET ORGANISATION

Le Trust ne fut constitué légalement qu'en 1882 après de nombreuses querelles juridiques qui se révélèrent inutiles. La Standard était trop puissante. La loi interdisait à une compagnie de faire affaire dans d'autres États que le sien; Rockefeller contourna cette loi grâce au Trust. Désormais, il y aurait la Standard de New York, la Standard du New Jersey, la Standard de Pennsylvanie, etc... ad infinitum! Et derrière le tout, le petit bureau du 26 Broadway à New York où Rockefeller siégeait désormais:

DES HOMMES CLÉS AUX POSTES CLÉS!

C'était là le principe qui avait permis à Rockefeller de créer l'empire financier le plus puissant qui ait jamais pu exister. L'équipe directionnelle était un rassemblement des financiers les plus capables aux États-Unis. Tous millionnaires. Au cours d'une enquête sur les activités de la Standard, William Vanderbilt avait déclaré aux membres du Sénat: «Je n'ai jamais rencontré un groupe d'hommes aussi avisés, aussi capables qu'eux en affaires... Je ne crois pas à la possibilité de leur faire baisser pavillon par décret législatif ou par tout autre procédé, ni dans cet État ni dans aucun autre. C'est impossible! Ils auront toujours le dessus!»

À la fin du siècle, la science industrielle avait découvert ou créé des douzaines de sous-produits du pétrole. Les revenus de la Standard atteignirent des dimensions astronomiques. Rockefeller possédait une richesse et une puissance que ses rêves les plus fous ne lui auraient jamais permis! La Standard était partout: en 1903, elle proposa son essence et son huile lubrifiante aux frères Wright, à Kitty Hawk. En 1904, ses représentants ouvrirent une station-service à l'usage des participants de la première course automobile internationale de New York à Paris (Texas)!

Peu après le scandale de la Société pour le progrès du Sud, organisation entre raffineurs et dirigeants des chemins de fer de différents États pour protéger leurs intérêtes respectifs, Rockefeller fut victime de virulentes attaques et de calomnies dans la presse comme dans les cercles politiques. Il se défendit:

«C'ÉTAIT MON DROIT. MA CONSCIENCE ME DISAIT QUE C'ÉTAIT MON DROIT. TOUT ÉTAIT CLAIR ENTRE LE SEIGNEUR ET MOI.»

Au sujet des attaques contre lui-même et la Standard, Rockefeller eut un jour cette réflexion expliquant le silence sévère qu'il gardait face à ses adversaires: «**Regardez ce ver de terre, là, par terre. Si je marche dessus, j'attire l'attention sur lui. Si je l'ignore, il disparaît.**»

Malheureusement, loin de disparaître, le ver devint dragon et cracha tant de flammes que Rockefeller devint en quelque sorte le symbole vivant du malaise de l'époque. Il recevait des menaces de mort presque quotidiennement. Quand il se rendait au temple baptiste, des centaines de gens se rassemblaient pour l'insulter. Le pasteur, inquiet des événements, avait engagé des détectives privés qui circulaient dans la foule et dans le temple pour veiller sur la personne de l'illustre pénitent! Les choses s'envenimèrent à tel point que Rockefeller avait en permanence à côté de son lit un revolver chargé!

Mais rien ne pouvait dorénavant freiner l'expansion de la Standard. Le baril bleu devint dans le monde entier le symbole de la puissance américaine, de la suprématie du capitalisme yankee.

Les meilleurs agents de la Standard dans le monde entier, car désormais les États-Unis seuls étaient un marché trop restreint pour le monstre gigantesque que Rockefeller dirigeait toujours du fond de son bureau du 26 Broadway, c'étaient les membres du corps diplomatique américain! Pour dépister de nouveaux marchés et évincer la concurrence, surtout la concurrence russe dont le pétrole de Bakou commençait à couler partout en Europe, la Standard avait accès aux rapports secrets des ambassadeurs. Plusieurs de ceux-ci recevaient d'aileurs paiement de leurs «services» grâce aux fonds secrets de la Standard.

Le Trust était devenu un gouvernement dans le gouvernement, avec sa puissance financière inimaginable et sa propre politique étrangère!

Mais Rockefeller, au faîte de sa puissance, demeurait secrètement déchiré. Toutes ces attaques n'étaient qu'injustice. Sa fortune personnelle atteignait, en 1897, la somme fabuleuse de 200 millions de dollars. Par une ironie du sort, ce fut pendant sa retraite qu'il gagna le plus d'argent car la commercialisation du moteur à combustion interne, à partir de 1913, fit quadrupler sa fortune. De 200 millions, elle passa à plus d'un milliard de dollars! Ce montant équivaudrait aujourd'hui à une fortune qui défie l'imagination.

Décidé désormais de laver le nom des Rockefeller de ces attaques injustes, et secrètement persuadé que cette immense fortune n'était qu'un don de Dieu pour le service de l'humanité, il s'attaqua désormais au domaine de la philanthrophie!

«DIEU M'A DONNÉ DE L'ARGENT!»

Rockefeller croyait sincèrement que c'était là le seul et unique secret de sa réussite phénoménale. Au journaliste étonné à qui il venait de faire cette déclaration, il expliquait: «**Je crois que le pouvoir de faire de l'argent est un don de Dieu... à développer et à utiliser de notre mieux pour le bien de l'humanité. Ayant reçu ce don en partage, je crois de mon devoir de faire de l'argent, toujours plus d'argent, et d'utiliser cet argent pour le bien de mes semblables en écoutant la voix de ma conscience.**»

Ainsi, au début des années 1890, dans le but de mieux accomplir cette nouvelle destinée à laquelle il se sentait appelé, John Davison Rockefeller engagea un jeune pasteur du nom de Frederick T. Gates qui devint à la fois son aumônier et son grand argentier.

Mais les problèmes de Rockefeller et de son empire n'étaient pas pour autant terminés. La haine était tenace contre cet étonnant self-made man. Le gouvernement cherchait par tous les moyens la dissolution du Trust. Une enquête minutieuse fut déclenchée et alors, à la stupéfaction de tous, on découvrit les véritables dimensions de la puissance de Rockefeller: en vingt et un volumes, en 14 495 pages de témoignages minutieux, on découvrit que l'investissement modeste de 4 000$ d'un jeune courtier produisait maintenant 35 000 barils de pétrole raffiné et d'essence par jour, s'était transformé en plus de 150 000 km de pipe-lines, 100 pétroliers pour transporter ces produits à l'étranger. En un mot, le Trust valait 660 millions de dollars!

Le gouvernement eut finalement raison contre le Trust! On découpa le géant en 39 petites sociétés «théoriquement» indépendantes les unes des autres... Étonnamment, ce désastre fut un atout de plus dans le jeu de Rockefeller. Encore une fois il avait été, malgré lui, cependant, fidèle à son axiome favori:

«TRANSFORMEZ L'ÉCHEC EN SUCCÈS!»

Ce fut un retournement phénoménal car les actions des différentes sociétés nouvellement formées triplèrent ou quadruplèrent. Rockefeller voyait sa fortune multipliée par trois ou quatre par cette action du gouvernement américain. Par la suite, une anecdote voulut qu'à Wall Street, il y eut une nouvelle prière récitée par les courtiers:

«Ô miséricordieuse Providence, donnez-nous une autre dissolution du Trust!»

Mais dorénavant, Rockefeller n'avait qu'un seul souci: DONNER! Et Gates, son nouveau bras droit, s'entendait très bien à ce travail. En 1901, l'Institut Rockefeller pour la recherche médicale fut fondé. Le premier du genre en Amérique. Il y eut ensuite le Comité pour l'éducation (GEB), en 1903, qui se consacrait à l'éducation des hommes de couleur. Plus tard, Rockefeller demanda que cette instutition serve à promouvoir un vaste système d'études supérieures dans tout le pays. Plus tard vint la Commission sanitaire.

Cette Commission sanitaire allait enfin faire verser l'opinion publique dans le camp de Rockefeller. Puis pour couronner le tout, la Fondation Rockefeller qui demeure la plus vaste entreprise philanthropique du monde.

Certains prétendaient encore que ce n'était que fortune faite que Rockefeller s'était mis à distribuer des dons. Pourtant, son Registre A indique clairement que dès ses premiers gains, il en prélevait une partie pour les oboles au temple. Il en fut ainsi toute sa vie durant. À certains moments, ses dîmes annuelles s'élevaient à plus d'un million de dollars!

Réconcilié avec ces gens, ce peuple dont il se croyait en partie responsable, Rockefeller se retira dans son immense domaine de Pocantico Hills, le «Kikjuit», «La vigie» en hollandais, où il put jouir en paix d'un repos largement mérité. Malgré son âge avancé, il n'avait pas pour autant perdu un sens aigu de l'humour que trop de gens ne lui connaissaient pas.

Ainsi, au cours d'une séance de massage, alors qu'il entendait ses os craquer, il dit sarcastiquement: «**J'ai toute l'huile du pays, à ce qu'on dit, et j'ai même pas de quoi graisser mes articulations!**» Au sculpteur chargé de faire un buste de lui, il demanda s'il n'était pas possible de faire l'ébauche alors qu'il jouerait au golf. «Je ne peux pas traîner mon argile avec moi!» protesta le sculpteur. Ce à quoi, flegmatique, Rockefeller répondit: «Pourquoi pas? Je transporte bien la mienne avec moi — tout le temps!»

John Davison Rockefeller s'éteignit en 1937. Fidèle à son grand principe,

LE TEMPS, C'EST DE L'ARGENT.

Il avait continué jusqu'à la fin à suivre ses multiples intérêts, surtout ses oeuvres philanthropiques dont la gigantesque Fondation Rockefeller. Dans ce domaine comme dans celui des affaires, John D. avait su mettre en oeuvre ses talents d'organisateur, talents qui n'étaient que des dons de Dieu et qu'il avait su faire fructifier au-delà de ses plus folles espérances.

Le nom de Rockefeller signifie, en allemand, abatteur de rochers. Rockefeller sut lui être fidèle car il a abattu toutes les embûches dressées sur sa route. Magistralement!

* * *

Comment avoir une année de 13 mois.

Si vous n'avez pas l'habitude de travailler fort, allez-y par étapes. Augmentez progressivement votre rythme. Au début, essayez de travailler seulement une heure de plus par jour. Vous n'en mourrez certainement pas. Au bout de la semaine, **vous aurez travaillé cinq heures de plus pour réussir.** Au bout de l'année, vous aurez accumulé 250 heures supplémentaires en direction du succès. Dans une semaine normale, il y a 40 heures. En gagnant 250 heures, vous aurez gagné plus de 6 semaines. Votre année nouvelle comptera donc 58 semaines au lieu de 52. Vous aurez donc fait plus de 13 mois par année. Cela peut vous donner une longueur d'avance formidable. Imaginez maintenant que vous travaillez deux heures de plus par jour. Vous aurez gagné en un an 500 heures. Et, croyez-en notre expérience, vous n'en serez pas vraiment plus fatigué. Ce n'est qu'une question d'habitude.

Que le succès devienne votre seule habitude!

Dans votre habitude du succès, restez aux aguets. N'hésitez pas à vous remettre régulièrement en question, et à réviser votre plan d'action. C'est là une des clés du succès. Cherchez toujours à améliorer votre compétence. Ne vous croyez jamais en possession de la vérité absolue. Revoyez vos méthodes! Perfectionnez-les constamment!

Faites en une heure ce que vous avez l'habitude de faire en trois heures!

C'est bien de travailler une heure ou deux de plus par jour, mais ce qui est encore plus profitable, c'est d'augmenter directement son efficacité, de faire en une heure ce qu'on a l'habitude de faire en plusieurs heures. Le secret pour accroître ainsi son efficacité est double. Il consiste d'une part dans l'établissement de délais différents (lisez: plus courts) et dans une concentration accrue.

Commençons par le premier point. Des études scientifiques conduites par des psychologues ont démontré que le temps nécessaire pour accomplir une tâche donnée est largement compressible, c'est-à-dire qu'il peut être considérablement réduit — jusqu'à une limite raisonnable — et ce, sans que la qualité ne soit aucunement sacrifiée. Il a même été prouvé que dans plusieurs cas la qualité s'en trouvait accrue. Au demeurant, plusieurs individus ne peuvent fonctionner qu'avec des délais très courts. Chez les architectes, par exemple, il est une pratique généralisée qui s'appelle «la charrette» et qui consiste à s'enfermer pendant plusieurs jours — souvent jour et nuit — pour mettre au point le concept d'un projet déterminé.

Les exemples d'une telle concentration de la productivité sont fort nombreux dans toutes les sphères de l'activité humaine et sans doute vous-même en avez été témoin dans votre vie, le cas classique étant celui de l'étudiant qui attend à la dernière minute pour préparer un examen ou faire un travail.

Les études effectuées sur un large échantillon de sujets tentent également à démontrer le principe suivant: *L'individu moyen est porté à utiliser tout le temps qui lui est alloué pour accomplir une tâche même s'il pourrait s'en acquitter plus rapidement, si une situation d'urgence se présentait.*

Ces deux tendances, celle de pouvoir réduire le temps, et celle d'utiliser en temps normal tout le délai accordé, découlent en fait d'une même loi, qui, vous ne serez pas étonné de l'apprendre, est une loi du subconscient.

En effet, dans un cas comme dans l'autre, ce que fait une personne lorsqu'elle se fixe ou que lui est fixé un délai, c'est de se programmer, et surtout de programmer son subconscient. Nous avons vu qu'il n'était pas plus difficile pour le subconscient de se programmer pour l'échec que pour le succès, car il est une puissance pour ainsi dire aveugle (ou pour mieux dire neutre) quoique infiniment clairvoyante. De la même manière, il n'est pas plus difficile pour votre subconscient de vous faire accomplir une tâche en deux fois moins de temps, en autant bien entendu que ce soit **matériellement** réalisable. Mais c'est en fait la seule limite. Car le subconscient est beaucoup plus puissant que vous ne croyez. Et beaucoup plus rapide. En fait, il peut littéralement donner des ailes à votre pensée et vous alimenter presque à volonté en énergie créatrice.

La connaissance de ces deux lois au sujet du temps et de la productivité peut avoir des conséquences pratiques considérables. Le temps nécessaire à une tâche est beaucoup plus élastique qu'on ne croit généralement. Aussi, **si vous voulez faire en une heure ce que vous faites généralement en trois heures, faites comme si vous n'aviez qu'une heure pour le faire.**

En d'autres mots, créez un état d'urgence artificielle, **comme si vous n'aviez pas le choix**. Ainsi, vous donnez un ordre à votre subconscient. Faites-en l'expérience, vous serez étonné des résultats. Ceci ne veut pas dire qu'il faille vous doper avec du café noir, comme le fit Balzac, qui, du reste, est un des plus illustres exemples de la compression qu'on peut appliquer à des délais, lorsqu'on est au pied du mur. La manière pour Balzac de se mettre en état d'urgence et de créativité supérieure était de promettre des manuscrits à des éditeurs à des dates quasi impossibles. Ainsi, il arriva à écrire des chefs-d'oeuvre de trois cents pages en deux semaines. Il y a évidemment la part du talent et du métier, dans le cas du grand littérateur, mais ne faites pas l'erreur de vous sous-estimer comme vous l'avez probablement déjà fait depuis trop longtemps. Vous aussi vous avez du talent. Vous aussi vous pouvez travailler vite et bien. Et sans pour autant être davantage stressé. En fait, pour emprunter une comparaison au vocabulaire automobile, vous pouvez passer en quatrième vitesse alors que vous roulez depuis toujours en première. **Vous pouvez le faire dès que vous croyez que vous pouvez le faire**. Et que vous l'essayez.

FIXEZ-VOUS DES DÉLAIS PLUS SERRÉS
VOUS ACCOMPLIREZ DAVANTAGE,
SANS SACRIFIER LA QUALITÉ.

Passons maintenant au deuxième point: la concentration. C'est une des clés fondamentales du succès. Peu importent les domaines. Et l'on peut affirmer, corollairement, qu'une personne qui n'arrive pas à se concentrer, qui souffre de dispersion mentale, ne pourra jamais réussir. C'est pour ainsi dire impossible. Tous les hommes riches ont fait preuve d'un haut niveau de concentration. Howard Hughes a laissé l'image d'un milliardaire extravagant, et ses intimes ont confirmé cette impression. Mais ce qu'on ignore généralement, c'est qu'il était doué d'une capacité de concentration exceptionnelle. Dans son livre *Les Milliardaires*, Max Gunther raconte à son sujet: «Hughes travaillait personnellement aux films, passant de la rédaction du script à la direction du tournage, parfois pendant 24 heures d'affilée. «Je n'ai jamais vu un homme capable d'une telle concentration», disait Gene Harlow, amoureusement attirée par Hughes, mais ne recevant jamais de lui le moindre encouragement.»

De cette concentration extrême, Honda fut également un remarquable exemple, comme en témoigne le présent extrait de sa fascinante autobiographie: «**Je me laissais complètement absorbé par mes travaux d'apprenti inventeur. Personne n'aurait pu m'arracher à ma concentration, pas même les amis avec lesquels j'aimais tant jouer et faire mille tours. — À table! Ma mère m'appelait pour manger, mais j'avais l'esprit retenu ailleurs et les oreilles égarées. — J'arrive. Je me contentais de répondre par un réflexe de politesse en me replongeant dans mes travaux. Alors, à son tour elle respectait mon travail et me laissait terminer ce que j'avais entrepris. La faim oubliait elle aussi de me déranger.**»

Jean-Paul Getty, surtout à ses débuts, était si absorbé par ses entreprises qu'il faisait régulièrement le tour de l'horloge sans même sans rendre compte.

«Une fois, raconte l'auteur de *La pratique de la méditation*» un homme de mérite avait invité Isaac Newton à dîner; celui-ci se rendit chez son hôte et s'assit au salon. Mais l'hôte, qui avait oublié son invité, prit son repas et se remit à ses affaires. Newton, pendant ce temps, était absorbé par quelques sujets scientifiques importants, et ne bougeait pas. Il oublia son dîner et resta longtemps sur son siège comme une statue. Le lendemain matin, l'hôte aperçut Newton dans son salon et se rappela l'invitation. Il fut navré de son oubli et se répandit en excuses. Quelle admirable puissance d'attention, chez lui! Tous les génies possèdent ce pouvoir à un degré infini.»

Tous ces exemples sont bien beaux, direz-vous, mais voilà, **vous n'avez pas de concentration!** Vous vous en plaignez, d'ailleurs, régulièrement, car vous êtes conscient que cela vous nuit considérablement. Ce n'est pas grave. Il existe des exercices fort simples qui vous permettront de décupler votre pouvoir de concentration. Le premier est de répéter, de préférence le soir, au cours de votre séance quotidienne d'auto-suggestion, la formule suivante ou une formule similaire que vous aurez adaptée:

LA PUISSANCE DE MA CONCENTRATION S'AMÉLIORE DE JOUR EN JOUR. JE PEUX AINSI ACCOMPLIR TOUTES MES TÂCHES PLUS RAPIDEMENT ET PLUS EFFICACEMENT.

Le second exercie est extrêmement puissant et, du reste, très ancien. Il peut réaliser des prodiges dans votre vie, augmentant de manière spectaculaire la force de votre concentration. Il est très simple. Le voici:

Exercice de concentration

Dessinez un point noir de quelques centimètres de diamètre sur un carton, et accrochez-le au mur, ou posez-le sur le plancher, devant vous. Assoyez-vous confortablement, respirez lentement, et fixez ce point, **en essayant de ne pas ciller des yeux.** Au bout d'un certain temps, vous éprouverez des picotements au niveau des yeux, des larmes les baigneront. Refermez les yeux puis ouvrez-les à nouveau et recommencez. Ne vous inquiétez pas, cet exercice n'est aucunement dommageable pour les yeux. Au contraire, il renforce le nerf optique et peut contribuer à guérir certaines maladies oculaires. En outre, il confère aux yeux un éclat magnétique. Cet éclat magnétique vous permettra d'exercer un charme nouveau sur les gens qui vous entourent et de vous conférer une autorité naturelle.

Commencez par faire cet exercice quelques minutes, deux ou trois minutes, par exemple, puis augmentez-en progressivement la durée. La première semaine, vous pouvez vous rendre jusqu'à cinq minutes. Quand vous atteindrez une vingtaine de minutes, votre concentration sera excellente. Pour occuper votre pensée pendant cet exercice, et en renforcer les effets, répétez-vous une de vos formules d'autosuggestion préférée.

Vous verrez, dès la première journée, pour peu que vous ayez consacré quelques minutes à l'exercice, vous sentirez un progrès notable. Les effets de cet exercice sont multiples et paraissent mystérieux, surtout si l'on considère sa simplicité. Mais ne vous laissez pas berner par cette simplicité. Les résultats parleront par eux-mêmes. Le premier est évidemment un accroissement remarquable de votre concentration. Vous pourrez vous concentrer plus efficacement, et plus longtemps. Les problèmes qui vous paraissaient compliqués vous sembleront simples. Votre pensée sera pour ainsi dire accélérée. Vous ferez aisément en une heure ce que vous mettiez trois heures à faire. Et vous le ferez mieux. Avec plus de précision et de netteté. Cet exercice améliore la mémoire, à partir de laquelle le raisonnement opère. Une autre conséquence notable de la concentration accrue est que vous améliorerez considérablement votre présence d'esprit (c'est d'ailleurs naturel: concentré, vous êtes présent à l'instant qui passe, à la situation). La réplique juste, celle qui jusque-là vous venait à l'esprit trop tard, vous viendra plus naturellement, au bon moment. Vous serez plus apte à saisir au vol une occasion, au lieu de la laisser passer, comme cela vous est peut-être trop souvent arrivé.

En outre, cet exercice permet de développer considérablement l'intuition, qui est si utile en affaires. Certaines gens prétendront ne pas avoir le temps de consacrer une vingtaine de minutes par jour à cet exercice, qu'il est du reste conseillé de faire le matin, au réveil, pour «réchauffer» le «muscle» de la pensée. C'est exactement l'opposé qui est vrai. Et vous ne tarderez pas à vous en convaincre. Plus vous aurez de besogne à abattre dans une journée, plus vous sentirez la nécessité de faire cet exercice. À la limite, c'est quand vous n'avez vraiment pas «une minute à vous», comme on dit, qu'il est impératif de prendre quelques instants pour cet exercice de concentration. Dès que vous aurez constaté les fruits de ce merveilleux exercice, il fera partie de votre discipline quotidienne, et c'est ce qu'il faut. La rapidité avec laquelle vous voguerez vers le succès sera multipliée!

Un dernier point pour compléter ce que nous venons de dire sur la concentration. Si l'on y regarde de près, le degré de concentration que l'on manifeste dans une activité donnée est directement proportionnel au plaisir qu'on y prend. Prenez l'exemple d'un film ou d'un livre qui vous passionne, ou encore de la fascination amoureuse. Dans toutes ces situations, votre niveau de concentration est élevé, vous êtes absorbé, au point que vous vous sentez souvent littéralement hypnotisé. Pour quelle raison? Parce que ces activités vous plaisent, vous passionnent. Cette simple observation vous permet d'établir le raisonnement suivant. Nous avons affirmé que la clé du succès était la concentration. L'équation est donc simple, et prend quasiment la forme d'un syllogisme. **Comme la concentration est la clé du succès, et qu'on est concentré dans l'exacte mesure du plaisir qu'on tire d'une activité, si l'on veut réussir, il faut donc faire ce qui nous plaît**. On arrive donc par un autre chemin à la même conclusion que précédemment.

Une fois que vous vous êtes fixé un objectif, persévérez jusqu'au succès!

Il faut que vous cultiviez en vous la persévérance et surtout l'habitude de considérer que **tout échec est provisoire.** L'échec n'est qu'une étape qui vous conduira infailliblement au succès, mais à condition que vous ne vous arrêtiez pas en chemin. Bien des gens échouent parce qu'ils se sont arrêtés alors qu'à leur insu leur succès était littéralement à portée de la main. Il ne suffisait que faire un pas de plus, ce que les Américains appellent l'*extra-mile*, c'est-à-dire le mille supplémentaire.

La plupart des hommes riches pourraient, en jetant un regard rétrospectif sur leur vie, avouer que s'ils avaient tout abandonné à un moment où, justement, ils en eurent la tentation, ils auraient raté de peu le succès.

Dans le livre très inspirant *Le plus grand vendeur du monde*, il est un passage qui illustre bien la vertu de la persévérance et le fait qu'il ne faut parfois pas se montrer trop impatient, car le succès est souvent capricieux, et aime se faire attendre, si l'on peut dire. Mais la conquête finale se produit toujours pour celui qui ne renonce pas: «Les récompenses de la vie ne tiennent qu'en fin de parcours, pas au commencement; et il ne m'est donné de connaître le nombre d'étapes nécessaires pour atteindre mon but. Je rencontrerai peut-être l'échec à la millième étape, et pourtant le succès sera là, caché par le tournant suivant de la route! Jamais je ne saurai combien j'en suis proche, si je ne franchis pas ce tournant. Je ferai toujours un pas de plus. Si cela ne sert à rien, j'en ferai un autre, puis encore un autre. En réalité, un pas à la fois, ce n'est pas très difficile.

Je persévérerai jusqu'à ce que je réussisse.

Souvenez-vous de cette maxime: «Le voyage de mille pas commence par un pas.» Le succès se trouve parfois au millième pas, et vous êtes peut-être rendu à quelques pas de là. **Ne faites pas l'erreur de vous arrêter au 999e pas, à un pas du succès.**

Le succès vient souvent après une série d'échecs ou un échec retentissant.

La vie de plusieurs hommes riches montre qu'ils ont souvent rencontré de nombreux échecs, parfois spectaculaires, avant de connaître la richesse. Il en est d'ailleurs de même de plusieurs artistes qui ont connu une gloire soudaine après avoir traversé des périodes fort sombres. Ainsi en fut-il, par exemple, de Picasso, qui, quelque temps avant d'être révélé au public grâce à l'Américaine Gertrude Stein dont il fit le portrait, traversa une période de découragement telle qu'il alla jusqu'à jeter des toiles, car il n'arrivait pas à les placer chez aucun marchand. Oeuvres malheureusement perdues pour la postérité, sans compter celles que Picasso brûla pour se chauffer, dans les temps durs. Si Picasso avait renoncé juste avant de rencontrer cette Américaine, s'il avait décidé d'exercer un autre métier, il n'aurait certes pas connu la même gloire et ne serait pas devenu le multimillionnaire de la peinture. De fait, ce pauvre peintre, illustre inconnu, allait devenir l'artiste le plus riche de l'histoire.

À sa mort, une première estimation des experts établit sa fortune à 750 millions de dollars. Mais une évaluation plus approfondie mena à un conclusion différente: Picasso valait

1 200 000 000 de dollars. Du reste, comme les trois cinquièmes de sa fortune est constituée de sa collection personnelle d'oeuvre d'art comprenant des tableaux de son propre cru et d'autres de grands maîtres, sa valeur ne cesse d'augmenter. Ces toiles sont évaluées entre 50 000$ et 150 000$ à moins évidemment qu'il ne s'agisse de ses chefs-d'oeuvre dont certains, comme *La Femme nue*, peinte en 1910, fut récemment vendue pour 1 100 000 dollars. Comme Picasso, véritable Protée d'une énergie inépuisable, peignait parfois trois tableaux en une seule journée, il pouvait gagner quotidiennement entre 150 000$ et 450 000$! La persévérance fut payante pour lui. Elle le fut également pour plusieurs autres artistes et comédiens. La plupart des grandes vedettes de l'écran ont eu des débuts fort obscurs au cours desquels elles ont été forcées d'exercer toute sorte de métiers qui n'avaient rien de glorieux, d'accepter des rôles dans des films de troisième ordre jusqu'à ce que souvent brusquement le vent se mette à tourner.

Il y a quelque chose de mystérieux dans le succès, du moins à première vue, car il arrive la plupart du temps de manière imprévue et sans qu'on s'y attende le moins du monde. Plusieurs hommes ont raconté avoir été littéralement **pris par surprise**, surtout qu'ils venaient d'essuyer un échec spectaculaire dont il leur fallut du courage pour se relever. Mais en fait, si on y regarde de plus près, **leur succès, s'il était imprévu, n'était pas imprévisible. Il était même inévitable.** Et ce en raison des lois mêmes de la réussite. Par leurs efforts soutenus, par leurs rêves, leurs investissements de temps, d'énergie et de courage, ils avaient semé. La loi de la manifestation fit le reste. Leurs efforts, leurs pensées, leurs semences germèrent enfin, s'épanouirent, mais il fallut d'abord — il faut toujours — une période de germination qui prépare l'éclatement de la victoire. La seule chose est que la durée nécessaire à cette germination est variable. Elle nécessite dans certains cas plus de temps que dans d'autres.

UN SEUL EFFORT SUPPLÉMENTAIRE
VOUS SÉPARE PEUT-ÊTRE DU SUCCÈS!
FAITES-LE. MAINTENANT!

Les échecs, les obstacles forgent votre caractère. En ce sens, ils sont profitables. Plus votre caractère sera fort, plus vous pourrez forger votre destinée. L'homme qui se laisse débouter par la première difficulté qu'il rencontre n'est pas digne de connaître le succès. La faiblesse de caractère le fera sombrer car il rencontrera des obstacles dans toute entreprise, et aucun succès ne s'obtient sans certaines difficultés à surmonter. C'est du reste ce qui fait de l'existence un jeu passionnant.

Avoir de l'orgueil bien placé!

Bien souvent des gens abandonnent leur entreprise, leur combat, en alléguant qu'ils sont trop fiers, trop orgueilleux pour supporter l'échec. C'est de l'orgueil mal placé. En fait, cela ressemble plutôt à de la lâcheté. À de la lâcheté déguisée ou à un manque de confiance. Le véritable orgueil, dont ont fait preuve sans exception les dix hommes riches, est de persévérer malgré les insuccès. L'homme riche, ou appelé à le devenir, — ce qui revient au même car il faut porter en soi la mentalité du millionnaire avant qu'elle ne se manifeste dans la réalité — l'homme riche, donc, ne doute jamais de la victoire finale, il sait que ce n'est qu'une question de temps avant qu'il n'arrache à l'arbre de la vie le fruit d'or de ses efforts. **Il sait que le temps joue inévitablement en sa faveur.**

Tel est au fond le sens de son orgueil, et sa profondeur. Celui qui est doué de la mentalité de l'homme riche n'accepte jamais un non comme une réponse définitive, qu'il lui vienne des circonstances ou d'un individu. Il connaît les vertus secrètes de la patience. Il sait que le refus qu'il a essuyé est souvent lié à des circonstances particulières qui se modifieront inévitablement avec le temps puique tout dans la vie est en perpétuel devenir. Il sait aussi que l'insistance, la détermination influencent généralement les individus. Elles créent une impression profonde. Quelqu'un qui travailla pour le milliardaire Andrew Carnegie raconte que lorsqu'il lui demanda sa première promotion, ce dernier lui répliqua: «Si vous voulez de tout votre coeur ce que vous me demandez, il n'y a rien que je puisse faire pour vous empêcher de l'obtenir.»

L'homme qui désire quelque chose de tout son coeur n'accepte jamais un non comme réponse finale car, ce faisant, c'est son rêve qu'il nierait, qu'il laisserait mourir. Et cela, il ne l'accepte jamais. Ainsi, la vie et les individus finissent toujours par céder devant lui et le «non» en apparence le plus catégorique, le plus ferme, fléchit inévitablement et se transforme en un «oui» victorieux!

N'ACCEPTEZ JAMAIS UN «NON» COMME RÉPONSE. DITES «OUI» À LA VICTOIRE! DITES «OUI» À LA VIE!

Un des dix hommes riches dont la vie est un modèle de persévérance est sans doute Thomas Watson, l'un des pères de IBM Voici maintenant le récit de sa vie.

Thomas Watson ou Comment la vente mène à tout pourvu qu'on y persévère!

L'histoire de IBM, une des plus prestigieuses compagnies du monde entier, avec un chiffre d'affaires vers les années 80 de l'ordre de 40 milliards, est intimement liée à celle de Thomas Watson. Cet homme qui fit ses débuts dans la vie comme petit vendeur itinérant de machines à coudre incarne le modèle même du self-made man américain.

Thomas Watson vit le jour en 1874 dans une petite ferme de l'État de New York. Il ne sembla jamais attiré par les travaux manuels qu'exigeait l'exploitation forestière de la ferme paternelle. Cependant, il y fit quand même ses premiers pas dans le monde des affaires en aidant son père à gérer l'exploitation. Ce dernier fut sans doute bien déçu lorsque son fils lui annonça un bon matin que, contre ses plus chères attentes, il renonçait à devenir avocat. À la place, il enseigna dans une école de village mais se lassa très tôt de ce travail souvent ingrat. Quelque temps après, Watson, qui avait 18 ans, se retrouva commis aux écritures dans un marché à viande. Pour l'homme qui allait devenir le père de l'une des plus grandes multinationales, l'avenir comme simple commis semblait peu reluisant. De fait, Watson détestait autant son patron que son travail. Plusieurs passent leur vie dans une semblable situation, et se plaignent de leur état, sans jamais oser faire le geste décisif qui puisse les délivrer de leur joug et de leur ennui. Mais Watson était d'une autre trempe. Et comme plusieurs jeunes gens de l'Amérique de l'époque, il était attiré par un métier qui lui paraissait fascinant: celui de la vente. Il rêvait de faire fortune rapidement et estimait que le métier de vendeur itinérant lui permettrait de parvenir à ses fins.

De toute manière, ce genre de vie lui paraissait plus excitant que son travail poussiéreux et routinier de commis. Il verrait du pays, dormirait à l'hôtel. Aussi, il ne fut pas long à se décider lorsqu'un dénommé George Cornwell, vendeur itinérant de pianos et d'orgues, lui proposa de devenir son assistant. C'est dans ces dispositions optimistes qu'à l'été de 1892 le jeune Thomas Watson quitta résolument son emploi de commis aux écritures pour prendre la route. «**C'était quand même mieux que d'aligner des chiffres toute la journée**», commenta-t-il.

Cependant, le conte de fées que s'était imaginé le jeune homme ne coïncida pas, du moins au début, avec la dure réalité de son nouveau métier. Certes, il touchait maintenant un salaire de 10$ par semaine, ce qui représentait le double de son salaire précédent de commis. Mais Cornwell, l'homme qui avait engagé le jeune Watson avait probablement omis de lui mentionner que leur territoire de vente était situé en pleine campagne. De fait, Cornwell et son jeune assistant devaient tenter de convaincre de pauvres fermiers de l'absolue nécessité de faire l'acquisition de pianos ou de machines à coudre. On était bien loin des somptueux restaurants et des luxueux hôtels qu'avait rêvés Watson. Malgré tout, le jeune homme put, grâce à ce travail, se familiariser avec les techniques de la vente et acquérir une certaine expérience qui allait lui être bien utile quelques années plus tard.

Parmi les voies qui mènent à la fortune, celle de vendeur en est une qui, sans être des plus aisées, paraît accessible à bien des gens, et en tout cas a permis à des milliers d'hommes et de femmes d'acquérir leur premier million. Lorsque Thomas Watson fut parvenu au faîte de la gloire, un journaliste de la célèbre revue *Fortune* écrira à son sujet: «Donnez-lui la chance de vous entretenir de l'avenir de IBM et il vous convaincra de joindre les rangs de l'entreprise. Laissez-le discourir sur la valeur de ses projets, si complexes soient-ils, et c'est un monde d'une grande simplicité qui s'offira à vous. Demandez-lui d'expliquer pourquoi la religion doit passer avant toute chose, et vous ne pourrez résister à l'envie de vous agenouiller!» C'est sans contredit les talents de vendeur de Watson, qu'il commença très tôt à développer, qui lui permirent de gravir rapidement tous les échelons du succès.

Lorsque Cornwell décida de quitter son emploi de vendeur itinérant, Watson prit seul la relève. Il gagnait alors 12$ par semaine. Il se contenta de ce traitement pendant plus d'un an jusqu'au jour où il apprit que d'autres vendeurs étaient payés à commission. Il comprit qu'il s'était en quelque sorte fait rouler. Blessé dans son orgueil, il donna sa démission sur-le-champ et prit le jour même le premier train pour Buffalo, en quête d'un nouvel emploi comme représentant, mais cette fois-ci avec une commission. Il faut dire que sans qu'on pût le taxer d'instabilité, Watson aimait changer d'emploi. Et il avait l'esprit aventurier, une qualité nécessaire à tout homme qui veut réussir.

Le chômage était élevé, et les occasions rares pour les chercheurs d'emplois à Buffalo. Aussi, deux mois s'étaient-ils déjà écoulés depuis que Thomas Watson avait débarqué du train, et il n'avait toujours pas trouvé de travail. Vaguement découragé, il songeait à écrire à ses parents pour leur demander l'argent nécessaire à son billet de retour lorsque la chance lui sourit. Il dénicha finalement un poste chez Wheeler & Wilcox comme vendeur de machines à coudre. Son séjour au sein de cette compagnie fut bref mais il permit à Watson de rencontrer un homme qui allait le marquer profondément: C.B. Barron.

Barron avait un talent inné pour la vente, savait se faire des amis et impressionner ses clients par ses belles manières et son langage quelque peu affecté. En outre, il aimait bien paraître de sa personne et soignait particulièrement son image. Bref, il possédait toutes les qualités pour réussir dans le domaine de la vente et était du reste en train de fracasser tous les records de la compagnie. Barron devint vite le modèle du jeune Watson qui vit en lui l'idéal du vendeur qu'il désirait tant devenir. Watson n'eut pas à hésiter longtemps lorsque son maître lui proposa de s'associer avec lui pour monter une affaire. Barron avait approché Building and Loan Association et convaincu ses administrateurs qu'il pouvait vendre les produits de la compagnie. Il croyait que Watson serait le candidat idéal pour lui servir d'associé. Le jeune homme possédait du cran et son désir de réussir était impressionnant.

Au contact de Barron, Watson apprit énormément sur l'art subtil de la vente. Ce qui est encourageant dans le cas de Watson (et qui est fort instructif) est qu'il est l'exemple qu'on ne naît pas nécessairement vendeur mais qu'on peut le devenir si on le désire vraiment et si on est prêt à faire tous les efforts nécessaires. À ses débuts, Watson était si influencé par Barron qu'il l'imitait, adoptant ses manières, ses tics et répétant mot pour mot les phrases clés qui permettent de conclure une vente, ce qui dans ce métier est l'essentiel. Robert Sobel trace un portrait du jeune Watson qui montre quelle attitude tout vendeur ambitieux devrait adopter pour atteindre le sommet de son art. Tout vendeur? Non seulement tout vendeur, mais toute personne désireuse de réussir. Car peu importe le domaine, pour réussir, il faut savoir vendre. Une idée, un service, une compétence, un produit. Celui qui ne sait pas se vendre, vendre son produit, sa compétence, est condamné à l'échec. Mais cédons la parole à Robert Sobel auteur de *L'histoire d'un empire: IBM*: «Watson avait tendance à simplifier à l'extrême lorsqu'il faisait des discours, éludant nombre de détails. Comme tous les vendeurs étoiles, il accordait une attention particulière à son apparence, cherchant à plaire à tous ceux qu'il rencontrait et aux clients en particulier. C'était aussi un véritable tacticien, qui passait son temps à chercher les mots ou les gestes qui pouvaient avoir un impact quelconque, qui tentaient de lire entre les lignes, toujours dans l'espoir de réaliser une vente. Ainsi, il apprit que les bourgeois aimaient avant tout la sincérité, le don de soi, l'ardeur et autres vertus comparables. Plusieurs vendeurs le savaient et s'efforçaient de répondre à leurs attentes. Les bourgeois se laissaient impressionner par des gens qui se présentaient bien et qui connaissaient les produits qu'ils vendaient. Sur ce point, Watson se défendait bien. Il apprit aussi à écouter, à rire avec conviction au moment voulu, sans excès néanmoins. Il savait que pour vendre il faut user d'astuces, savoir traiter avec le client; mais il faut aussi donner l'image d'un représentant sincère, éviter de laisser paraître l'artifice des trucs du métier. Cela, Thomas Watson l'avait bien compris, lui qui faisait preuve de pondération en toute chose.»

Watson empocha rapidement plus d'argent qu'il n'en avait jamais gagné. «**On dit qu'il n'y a que l'argent qui compte. C'est vrai et, pourtant, ça compte tout de même un peu lorsqu'on veut se lancer dans la vie et qu'on n'a pas un sou vaillant en poche. Croyez-moi, je sais de quoi je parle.**» Cette confidence de Watson montre bien que pour réussir il ne faut pas avoir d'inhibition au sujet de l'argent. Une des premières choses que fit Watson lorsqu'il eut touché son chèque de paie fut de se monter une garde-robe à la suggestion de Barron qui voulait que son jeune associé paraisse au mieux de sa personne devant les clients et dissimule ainsi ses modestes origines campagnardes. Barron se plaisait d'ailleurs à répéter, fort philosophiquement: «**L'habit ne fait pas le moine, mais il aide beaucoup lorsqu'il s'agit d'un homme d'affaires.**»

Au cours de ces années, on voyait naître aux États-Unis les premiers magasins à chaîne. Watson s'intéressa tout de suite à ce nouveau phénomène, voyant là une occasion unique de faire fortune rapidement. Se sentant apte à mener de front deux activités, il réunit toutes ses économies, et, sans quitter son emploi de vendeur, ouvrit une boucherie à Buffalo, prévoyant multiplier les succursales si l'affaire marchait bien. En quelques années, il serait le magnat de la viande du Tout-Buffalo. Il engagea du personnel qualifié pour ce genre de commerce et acheta une caisse enregistreuse pour pouvoir exercer une certain contrôle en son absence.

Les débuts furent prometteurs et Watson crut enfin avoir trouvé le filon qui le mènerait droit à la fortune. Hélas, il n'était pas au bout de ses peines. Un bon matin, Barron disparut avec tout son argent. Il chercha en vain à le retrouver. Peine perdue. Pour la seconde fois de son existence, Thomas Watson s'était fait rouler, et il jura bien que ce serait la dernière.

Quelque temps après cette mésaventure, il perdit son emploi à la Buffalo Building and Loan. La malchance paraissait s'acharner contre lui. À court d'argent, il dut bientôt fermer la boucherie qui n'était pas assez rentable. Ainsi s'achevait le rêve de celui qui n'allait jamais devenir le magnat de la viande de Buffalo.

Cependant, malgré ce double échec, la confiance de Watson n'était pas ébranlée. Il était jeune. Il avait toujours sa belle garde-robe de vendeur et surtout, même s'il avait été lésé par son associé, s'il avait perdu son dernier sou dans la boucherie, il était en possession d'un capital inestimable pour sa réussite future: tout ce qu'il avait appris avec Barron sur l'art de la vente. C'était en 1895. L'économie américaine n'était guère saine, le chômage sévissait toujours cruellement. Watson devait néanmoins se trouver un emploi rapidement. Son échec dans le secteur de la viande avait été instructif et donc «payant», malgré la perte apparente d'argent, en ce sens qu'il avait permis à Watson de préciser sa véritable vocation. Sa voie était véritablement dans la vente. Tout échec peut aussi recéler pour vous le germe d'un grand succès futur en ce sens qu'il vous permettra généralement de clarifier votre vocation et de vous aider à découvrir ce que vous voulez vraiment faire dans la vie. Un but clairement défini est le commencement de tout aboutissement. Si un échec ou une série d'échecs vous permettent de clarifier vos buts et vos aspirations profondes, ils sont donc **positifs.** Ne l'oubliez jamais.

Pour sa part, Watson avait retenu la leçon de son expérience «malheureuse». Il se consacrerait donc corps et âme à la vente. Sa confiance était intacte. **Les hésitations et les errances du début ne doivent pas vous décourager vous non plus: vous pouvez toujours en tirer un profit immense!**

En liquidant son commerce de viande, Watson avait tout vendu, à l'exception de la caisse enregistreuse qu'il n'avait pas payée comptant. En allant la rapporter à la N.C.R. (National Cash Register) il profita de l'occasion pour offrir ses services comme vendeur. John Range, gérant régional, ne fut pas tellement impressionné par le jeune homme et refusa de l'embaucher. Mais Watson voulait travailler pour cette compagnie. Il ne se laissa pas décourager et refusa de s'avouer vaincu au premier refus. Inlassablement, il se présenta au bureau de Range jusqu'au jour où celui-ci décida, sans doute impressionné par son obstination, de lui accorder une période d'essai.

En fait, Watson avait, dans sa quête d'emploi, appliqué un des principes clés de la vente, que l'on mésestime souvent: ne jamais prendre un «non» pour une réponse définitive. S'il avait pu faire changer d'idée un homme aussi brillant et déterminé que Range, Watson allait pouvoir en faire autant, et beaucoup plus facilement, avec des milliers de clients futurs. Réfléchissez à ce principe. Tout homme, même le plus ferme et le plus inflexible en apparence, est influençable jusqu'à un certain degré et le refus catégorique qu'il oppose un jour peut se transformer le lendemain en une adhésion enthousiaste.

Cependant, malgré cette première victoire, la partie n'était pas gagnée. Et, de fait, malgré ses expériences précédentes, Watson ne fit guère bonne figure et revint bredouille après 10 jours acharnés sur la route. Range décida de lui donner une démonstration et de le prendre avec lui pour quelques jours.

«Je ne sais que répondre aux clients qui refusent catégoriquement de faire l'achat d'une caisse enregistreuse, je perds tous mes moyens», confia Watson à Range, chemin faisant.

«Regarde bien comment je vais m'y prendre, lança alors Range. Il suffit de sourire, de gagner la confiance du client et de dire: je sais bien que vous n'achèterez rien et c'est pour cela que je suis venu vous voir. Si j'étais certain de vous vendre une caisse enregistreuse, je serais venu du bureau avec un appareil sous le bras. Si je suis ici, c'est pour savoir pourquoi vous ne voulez pas acheter de caisse enregistreuse.»

Watson confia à ce sujet, beaucoup plus tard: **«C'est John Range qui m'a appris l'importance du mot** *pourquoi.*»

Fort de cette formation nouvelle, Watson ne tarda pas à devenir un vendeur hors pair. Plusieurs années plus tard, il confiera à un journaliste que les conseils de John Range avaient été ceux qui avaient eu le plus d'importance dans sa vie. Ils pouvaient se résumer ainsi: **«Faites chaque jour plus d'efforts. Il y aura toujours des lendemains qui vous apporteront bien des satisfactions et beaucoup d'argent.»** Trois ans seulement après être rentré comme vendeur au sein de la N.C.R., Thomas Watson fracassait tous les records de ventes. En une seule semaine, il réussit à gagner 1 225$

en commissions seulement, ce qui apparaît phénoménal si l'on considère qu'il ne recevait que 15% de commission sur chaque caisse enregistreuse vendue. Par rapport aux autres très bons vendeurs de la compagnie qui gagnaient tout de même de 100$ à 200$ par semaine (ce qui pour l'époque était plus que raisonnable), Watson faisait figure de prodige.

Vendeur auréolé, Watson était maintenant prêt à relever de nouveaux défis, si bien qu'en 1899 il fut promu directeur régional pour le comté de Rochester, territoire considéré comme l'enfant pauvre de la N.R.C. à cause de son faible volume de ventes. Watson, travaillant comme un forcené, releva le défi. Le chiffre d'affaires du territoire qui lui avait été confié grimpa rapidement. Patterson, alors P.-D.G. de l'entreprise, voyant la fougue de ce jeune homme et la motivation avec laquelle il s'acquittait de ses nouvelles fonctions, le nomma bientôt directeur général de la division des appareils d'occasion. Trois ans plus tard, Watson accéda au poste de directeur général des ventes. Jamais personne avant lui n'avait gravi aussi rapidement les échelons de la hiérarchie administrative, et déjà, dans certains milieux des affaires, le nom de Thomas Watson commençait à circuler, comme celui d'une vedette montante fort prometteuse.

À 36 ans, Thomas Watson, grâce à son enthousiasme et son travail, occupait une situation enviable au sein de la N.C.R. mais une période tourmentée allait suivre. C'est à cette époque que l'American Cash Register (ACA) porta plainte contre la N.C.R., l'accusant d'avoir transgressé la loi antimonopole. L'affaire fut portée devant les tribunaux. La N.C.R. fut trouvée coupable. Watson et Patterson furent condamnés à payer 5 000$ d'amende et à purger un an de prison. Heureusement, la cause fut portée en appel et le jugement renversé. Watson était sauvé, mais il n'était plus dans les bonnes grâces de Patterson. Au cours du procès, les deux hommes s'étaient brouillés, et des dissensions irréparables s'en étaient suivies. En avril 1914, Thomas Watson fut renvoyé un peu comme le sera Iacocca, P.-D.G. de Ford, quelques années plus tard. Même si Watson ne s'était pas brouillé avec Patterson au cours du procès, il aurait été probablement remercié un jour ou l'autre car Patterson, jaloux de son pouvoir comme Henry Ford II plus tard, ne pouvait supporter que l'un de ses cadres lui porte ombrage et menace son autorité jugée par plusieurs despotique malgré ses indéniables capacités.

Le jour où Watson quitta la N.C.R., il confia à un ami: «**Je m'en vais, mais c'est pour lancer une entreprise qui sera encore plus grande que celle de J.H. Patterson.**» Bel exemple de ce qu'il est convenu d'appeler la frustration créatrice. Ce tournant de la carrière de Watson est également une illustration du principe du *spin-off*.

L'avenir allait donner raison à Watson. À compter de ce jour, il participerait à la création de l'une des plus prestigieuses firmes de toute l'histoire, l'International Business Machine, plus communément appelée IBM.

Watson se retrouva d'abord au chômage ou plutôt en période de réflexion, pour ainsi dire. Le milieu des affaires connaissait la valeur de l'homme. Watson se vit offrir plusieurs postes dans l'industrie de l'automobile, dans l'industrie navale et le commerce de détail. Mais il déclina toutes ces propositions. Son choix s'arrêta en 1914 sur l'offre que venait de lui faire la Computing Tabulating Recording (C.T.R.) pour le poste de directeur général. Les autres emplois l'auraient obligé à travailler dans l'ombre d'un patron. Il aurait dû se contenter de n'être qu'un exécutant. Watson avait trop d'ambition. Une telle situation l'aurait sans doute empêché de mener à termes ses propres objectifs personnels. Watson avait une idée trop haute de sa valeur. Puis, il avait des comptes à régler. Il n'avait pas oublié la promesse qu'il s'était faite de prendre sa revanche sur Patterson. Il lui fallait oeuvrer dans une compagnie concurrente. Son choix s'imposa donc naturellement à lui. C'était en outre le domaine où il avait acquis sa haute expertise. Il eut été impensable de repartir à zéro. Son capital, c'était son expérience.

Thomas Watson put d'ailleurs poser ses conditions à la C.T.R.: un salaire convenable assorti du partage des bénéfices à la fin de l'année en plus d'une option d'achat sur les actions de la compagnie. C'est ainsi que Watson fut engagé avec un salaire annuel de 25 000$ par la C.T.R. Cette entreprise était un amalgame de firmes plus ou moins disparates. D'abord, l'International Time Recording, entreprise manufacturière, la Computing Scale qui se spécialisait dans la fabrication de couteaux et de balances commerciales, et enfin la Tabulating Machine, entreprise engagée dans la production de tabulatrices. En vérité, pour le P.-D.G. de l'entreprise, Charles Flint, et ses associés, la C.T.R. constituait bien plus une sorte d'abri fiscal pour cacher les revenus de ses autres entreprises qu'une firme destinée à être véritablement productive. Une telle attitude n'avait rien de rassurant pour l'avenir de la compagnie. Thomas Watson, dès son entrée en fonction, ne partagea pas cette philosophie. Il entendait faire de cette industrie un géant.

Dès le début de ses activités à la C.T.R., Watson s'intéressa aux activités de la Tabulating Machine sans doute en raison de son expérience acquise dans l'autre compagnie. Il était convaincu qu'il y avait un marché important à développer dans le domaine des machines à écrire et à calculer. Si Patterson avait si bien réussi à la N.C.R., pourquoi lui ne pourrait-il pas en faire autant? Et, il gardait toujours en tête la promesse qu'il s'était faite au moment de son renvoi.

Watson s'affaira tout d'abord à modifier la structure de la Tabulating Machine, mettant sur pied une équipe de super-vendeurs, qui allaient bientôt supplanter ceux de la N.C.R. Watson se rappelait que la force de la N.C.R. résidait dans ses vendeurs, formés à la méthode de Patterson. C'est sur ce terrain, il le sentait, qu'il devait s'imposer tout d'abord, en vertu de cette évidence, pourtant négligée, qu'à qualité égale, et à prix comparable, c'est toujours le produit présenté par le meilleur vendeur qui se vend le mieux. En outre, Watson créa un laboratoire de recherches expérimentales dans le but de perfectionner et d'inventer de nouveaux appareils. Cette initiative allait s'avérer infiniment fructueuse. La compagnie allait en effet prendre ainsi une longueur d'avance sur ses concurrents.

Les efforts de Watson ne passèrent pas inaperçus. Flint fut si impressionné par la détermination et l'audace de Watson qu'un an seulement après l'avoir engagé à la C.T.R. il le promut au rang de président de l'entreprise. Bien des années plus tard, Flint confia à des journalistes que Watson avait été l'un des plus grands créateurs qui lui avait été donné de rencontrer, l'un des géants authentiques parmi les administrateurs des grandes compagnies américaines.

À cette époque, les objectifs de Watson étaient clairs et précis: créer une compagnie semblable à la N.C.R. et la supplanter en fabriquant des produits d'une qualité supérieure. Et surtout en les vendant mieux!

Administrateur hors pair, Watson fut surtout reconnu comme supérieurement habile à motiver les gens. En s'inspirant de son expérience personnelle à ses débuts comme vendeur itinérant, il avait su mettre au point une véritable philosophie de la vente au sein de la C.T.R. Réunissant presque à toutes les semaines ses vendeurs, il tâchait dans ses discours de leur transmettre les principes qui l'avaient guidé toute sa vie.

Watson aimait les slogans, et y recourait d'ailleurs fréquemment au cours des réunions de motivation de ses équipes de vendeurs. En voici quelques-uns. Ils paraîtront peut-être banals; ils ont pourtant permis à Watson de devenir l'un des plus grands administrateurs de son époque: «Vendre et servir», «Visez haut!», «Le temps perdu ne se rattrape pas», «Il ne sert à rien d'enseigner si personne n'est là pour apprendre», «L'inertie n'existe pas», «On ne doit jamais se dire satisfait», «Les erreurs de jugement sont pardonnables», «Nous vendons d'abord des services.»

L'une des devises favorites de Watson est la suivante: «**Lisez, écoutez, discutez, observez, réfléchissez.**» Comme on le voit, elle est toute centrée sur la réflexion, mais Watson s'empressait d'ajouter que cette dernière n'est rien sans l'action. Mais ultimement, c'est l'importance accordée à l'individu au sein de la compagnie IBM qui paraît avoir été déterminante dans son spectaculaire succès. On pourrait du reste en dire autant de la compagnie Honda et de Walt Disney Enterprise. C'est au fond une forme subtile d'humanisme dont les résultats sont profonds. Dans un de ses plus importants discours qui, du reste, passa à l'histoire de la compagnie, et s'intitulait fort pertinemment *The Man Proposition* (La proposition humaine), Thomas Watson déclara ceci, en fait la clé de voûte de l'édifice IBM: «**Nous avons des idées différentes et des tâches différentes, mais lorsqu'on fouille un peu, on se rend compte que notre organisation repose sur une seule chose: l'individu.**»

La formule lapidaire de Getty pour décrire toute activité commerciale rejoint d'ailleurs cette conception trop souvent négligée: «**Faire des affaires consiste à diriger des activités humaines.**» Pour terminer sur les slogans, ajoutons que l'un des plus populaires de IBM affiché partout dans la compagnie était le célèbre: THINK! (RÉFLÉCHISSEZ!) (ce slogan avait été en fait emprunté au mentor de Watson, Patterson).

Lorsqu'il était chez N.C.R., sous l'égide de Patterson, Watson avait appris toutes les subtilités de l'art de la vente, entre autres, à avoir toujours la bonne réponse toute prête d'avance, par exemple pour réfuter habilement les objections les plus courantes, telles que: «Je n'ai pas d'argent», «Je n'en ai pas besoin», «Mon système actuel fonctionne bien.» Le moment le plus délicat dans une transaction est sans contredit, comme on dit en jargon du métier, de «conclure la vente», c'est-à-dire d'amener le client à signer le contrat, à passer une commande. Watson avait appris chez N.C.R. à le faire de manière fort habile. Au lieu de proposer brutalement et d'ailleurs inefficacement de signer le contrat, ce qui effraie souvent le client qui se défile, Watson avait appris à demander plus judicieusement, comme si le consentement du client était déjà acquis (en d'autres mots comme si son acquiescement ne faisait plus problème), de quelle couleur il désirait sa machine ou à quel moment il préférait qu'on la lui livrât. Ces techniques, il se fit fort de les enseigner à ses vendeurs de IBM. Les résultats furent spectaculaires.

À la fin de la Première Guerre mondiale, la Tabulating Machine avait réussi à louer quelque 2 500 machines Hollerith à plus de 650 clients à travers tous les États-Unis, en plus des 960 millions de cartes perforées vendues. La machine Hollerith qui porte le nom de son inventeur, fut conçue à la fin de XIXe siècle et peut être considérée comme l'ancêtre de l'ordinateur moderne. Le premier appareil permettait la perforation des cartes. Un second assurait la lecture, le prix et le comptage, offrant la possibilité de réaliser des travaux et de produire des rapports à partir des perfor-mations lues.

Watson croyait beaucoup en l'avenir de ces machines qui permettaient de sauver énormément de temps, par exemple, lors de recensements ou pour diverses compilations de nombreuses données. Aussi, en 1919, grâce au laboratoire de recherches que Watson avait mis sur pied au sein de la C.T.R., la compagnie s'orienta davantage vers la recherche et le développement de nouvelles technologies. Le laboratoire mit au point une imprimante adaptée à la machine Hollerith, capable de reproduire les copies de données fournies par cette dernière. On approchait de plus en plus du futur ordinateur.

À l'âge de 50 ans, en 1924, Thomas Watson fut élu président, directeur du conseil et directeur des opérations de la C.T.R. Par le fait même, il en devenait le maître absolu. C'est aussi cette même année que Watson, pour indiquer les nouvelles orientations qu'il entendait donner à l'entreprise, décida que désormais la C.T.R. porterait le nom d'International Business Machine ou IBM. Progressivement, Watson délaissa le marché des machines à écrire et à calculer pour se lancer à fond de train dans la nouvelle technologie naissante des machines de traitement de données dont l'usage de plus en plus répandu allait changer le visage de la société occidentale, entraînant ce qu'on appellera la révolution informatique.

Sous la tutelle de Watson, grâce à des méthodes scientifiques de vente qui laissaient peu de place à l'improvisation, même si elles encourageaient chaque individu à affirmer sa personnalité, la compagnie IBM connut une croissance rapide. En 1949, le chiffre d'affaires atteignait 33 millions de dollars et la compagnie comptait 12 000 employés. Lorsque Watson passa les rênes du pouvoir à son fils, Thomas Watson junior, en 1956, un mois avant sa mort, IBM possédait 888 bureaux et six ateliers à travers les États-Unis. En outre, l'IBM World Trade comptait 227 bureaux et 17 ateliers (plus modestes cependant) à travers 80 pays. De fait, en 1975, IBM devint la deuxième compagnie la plus prospère des États-Unis, juste derrière Exxon. En 1980, IBM comptait 340 000 employés et annonçait des revenus bruts de l'ordre de 24 milliards de dollars.

Comme Watson détenait un important portefeuille d'actions IBM, inutile de dire que la croissance prodigieuse de la compagnie lui profita. De fait, il devint rapidement milliardaire. Son secret, on l'a vu, résidait essentiellement dans sa grande habileté à savoir motiver les gens. Sa façon de considérer ses employés comme des individus à part entière fut aussi déterminante et était plutôt originale à l'époque. Watson fut en effet un des premiers à accorder, en plus de salaires généreux, des avantages sociaux tels que l'assurance-maladie qui payait le plein salaire pour six mois, mesure qui n'était guère prisée par les milieux d'affaires de l'époque.

L'aventure de Watson est exemplaire. Petit vendeur itinérant de machines à coudre et de pianos, il parvint à la présidence d'une des plus grandes multinationales du monde. L'école mène à tout, dit-on, pourvu qu'on en sorte. L'histoire de Watson prouve que la vente mène elle aussi à tout, pourvu qu'on y reste!

* * *

Comme on vient de le voir, la vie de Watson est une magnifique illustration de la puissance magique de la persévérance. Cette vertu joua également un rôle déterminant dans la carrière de Ray Kroc. D'ailleurs, voici le conseil utime que celui-ci consigna dans son autobiographie, à l'âge de 75 ans: «**Persévérez. Rien au monde ne peut remplacer la persévérance. Le talent ne le fera pas; rien n'est plus commun que des ratés ayant du talent. Le génie ne le fera pas; le génie sans récompense est presque un proverbe. L'éducation ne le fera pas; le monde est rempli d'épaves éduquées. Persévérance et détermination seules sont omnipotentes.**»

LE TEMPS EST UN GRAND MAGICIEN. IL Y A TOUJOURS DES LENDEMAINS.

Chaque étape vous rapproche de la victoire. Chaque circonstance contraire recèle le ferment d'un bénéfice et d'une chance souvent beaucoup plus grands.

L'effort supplémentaire: «l'extra mile»

Nous avons précédemment abordé la notion de l'*extra mile*, qu'on peut traduire littéralement par l'expression «mille supplémentaire». Nous avons expliqué que plusieurs individus (nous devrions dire la grande majorité) échouent parce qu'ils renoncent trop tôt. D'innombrables succès, nous l'avons vu, surviennent au cours de l'*extra mile*.

Mais l'*extra mile* a un autre sens, plus subtil, d'une certaine manière. Il recouvre un grand principe de la réussite, en général méconnu. Il pourrait s'énoncer comme suit: pour progresser dans son travail, pour avoir une augmentation, une promotion lorsqu'on est salarié, pour gagner la faveur du public et de la clientèle lorsqu'on est à son compte, **il faut s'efforcer constamment d'en donner plus que ce pour quoi on est payé. C'est pour cette même raison que le salarié qui ne fait pas davantage que ce pour quoi il est payé ne mérite tout simplement pas d'augmentation de salaire.**

En fait, cette loi est bien simple, il est surprenant qu'elle soit si méconnue du public. C'est la loi du retour. **On reçoit ce que l'on donne.**

Ceux qui donnent peu, reçoivent peu. Au travail comme ailleurs. Les dix hommes riches, malgré les préjugés mal fondés de ceux qui veulent ternir leur image, ont tous donné beaucoup. Ils se sont donnés corps et âme pour leur entreprise.

La loi de l'*extra mile* rejoint d'ailleurs le sens véritable de la richesse que nous avons exposé précédemment: celui de la reconnaissance du public à l'égard d'un individu qui lui a apporté beaucoup grâce à un service ou un produit.

Celui qui applique le principe de l'*extra mile* s'en trouve toujours récompensé, tôt ou tard. La compensation, plus ou moins tardive selon les cas, peut prendre différentes formes d'ailleurs parfois inattendues et surprenantes. La plus courante est évidemment l'augmentation de salaire ou la promotion. Mais il peut également arriver que **cette compensation inévitable vienne d'une autre personne que l'employeur actuel pour lequel la personne fait des efforts supplémentaires.** Il existe une justice immanente qui s'accomplit toujours. La plupart du temps, la personne qui n'est pas rétribuée en fonction de ses efforts se verra offrir, par un autre employeur, des conditions supérieures. Ainsi, le principe de l'*extra mile* trouve son application, même si c'est de manière indirecte. Des exemples de cette loi, il en est à foison dans la vie des dix hommes que nous avons analysés, et elle se manifesta souvent, au début de leur carrière, alors que leurs efforts n'étaient pas rétribués à leur juste valeur pas leurs premiers employeurs. Souvent, l'employé qui s'estime lésé et qui, de fait, l'est parce que son employeur ne reconnaît pas ses efforts et ne le rétribue pas en conséquence, choisira de monter une affaire dans le domaine dans lequel il lui semblait avoir peiné inutilement. Mais **aucun effort n'est jamais perdu.** Cet homme récoltera à son compte les fruits de ses propres efforts antérieurs. En outre, en redoublant d'efforts, cet homme a récolté un bénéfice indirect inappréciable: il a acquis une maîtrise qui lui permettra à coup sûr de s'enrichir un jour ou l'autre.

La loi de l'effort supplémentaire est en quelque sorte l'équivalent, sur la plan financier, de la Loi de conservation formulée par Lavoisier. «Rien ne se perd. Rien ne se crée. Tout se transforme.» Rappelez-vous bien cette loi et ne ménagez pas vos efforts. Ils ne sont jamais inutiles. Même s'ils ne trouvent pas une récompense immédiate, ils sont comme de l'argent en banque. Et cet argent travaille pour vous à un taux d'intérêt de beaucoup supérieur à ce que vous pouvez croire.

TOUS VOS EFFORTS CONSTITUENT DE L'ARGENT EN BANQUE

Cette philosophie de l'effort ne doit pas vous pousser à croire qu'il faille nécessairement travailler d'arrache-pied pour parvenir à la fortune. Les Américains qui ont réussi se plaisent à répéter: «*Don't work hard, work smart*!» Ne travaillez pas fort, travaillez intelligemment! Il est vrai que certains efforts sont souvent des coups d'épée dans l'eau, à cette nuance près qu'ils sont tous instructifs. L'idéal est donc d'en apprendre le plus possible dans un domaine spécifique afin de limiter ses efforts et surtout de les orienter adéquatement. En ce sens, **l'expertise est du travail transformé**. Cela rejoint d'ailleurs la maxime qui prétend que le savoir c'est le pouvoir. **Plus vous accumulerez «de travail transformé», donc d'expérience, plus, à proprement parler, vous travaillerez fort, alors qu'on croira que vous ne faites que réfléchir**. C'est du reste ce que vous en viendrez de plus en plus à faire. Plus votre réflexion sera aiguisée, profonde, plus elle sera féconde et vous enrichira. Si vous voulez vous enrichir plus rapidement et plus considérablement, ne vous contentez pas de travailler intelligemment au lieu de travailler fort. Travaillez fort **et** travaillez intelligemment. Ainsi vous irez plus loin, plus rapidement. Toutes les fortunes colossales se sont établies par la combinaison d'un travail ardent et intelligent. Par contre, si vous ne cherchez qu'à vivre plus à l'aise, qu'à doubler vos revenus, sans songer à devenir milliardaire, ce qui est tout à fait légitime, efforcez-vous de réfléchir et d'agir de la manière la plus intelligente qui soit. Le calcul vaut le travail. Ne l'oubliez pas. **Mais il faut bien souvent commencer par travailler, et fort, pour apprendre à bien calculer!**

CHAPITRE 7

La psychologie du succès

Le succès ne se fait pas seul

L'homme est une île, a dit certain poète. Cette maxime, on peut peut-être l'admettre, au niveau métaphysique, sauf que sur le chemin du succès nul n'atteint le sommet sans le secours des autres. Nul ne peut s'enrichir sans les gens qui l'entourent. **En d'autres mots, le succès ne se fait pas seul.** Hélas, bien des gens ont tendance à l'oublier. Et ils négligent de cultiver leurs relations professionnelles. Ils s'isolent, n'accordent pas assez de temps à développer les amitiés avec ceux qui sont avec eux sur la route de la richesse. Parmi les dix hommes riches, tous sans exception ont parlé de l'importance de leurs collaborateurs dans leur réussite. Rappelez-vous l'exemple de Soïchiro Honda qui, de son propre aveu, aurait fait faillite s'il n'avait rencontré un gestionnaire de génie. Onassis fut lui aussi épaulé la majeure partie de sa carrière par un gestionnaire de grand talent.

«L'aptitude à manier les gens est une denrée qui s'achète comme le sucre et le café, et je la paie plus chère que toute autre au monde», disait Rockefeller qui possédait l'art de bien s'entourer. Méditez sur la dernière partie de son énoncé:«**Je la paie plus chère que toute autre au monde.**» En fait, plus vous avancerez sur la route du succès, plus vous vous apercevrez que ce qui compte, ce n'est pas tant le capital ou les idées, l'enthousiasme, mais les individus. Les relations, ou pour être plus nuancé, disons que l'argent peut être utile, sans être absolument nécessaire, les idées et l'enthousiasme sont nécessaires, mais **ils ne sont pas suffisants si on ne peut miser sur les individus.**

Apprenez à composer avec les gens. Celui qui ne s'entend avec personne (et qui est persuadé que ce sont toujours les autres qui ont tort, comme ce soldat qui dans une armée en marche est persuadé que lui seul est au pas), celui donc qui ne s'entend pas avec les autres ne réussira jamais. Chose certaine, il n'atteindra jamais de hauts paliers. Il oublie que toute chose étant égale — compétence, expérience — les gens préfèrent toujours travailler avec des gens aimables. Cela paraît être une vérité de La Palice, et pourtant, quotidiennement, les gens négligent ce principe. Ils oublient aussi, par le fait même, qu'il n'y a pas que leur petite personne qui soit importante, ni leurs besoins ou leurs priorités. Celui qui tient compte de cette loi, qui n'est pas aveuglé par sa personne (lisez: son ego) pourra aller très loin, très vite. Il pourra influencer considérablement les gens qui l'entourent et d'une certaine manière obtenir d'eux ce qu'il désire.

Cette qualité psychologique est en général beaucoup plus utile que l'intelligence ou la pure compétence dans la réussite. Iacocca, dans la confidence suivante, confirme ce que nous venons d'énoncer: «**Quand je me penche sur ma propre carrière, je me rends compte que j'ai connu des tas de gens plus intelligents que moi ou qui en savaient plus long sur les voitures. Et pourtant, je les ai laissés sur place**. Est-ce parce que je me suis montré dur? Certes non. On ne peut aller très longtemps de l'avant en rudoyant les gens. Il faut savoir leur parler, avec franchise et simplicité. S'il y a une appréciation que je déteste découvrir dans le dossier d'un cadre, c'est bien celle-ci: a des difficultés à s'entendre avec ses collègues. Pour moi, c'est rédhibitoire; c'est un arrêt de mort. Car s'il ne peut s'entendre avec les gens, le problème est de taille puisqu'il est appelé à ne fréquenter que des êtres humains. Il n'y a ni chien ni singe... rien que des humains. Et s'il ne s'entend pas avec ses semblables, que peut-il apporter à l'entreprise? Son rôle de cadre est de motiver les autres. S'il en est incapable, il n'a rien à faire chez nous.»

Ces paroles, un des plus grand hommes d'affaires américains aurait pu les prononcer. Toute sa vie il sut faire preuve d'un sens psychologique aigu et comprendre le facteur humain et la notion de service. Cet homme, c'est Conrad Hilton.

Conrad Nicholson Hilton ou Le plus grand hôtelier du monde

«Je crois en Dieu et je crois qu'à travers la prière on peut atteindre l'amour de Dieu.»

«Je crois en mon pays. Je crois que ses destinées sont grandes et nobles.»

«Je crois en la vérité. Je crois que l'homme qui dit un mensonge volontairement est un homme qui se mutile volontairement. Mais, surtout, je crois au courage, à l'enthousiasme, car sans eux l'individu entrave ses plus fermes désirs.»

Voilà, résumée en trois phrases magistrales, toute la philosophie d'un homme qui allait révolutionner l'industrie hôtelière et en devenir le magnat incontesté.

Dans la préface à sa biographie rédigée par son ami Whitney Bolton, Conrad Hilton déclarait: **«Il est impossible à un homme de vivre sans avoir au préalable une idée de la direction que va prendre sa vie. D'aussi loin qu'il me souvienne, (...) j'ai été marqué du signe de l'enthousiasme. Avec l'enthousiasme pour me propulser et la prière comme bouclier, je peux dire que j'ai aimé ce que j'ai fait de ma vie. Inévitablement, avec de tels atouts, on ne peut faire autrement que de mener une vie active, bien remplie et surtout heureuse. Donner à un homme l'ambition nécessaire pour l'éperonner, la foi pour le guider et une bonne santé pour lui permettre de réaliser son potentiel, dès lors il doit nécessairement aboutir à une forme ou une autre de succès.»**

Ce succès, avouons-le, Hilton le connut dès ses jeunes années. Mais son ascension était due moins à ses dons pour diriger les opérations quotidiennes d'un grand hôtel qu'à ses talents de financier. Il était passé maître dans l'art de la finance et il se doublait d'un négociateur hors-pair qui se montrait excessivement prudent dans toutes ses transactions. De plus, il possédait au plus haut degré ce sixième sens qui permet aux grands financiers de profiter du «bon moment»!

Il avait également ce coup d'oeil avisé qui lui permettait de reconnaître immédiatement les possibilités d'un quelconque investissement. Disons de plus que cet homme unique savait respecter une loi fondamentale que tous les grands argentiers de la planète ont pris à leur compte:

SAVOIR S'ENTOURER D'HOMMES COMPÉTENTS QUE L'ON PLACE À DES POSTES CLÉS ET À QUI ON FAIT ENTIÈRE CONFIANCE.

De cet homme qui, au moment de sa mort (à l'âge de 91 ans, en janvier 1979) était responsable de 185 hôtels ou auberges aux États-Unis en plus de 75 établissements dans le monde entier, on disait qu'il achetait les hôtels comme d'autres achètent des oranges. Ces paroles, attribuées au directeur d'un hôtel newyorkais (lequel d'ailleurs ne fait pas partie du groupe Hilton), il les démentait tout de suite. Ce n'est certes pas vrai. Avant d'entreprendre une action, il passait des jours et des jours à observer, penser à toutes les possibilités. Il en était arrivé à un point que, lorsqu'il se promenait près d'un hôtel, la nuit, et regardait dans le hall, à travers le hall, la moitié du personnel s'en trouvait surexcité et l'autre moitié paralysée par la peur.»

Il ÉTUDIAIT TOUT!

De Hilton, on a dit que lorsqu'il lui était impossible d'acheter un hôtel, il le louait. Quand la location était impossible, il en bâtissait un. Mais quand la vente semblait avantageuse, il n'hésitait pas un seul instant. Cet homme de haute taille, d'une vitalité débordante et d'une énergie peu commune mangeait hôtellerie, pensait hôtellerie et, chose presque impossible à croire, arrivait même à y rêver en dormant! Voilà le secret du succès phénoménal de Conrad Nicholson Hilton!

Celui qu'on surnomma «le plus grand hôtelier du monde» ou encore, «l'aubergiste No 1» naquit le jour de Noël en l'an 1887 à

San Antonio, dans l'État du Nouveau-Mexique. Second enfant d'une famille qui allait en compter huit, il était le premier fils à naître aux Hilton.

Son père, Augustus Holver Hilton, né à Oslo en Norvège en 1854, était arrivé aux États-Unis durant la décennie de 60-70. Pendant un certain temps, Hilton-père demeura à Fort Dodge, dans l'Iowa, d'où est d'ailleurs originaire son épouse, de descendance allemande, Mary Laufersweiler. Fasciné par les immenses possibilités de l'Ouest, il alla s'établir au Nouveau-Mexique, à Sorocco, puis à San Antonio où, réalisant le besoin des mineurs de charbon et des passeurs de frontière pour un magasin général, il décida d'y fonder un tel commerce.

Augustus Hilton fêta dignement la venue de ce premier fils (il en aura trois). Il offrait aux clients deux doigts d'un alcool surnommé «Nelly's Death» (La mort de Nelly). Un doigt pour fêter la Noël et un deuxième pour célébrer la naissance de Conrad. Rapidement la nouvelle se répandit comme une traînée de poudre dans les rues de San Antonio: Hilton arrosait!

Augustus était un homme d'une activité débordante, trait qu'on reconnaîtra très tôt chez son aîné Conrad. En effet, en plus d'administrer son magasin général, il jouait le rôle de maître de poste, faisait le commerce du bétail, ouvrit une pharmacie, dirigea une écurie et, avec la venue de l'automobile, posséda un garage avec poste d'essence!

Conrad et les autres enfants grandirent comme les enfants de cette contrée sauvage. Ils maîtrisèrent très tôt l'espagnol, langue couramment employée dans la région puisque le Nouveau-Mexique est voisin immédiat du Mexique d'où de nombreux immigrants arrivaient presque quotidiennement à la recherche d'un sort meilleur. Et comme le paternel était beaucoup trop occupé pour songer à élever sa nombreuse nichée, ce rôle fut dévolu à la mère. C'est d'elle que Conrad tient cette foi en Dieu, ce respect pour l'honnêteté et l'amour de la vérité qui le guideront toute sa vie durant. Il avouera d'ailleurs, dans cette même préface à sa biographie:

«J'avoue que je me délecte de la présence d'hommes francs et honnêtes. J'éprouve une horreur instinctive pour la malhonnêteté. Je ne peux concevoir en arriver à me réjouir un seul instant d'avoir gagné un seul dollar par cupidité ou par ruse.»

Cependant, bien que le jeune Conrad semblât plus intéressé, dès son jeune âge, aux concepts religieux qu'aux choses du commerce, Mary, sa mère, commençait à s'inquiéter un peu. L'instruction donnée à San Antonio n'était pas à la hauteur des exigences de cette pieuse mère de famille. Quand Conrad eut neuf ans, il parlait, bien sûr, l'anglais et l'espagnol, mais son degré de scolarisation laissait grandement à désirer. Elle fit son possible pour le pousser à étudier de plus en plus, mais comme le cadre s'y prêtait mal, elle décida d'envoyer le jeune homme à Albuquerque, dans une école militaire, populaire à cette époque.

L'Institut militaire du Nouveau-Mexique n'était peut-être pas ce qu'il y avait de mieux dans le domaine de l'enseignement, mais il y aurait probablement terminé ses études secondaires si l'établissement n'avait pas été rasé par un incendie.

Mary ne se tint pas pour battue et, après deux semaines de réflexion, elle envoya Conrad à l'école St-Michel de Santa Fe, une école de paroisse qui lui donna satisfaction pour deux raisons. D'abord c'était une école catholique, ensuite la discipline y était très sévère.

Pendant les vacances, Conrad travaillait au magasin paternel. Son père lui offrait le salaire de cinq dollars par mois, ce qui n'était pas une somme négligeable à cette époque. Augustus avait même pris soin d'ajouter que si le jeune homme montrait de l'intérêt, son salaire pourrait éventuellement doubler. Ce billet de cinq dollars est resté un symbole dans l'esprit de Conrad Hilton. Ses amis racontent que bien qu'il ait manipulé des millions de dollars, il n'était pas rare de le voir, en contemplation devant un billet de cinq dollars, demander ouvertement aux gens ce qu'ils pourraient acheter avec une telle somme. La manipulation de sommes titanesques n'avait pas érodé chez lui ce respect pour la valeur d'un simple billet de cinq dollars!

En acceptant l'offre paternelle, Conrad obéissait inconsciemment à un autre grand principe à la base de toutes les fortunes célèbres de la planète:

IL SE MIT AU TRAVAIL IMMÉDIATEMENT ET AVEC ACHARNEMENT!

Son père fut enthousiasmé devant la nouvelle passion que suscitait le commerce chez son aîné. Non seulement inventa-t-il des moyens ingénieux d'augmenter ses revenus, par exemple en vendant les légumes de son propre potager qu'il mettait en vente au magasin de son père à des prix très intéressants, mais sa détermination à réussir forçait l'admiration familiale. Cet été-là, Conrad réussit à se faire bien au-delà de 50$, somme importante à ce moment-là. Évidemment, dans de telles conditions, inutile de dire que le paternel avait bien hâte que Conrad soit en congé. Il avouait d'ailleurs à sa femme, Mary, que Conrad était très doué pour le commerce et que possiblement il réussirait à s'y tailler une place très enviable. Il ne croyait pas si bien dire!

Conrad étudiait alors à Roswell et, au cours de son troisième été au magasin familial, il gagnait jusqu'à 15$ mensuellement. Ce fut à ce moment-là qu'il décida de quitter les bancs de l'école. Gus, comme on surnommait affectueusement Augustus, comprit que son aîné se passionnait pour le commerce et n'hésita pas à le pousser dans cette voie en lui allouant la somme de 25$ par mois. On était alors en 1904 et les affaires marchaient rondement pour les Hilton, par ailleurs fort à l'aise. Gus avait empoché une véritable fortune, 135 000$, en vendant du charbon qu'il avait acheté plusieurs années auparavant à un prix incroyablement bas. Pour fêter cet événement, la famille partit en voyage à Chicago. Pour Conrad, ce voyage de luxe fut une véritable révélation. Toute sa vie il éprouva un amour indéfectible pour les voyages en première classe, les bons hôtels et les autos rapides.

Pourtant, ce bonheur allait être de courte durée car Mary tomba gravement malade. Gus décida de l'envoyer en Californie où ils s'établirent à Long Beach. Puis, ce fut le désastre! En 1907, une crise financière secoua tout le pays. Gus se réveilla un beau matin sans le sou. Bien sûr, le magasin était généreusement garni car il venait tout juste d'acheter un stock important à bas prix. Mais les prix étaient tombés si bas et l'argent s'était fait si rare que toute vente se faisait à perte. C'était la ruine complète!

COMME TOUS LES GRANDS HOMMES
À QUI LA FORTUNE A SOURI,
CONRAD NE SE LAISSA PAS ABATTRE
PAR LE DÉCOURAGEMENT
ET SUT FAIRE UN SUCCÈS D'UN ÉCHEC,
MÊME S'IL EST LE FRUIT DU HASARD.

Il songea à l'hôtellerie. Gus leur avait dit à tous: «Nous sommes sans le sou. J'ai déjà été dans cette situation avant et cela ne m'effraie pas du tout. Votre mère est en santé à nouveau et c'est vraiment la seule chose importante. Mais nous devons subsister. Les tablettes sont remplies et nous avons de quoi manger pendant un bon bout de temps. Nous ne sommes donc pas en danger de famine. Mais par contre, nous devons nous remettre sur pied. Vous avez des idées?»

Et ce fut le début de la colossale aventure quand le jeune homme répliqua calmement: «**Pourquoi ne pas utiliser cinq ou six des dix pièces de la maison et en faire des chambres, comme un hôtel. Cette ville a besoin d'un hôtel. Peut-être n'aurons-nous pas de clients au début mais la nouvelle va finir par se répandre et alors ça va marcher tout seul. Les filles et maman peuvent s'occuper de la cuisine, moi je m'occuperai des bagages. On peut fort bien coucher plusieurs par chambre. Et à deux dollars cinquante par jour, je crois que nous pourrions fort bien nous tirer d'affaire!**»

Évidemment, le problème important, c'était de trouver des clients. Ce fut le début d'une période d'un labeur colossal pour le jeune homme. Sa mère et ses soeurs s'occupaient de l'hôtel alors que lui et son père continuaient à travailler au magasin. Par contre, dès la fermeture du magasin, à 18 heures, il prenait un léger repas et allait se coucher immédiatement car il devait être sur pied peu après minuit et se rendre à la gare pour solliciter la clientèle qui arrivait par le train d'une heure du matin. Il s'occupait de leurs bagages, leur assignait une chambre, vérifiait s'ils avaient tout ce dont ils avaient besoin, literie, savon, serviettes, etc., prenait note de ce qu'ils désiraient pour le petit déjeuner et de l'heure à laquelle ils désiraient être éveillés. Il affichait ensuite ces notes à l'intention de sa mère et de ses soeurs, se lavait et repartait faire le même travail à l'arrivée du train de 3 heures! Quand le dernier voyageur était installé, Conrad pouvait enfin prendre un peu de sommeil jusqu'à 7 heures alors qu'il se levait, s'occupait des invités et allait ensuite ouvrir le magasin dès 8 heures!

En six semaines seulement la nouvelle se répandit dans toute la région et même jusqu'à l'est de Chicago. «Si vous devez interrompre votre voyage d'affaires, alors arrangez-vous pour le faire à San Antonio et prenez une chambre chez les Hilton. Ils ont la meilleure table de l'Ouest et ils ont un garçon qui s'y entend comme pas un pour vous rendre la vie confortable!»

La leçon qu'en retira Conrad est éloquente quant à la manière de réussir. Il n'hésita pas à travailler durement, pendant de longues heures, dans le but de réussir et ce fut toute une réussite!

Jusqu'au moment de sa mort, il ne cessait de répéter qu'il n'accepterait même pas un million de dollars pour toutes les choses qu'il avait apprises pendant cette dure période de sa vie.

Le succès de l'hôtel permit à Conrad, en 1907, de poursuivre ses études à l'École des mines du Nouveau-Mexique où il passa deux ans et où il acquit quelques connaissances dans les mines mais beaucoup plus en danse, tennis, pique-niques et promenades au clair de lune!

Mais cette période provoqua un tournant dans la vie du jeune homme. En deux ans, Gus s'était rétabli financièrement. Il faisait un peu dans l'immobilier à Hot Springs, Nouveau-Mexique, songeant même à y ouvrir une banque et il avait acheté un terrain pour s'y construire une nouvelle maison. Cependant, ce terrain était situé à Sorocco où se trouvait l'École des mines. Conrad détestait cette ville. Son père lui offrit alors ce choix: la famille au grand complet déménageait à Sorocco alors que lui, Conrad, s'occuperait du commerce à San Antonio. Conrad comprit que ses soeurs auraient beaucoup plus de chances de faire leur vie à Sorocco qu'à San Antonio, aussi accepta-t-il l'offre paternelle. Ce fut le début d'un apprentissage du monde des affaires comme jamais il n'avait eu l'occasion de le faire auparavant.

De cette époque, il dira: «**Ce que j'avais à apprendre, c'est à ce moment-là que je l'appris. J'appris à commercer honnêtement, à me servir de mon bon sens et surtout à ne pas hésiter à être audacieux quand il le fallait.**

«J'AI APPRIS QU'ON N'ARRIVE À RIEN EN RESTANT CONFORTABLEMENT ASSIS SUR SA CHAISE!»

Mais ce ne furent pas seulement des succès. Il raconte avec humour la fois où un vieux prospecteur lui avait fait miroiter la possibilité d'immenses profits en exploitant un filon qu'il avait découvert. Conrad finança l'affaire, acheta la concession et partit avec le vieux prospecteur. Malheureusement, Conrad fit la découverte que l'homme est mortel. Le vieillard mourut en chemin. Non seulement perdit-il l'important investissement engagé dans l'affaire, mais il dut, de plus, creuser lui-même la tombe du vieux prospecteur!

C'est après avoir quitté l'École des mines et pris en mains les intérêts familiaux à San Antonio que Conrad s'intéressa brièvement à la politique. C'était en 1912 alors que le Nouveau-Mexique qui n'était considéré que comme un Territoire allait recevoir le statut d'État. Hilton fut tout surpris de se retrouver membre de la législature à 23 ans. Mais cette aventure ne dura que deux ans car Conrad se dégoûta rapidement de ce qu'il voyait et entendait dans l'«honorable» enceinte. Aussi n'eut-il aucun regret d'abandonner cette nouvelle voie.

Un autre domaine avait attiré son attention: les banques. Il caressait l'idée d'ouvrir une banque à San Antonio malgré les mises en garde de son père. Cette aventure qui faillit se solder par un échec retentissant fut cependant un succès et, à 27 ans, il devenait vice-président d'une banque. Cependant, les manigances de financiers jaloux eurent raison de ce beau rêve. En fin de compte, alors que Conrad avait été enrôlé dans l'armée, puisque les États-Unis étaient entrés en guerre contre l'Allemagne, ce fut la banque de Sorocco qui racheta l'affaire. De tout cela, Hilton retint une leçon fondamentale:

SI VOUS TRAVAILLEZ AVEC ACHARNEMENT
ET PENDANT ASSEZ LONGTEMPS
POUR RÉALISER CE EN QUOI VOUS CROYEZ,
VOUS ALLEZ FAIRE EN SORTE
QUE CE RÊVE SE RÉALISE.

Conrad servit dans le corps des quartiers-maîtres à San Francisco en raison de son expérience des affaires. Puis en mars 1918, il fut envoyé en France, au front. C'est pendant cette période qu'il apprend par un télégramme de sa mère que son père s'était tué dans un accident d'automobile le jour du premier de l'An. Libéré de son devoir de soldat en février 1919, il rentre aux États-Unis pour s'occuper des affaires de la famille, dans un état lamentable. Il revient à son ancienne obsession: ouvrir une série de banques.

Pour trouver les capitaux manquant, il se rend au Texas où le pétrole permet de bâtir d'immenses fortunes rapidement. Ce fut le tournant capital de toute sa carrière. À Cisco, comme on refuse obstinément de lui vendre une banque et comme il se rend compte que ce qui manque le plus dans la ville, c'est un hôtel, le choix n'est plus difficile à faire. Il fera désormais carrière dans l'hôtellerie!

Il achète son premier hôtel, le Mobley 40 000$. Et pendant des mois recommence une existence de galérien. Il dort dans un fauteuil de l'office parce que toutes les chambres sont louées et parfois même plusieurs fois par jour. C'est là qu'il apprendra un principe qui le servira pendant toute sa carrière et qui générera son immense fortune: dans un hôtel, il ne doit pas y avoir un centimètre carré perdu! C'est là également qu'il fera la découverte de son fameux principe MINIMAX:

PRIX MINIMAL, SERVICE MAXIMAL!

Il procède à des transformations radicales: puisque le restaurant ne rapporte pas de profits, il le fait disparaître et transformer en chambre. Le bureau de réception est réduit de moitié pour permettre l'ouverture d'une boutique. De même trois fauteuils et un canapé disparaîtront du hall pour faire place à un stand. Cette chasse aux coins perdus en fera sourire plusieurs au cours de sa longue carrière, mais Hilton savait qu'il avait raison d'agir ainsi. Par exemple, quand il transformera le premier étage du Plaza, à New York, il y inclura le «Oak Room Bar», ce qui eut pour résultat de faire passer les revenus de l'hôtel, pour cet étage, de 5 000$ par année à plus de 200 000$!

Hilton maintient que pour réussir, tout homme d'affaires digne de ce nom doit obéir religieusement à ce grand principe:

AVOIR EN HORREUR L'ESPACE PERDU,
L'EFFORT PERDU ET L'ARGENT PERDU!
AUTREMENT DIT,
IL FAUT TOUT TRANSFORMER EN OR,
TOUJOURS CHERCHER LA MINE D'OR!

C'est également son expérience à Cisco, avec le Mobley, qui lui permet de comprendre un autre élément qui allait jouer un rôle décisif dans son ascension au firmament de la finance:

QUE VOS HOMMES SOIENT FIERS DE LEUR
UNITÉ ET VOUS OBTIENDREZ LES MEILLEURS
RÉSULTATS!

Cette leçon qu'il avait expérimentée pendant la Grande Guerre, il la répète dans le monde de l'hôtellerie. Le Mobley n'avait que 40 chambres mais avec son nouvel associé, le major Powers, qu'il avait connu dans l'armée, il fait l'acquisition de l'hôtel Melba à Fort Worth au Texas. Celui-ci a 68 chambres mais tout est d'une saleté repoussante. Mobilier en ruine, cuisine engloutie sous la graisse, tapis usés mais, aux yeux de Hilton, il possède une qualité incomparable: un prix ridiculement bas, 25 000$! Il achète avec enthousiasme et applique le principe secret de sa réussite:

DU SAVON, DE L'EAU
ET DE L'HUILE DE COUDE!

Pour Hilton, l'important, c'était de conserver à chaque établissement qu'il achetait son cachet particulier.

«J'ACHÈTE UNE TRADITION, ET JE FAIS TOUT POUR EN TIRER LE MEILLEUR PARTI POSSIBLE!

Le Melba fut un succès financier!

Le troisième chaînon de l'empire Hilton, ce fut son premier «Waldorf», celui de Dallas. Ce fut également à cette occasion qu'il révéla ses véritables talents de négociateur. Pendant dix jours, les discussions se poursuivirent avant qu'on en arrive à une entente, mais Hilton avait obtenu ce qu'il désirait: le prix initial de 100 000$ avait été ramené à 71 000$. Hilton et ses deux associés, Drown et Powers, investirent 40 000$ et empruntèrent le reste, emprunt remboursé en seulement 21 mois!

Le krach de 1929 et la crise qui s'ensuivit portèrent un dur coup à l'industrie hôtelière. Auparavant, pendant les années 20, Hilton et ses associés poursuivaient leur ascension et achetaient, louaient ou bâtissaient des hôtels un peu partout. Ainsi ils en firent bâtir à Dallas en 1925, à Waco en 28, à San Angelo, Plainview, Lubbock et Marlin en 1929, année du krach boursier, puis à El Paso en 1930. La crise força Hilton à fermer quatre de ses établissements et le poussa à faire des économies considérables. Il arrivait souvent que des chambres et même des étages complets soient fermés. Il emprunta de l'argent en donnant en garantie sa police d'assurance sur la vie et travailla même à temps partiel pour la firme Affiliated National Hotels. Au moins 80% de l'industrie hôtelière était alors menacé de faillite! Finalement, en 1935, des revenus sur des investissements pétroliers permirent à Conrad Hilton d'éponger plusieurs dettes criardes et de respirer un peu.

La longue marche reprit avec plus de force encore. À Los Angeles, Hilton achète le Sir Francis Drake pour le revendre presque immédiatement. Puis c'est le Town House, acquis en 1942, dont le prix d'achat dépasse le million de dollars. Mais grâce à l'organisation Hilton et à l'application des principes Minimax et «Cherchez l'or», cet établissement vit ses bénéfices atteindre 201 000$ dès sa première année d'exploitation. Ce furent ensuite le Roosevelt et le Plaza, à New York, en 1943. Les acquisitions devenaient plus coûteuses cependant malgré les indéniables talents de Hilton pour amener ses vis-à-vis à vendre à la baisse. Ainsi, il paya 19 385 000$ le Palmer House et 7 500 000$ le Stevens, ces deux établissements étant situés à Chicago.

Le Stevens, qui avait coûté 30 millions de dollars à sa construction, fut rebaptisé le Conrad Hilton et demeurera pendant longtemps le plus grand hôtel du monde avec ses 2 800 chambres. On a calculé qu'il faudrait presque huit ans pour occuper toutes les chambres de l'établissement à raison d'une chambre par nuit!

Cependant, devant la montée de cette comète au firmament de l'hôtellerie, plusieurs financiers avisés n'avaient pas hésité à se ranger aux côtés de l'homme d'affaires. En 1946, la Hilton Hotels Corporation fut fondée avec Conrad Hilton à la présidence. Puis, quand Hilton annonça le 12 octobre 1949 que sa firme avait fait l'acquisition du très célèbre hôtel new-yorkais Waldorf Astoria pour la somme de 3 000 000$, ce fut l'apothéose. Avec ses 1 900 chambres, cet établissement représentait le **nec plus ultra** de l'hôtellerie américaine et se comparait avantageusement aux plus célèbres palaces européens. Pour Conrad Hilton, c'était un moment attendu depuis plusieurs années. Les négociations avaient d'ailleurs duré des mois. Associés et conseillers sortaient de ces rencontres complètement épuisés. De plus, ils devaient continuer à faire leur travail coutumier comme si rien de tout cela ne se déroulait. Hilton voyait à les éveiller lui-même chaque matin à 6h 15 et il les conduisait à la cathédrale St. Patrick pour une demi-heure de prière. Tous obéissaient, même ceux qui n'étaient pas d'obédience catholique.

Un de ses collaborateurs devait dire par la suite:

«LORSQUE CONRAD HILTON PRIE POUR OBTENIR QUELQUE CHOSE, IL L'OBTIENT. PEUT-ÊTRE PARCE QU'IL N'OUBLIE JAMAIS DE REMERCIER AUSSI CHALEUREUSEMENT CELUI QU'IL A PRIÉ!»

Cette attitude devait se répéter avec le Waldorf. Lorsque la transaction fut enfin conclue, les collaborateurs de Hilton regagnèrent leur lit au petit matin, comptant sur l'heureux dénouement pour pouvoir enfin profiter d'une grasse matinée. C'était mal connaître Hilton. Le téléphone sonna à 6h 15 comme d'habitude et quand tous furent réunis dans le grand hall, certains protestèrent. Pourquoi retourner à l'église puisque le Waldorf leur appartenait désormais?

Hilton rétorqua: «**Vous ne pouvez pas prier pour quelque chose dont vous avez envie et oublier de dire merci quand vous l'avez. On y va!**»

Cette piété indéfectible sera sienne toute sa vie. Il écrira même une prière qu'il récita après un discours prononcé à Chicago. Cette prière est d'ailleurs affichée dans de nombreuses demeures américaines!

Il restait cependant un domaine à explorer, qui hantait l'esprit aventureux de Conrad Hilton: l'étranger! Il employa à cet égard les mêmes principes qui avaient fait de lui l'hôtelier le plus riche des États-Unis. L'un de ces principes allait d'ailleurs le servir fort bien pour l'acquisition de son premier établissement à l'étranger. Ce principe?

MONTRER EN PREMIER LIEU
À SON INTERLOCUTEUR
L'ESTIME QU'ON LUI PORTE!

C'est ce principe qui favorisa les transactions entre la Hilton Hotels Corporation et le gouvernement portoricain. Ce dernier avait communiqué avec sept hôteliers américains pour leur proposer d'ouvrir un grand hôtel à San Juan, la capitale. Mais ils n'avaient guère manifesté d'enthousiasme et surtout, erreur déplorable, ils s'étaient contentés de répondre dans un style «business» et en anglais. Hilton rédigea une lettre en espagnol, qu'il maîtrisait d'ailleurs parfaitement. Bien sûr, la conclusion de l'affaire fut favorable à Hilton et le Caribe-Hilton put ouvrir ses portes.

Dans ses transactions à l'étranger comme dans celles qu'il faisait dans son pays, Hilton mettait toujours de l'avant trois règles d'or:

INVESTISSEZ D'ABORD VOTRE CAPITAL
PERSONNEL. TRAITEZ LES BANQUIERS
COMME DES AMIS. FINALEMENT, FAITES DE
VOTRE DIRECTEUR UN ASSOCIÉ
DANS L'AFFAIRE.

Cette formule, il la répétera toujours, avec succès d'ailleurs, à l'étranger, évitant ainsi de froisser les susceptibilités nationales. Hilton préférait alors offrir à des investisseurs étrangers l'opportunité de participer à l'affaire. Ceux-ci achetaient le terrain et assumaient les frais de construction. L'apport Hilton consistait en l'assistance technique au niveau des plans et de la construction puis de mettre l'établissement en opération. On signait ensuite un contrat de bail général ou un contrat général de direction. Le personnel, choisi avec grand soin sur place, était invité à se perfectionner dans les hôtels Hilton aux États-Unis.

Les établissements étrangers devenant de plus en plus nombreux, on créa en 1948 la Hilton Hotel International, firme indépendante de la société mère américaine mais dont Hilton était également le président.

Pour Conrad Hilton, cette ouverture sur l'étranger représentait un double idéal: d'abord faire découvrir le monde aux Américains, ce qui serait source de tolérance et un puissant bouclier contre la tentation de la guerre car, disait-il «vous ne pouvez entrer en guerre avec quelqu'un que vous connaissez bien!».

En deuxième lieu, ces établissements permettaient au monde de mieux connaître l'Amérique et ses habitants.

Des personnalités prestigieuses participèrent au financement de ces Hilton à l'étranger. Ainsi le Shah d'Iran, par l'entremise de la Fondation Pahlavi, était propriétaire de l'hôtel Hilton. Howard Hughes s'y associa également, par le biais de la TransWorld Airlines.

D'ailleurs, en mai 1967, la Hilton International devenait une filiale à part entière de la TWA. Mais Hilton, à ce moment, s'était déjà retiré du géant qu'il avait créé de toutes pièces.

Dans son immense domaine de Bel Air en Californie, il jouissait, dans la vaste demeure de 61 pièces, de sa famille et de ses amis. S'il avait renoncé à ses voyages d'inspection dans les différents établissements de la chaîne, cependant il ne manquait jamais une soirée d'inauguration. À l'étranger, toujours respectueux de la tradition, ces fêtes revêtaient un caractère folklorique qu'affectionnait vivement Conrad Hilton.

Cet homme comblé par la fortune fut cependant moins heureux dans sa vie privée. Sa première épouse, Mary Barron lui donna trois fils, Nick, Barron et Eric Michael. Mais à la naissance du cadet en 1933, Hilton est harassé, fourbu, écrasé sous le fardeau de son énorme travail. Leur union n'y résiste pas. Ensuite ce fut un mariage de courte durée avec la célèbre Zsa Zsa Gabor. Le troisième mariage de Conrad Hilton fut cependant beaucoup moins tapageur. En 1976, à l'âge de 89 ans, il épousait Mary Frances Kelly, de vingt ans sa cadette, avec laquelle il était lié d'amitié depuis de nombreuses années.

Ce visionnaire, responsable par ailleurs de la carte de crédit Carte Blanche, avait su imposer sa marque dans un monde où l'on ne croyait guère à ses visions futuristes. En 1965, la société créée par Hilton possédait 61 hôtels dans 19 pays, c'est-à-dire 40 000 chambres et 400 000 employés. Hilton contrôlait personnellement

30% de cet énorme chiffre d'affaires évalué à plus de 500 millions de dollars!

C'était l'illustration flagrante de ce principe qui veut qu'on ne doit jamais abandonner ses idées face à l'incrédulité des gens.

AVOIR LA FOI, FOI EN SES IDÉES, EN SON DESTIN ET LA FOI EN DIEU.

Cette formule un peu simpliste résume la carrière phénoménale de ce bâtisseur infatigable que fut Conrad Hilton, magnat de l'hôtellerie, un des hommes les plus riches du monde.

* * *

Apprenez à vous entourer!

Comme Conrad Hilton, faites-vous des amis en affaires. Ces amis deviendront vos alliés et ils vous seront beaucoup plus utiles que vous ne croyez pour gravir les échelons du succès. Cependant, faites preuve de discernement dans le choix de vos amis, en tout cas de vos amis professionnels. Évitez les perdants, les intrigants et surtout ceux qui souffrent de courte-vue, c'est-à-dire qui ne voient pas grand. Ces gens auront tous une influence néfaste sur vous. Reprenons une à une ces catégories.

Les perdants

Commencez par les repérer. Les signes de leurs échecs sont en général visibles. Du reste, plus vous avancerez sur le chemin de la richesse, plus votre aptitude à juger les hommes s'aiguisera. Et de toute manière, à mesure que votre programmation mentale se fera plus positive, vous attirerez de plus en plus vers vous des gagnants. Les perdants s'éloigneront de vous. Ils vous fuiront même. Vous ne vous en plaindrez pas. Il ne s'agit évidemment pas de faire preuve d'impolitesse à leur égard ou de les rabrouer sans ménagement. Mais esquivez toute proposition de leur part. Et surtout, ne leur proposez pas d'association. Car le problème est que la combinaison d'un gagnant et d'un perdant donne rarement de bons résultats, même si le gagnant est très fort.

On dit que la raison du plus fort est toujours la meilleure. Mais dans une telle association, le perdant fera perdre beaucoup de temps, d'énergie et d'argent au gagnant. Finalement, pour connaître le succès en une pareille association, le gagnant devra ultimement se substituer au perdant et refaire tout le travail à sa place, recoller les pots cassés. Les programmations mentales de ces deux individus sont antagonistes et tendent à s'annuler. Cette association tirera toujours de l'aile et est à plus ou moins long terme condamnée à avorter, sans compter les malentendus et les frictions inévitables auxquelles elles donneront lieu. Le gagnant qui, au nom d'un certain humanisme, s'est associé avec un perdant (parfois par amitié pour lui) risque fort d'atteindre le contraire de ce qu'il escomptait: c'est-à-dire une dégradation de la relation (ou de l'amitié, le cas échéant) sans compter pour les deux une perte d'argent et de temps.

Au total, le gagnant, **malgré ses bonnes intentions** aura nui au perdant. Ce dernier ne s'en désolera peut-être pas trop, puisqu'il est habitué aux échecs. Il s'y attendait. Il s'en nourrit: c'est sa denrée. Mais la pilule sera plus difficile à avaler pour le gagnant. Il en tirera cependant une leçon fort instructive: il affirmera son jugement dans le choix de ses collaborateurs futurs et ne répétera plus la même erreur. De toute façon, ces deux catégories ne pourront jamais s'entendre: ils ne partagent pas les mêmes valeurs fondamentales.

Les intrigants

La carrière de ces gens, même si dans ses débuts elle peut connaître certains succès apparents, est condamnée à plus ou moins long terme à l'échec. Ceux qui ont continuellement recours à des tactiques et des manoeuvres douteuses finissent toujours par devoir rendre des comptes. La vérité finit toujours par être découverte. Et la liste des ennemis s'allonge. Méfiez-vous de ces gens qui en votre présence médisent continuellement au sujet des collaborateurs ou des employés absents. Ils font probablement la même chose à votre sujet lorsque vous êtes absent. Et celui qui est capable de se livrer à des pratiques douteuses contre les autres peut le faire contre vous.

Ceux qui souffrent de courte-vue

Cette engeance innombrable est à fuir comme la peste. Ces gens vous limiteront toujours parce qu'ils sont **eux-mêmes limités**. En fait, ils sont si limités qu'ils ne peuvent concevoir qu'un être puisse avoir d'autres vues, plus larges, que les leurs. Ils rapetissent tout ce qu'ils approchent et tout ce qu'ils touchent. Ils ne sont bons qu'à saper votre enthousiasme et à chercher à vous dissuader d'entreprendre de nouveaux projets et d'aller de l'avant. Ils riront de vous lorsque vous viserez haut, à la hauteur de votre valeur. Ils vous taxeront de fou, de rêveur. Faites la sourde oreille. Allez votre chemin. Et surtout évitez toute association avec eux. L'énergie que vous mettrez à tenter de les enthousiasmer et de les convaincre, c'est en général une énergie perdue. C'est de l'énergie que vous pourriez concentrer à votre enrichissement immédiat.

En vous associant avec un gagnant, votre coefficient de succès connaîtra une croissance exploitentielle. En effet, tout se passe comme si l'association de deux gagnants engendrait un succès infiniment supérieur à la simple somme des succès que les deux individus auraient connus séparément. Donc, si vous voulez aller loin, fréquentez des gens qui voient loin, tout comme vous. Vous en tirerez des bénéfices insoupçonnés.

Ce principe a d'ailleurs été systématisé par la plupart des hommes riches sous le nom de «cerveau collectif» (mastermind). Deux têtes valent mieux qu'une, dit-on. Du choc des idées, des expériences et des personnalités (en autant que ce soit des gagnants) de grandes leçons peuvent être tirées, de grandes idées peuvent être découvertes. Les conseils d'administration des compagnies ne sont en fait que des cerveaux collectifs, chacun y apportant son expertise et sa compétence. Les associations de vendeurs, les Chambres de commerce ont une fonction similaire. Mettre en présence les uns des autres des individus animés d'**un même but et véhiculant des mêmes valeurs**: ces deux points sont fort importants. Cependant méfiez-vous des trop grands groupes. Car comme l'a dit Montaigne: «Quand les hommes sont assemblés, leurs têtes s'étrécissent.»

Ceci dit, il n'est pas nécessaire d'être président d'une compagnie ou membre d'une association pour disposer du cerveau collectif. Construisez-vous-en un. Formez-le d'individus en lesquels vous avez confiance. De préférence des amis, bien que cela ne soit pas nécessaire, mais surtout de gens qui soient programmés positivement. C'est la condition sine qua non. Par ses peurs, par son immobilisme chronique, par ses doutes, un défaitiste peut faire un tort énorme à tout un groupe. Car même chez les gens positifs, il subsiste en général une zone de doute dans laquelle les objections et les propos pessimistes peuvent trouver une résonance déplorable.

Pourquoi ne pas vous constituer un groupe de trois ou quatre personnes? Un groupe qui deviendra votre cerveau collectif. Les groupes trop nombreux parviennent rarement à préserver leur unité, des sous-groupes se constituent généralement. Les gens formant votre cerveau collectif devraient avoir un but commun: s'enrichir. Réunissez-vous régulièrement, de préférence en fonction d'un calendrier établi à l'avance. Mettez des sujets précis à l'agenda. Celui de la première rencontre doit être tout simplement: comment pouvons-nous trouver un moyen de nous enrichir rapidement? Ne vous censurez pas. Laissez libre cours à votre imagination. Vous serez probablement étonné de la quatité d'idées qui peuvent surgir d'une telle réunion. Après la période de jaillissement créateur, raffinez les idées. Essayez d'en tirer toutes les conséquences, les applications, les possibilités concrètes. L'idée de l'un, parfois informe au départ, peut être raffinée par la suggestion d'un autre et devenir excellente. Exposez vos projets. La critique constructive, les suggestions des autres vous aideront à peser le pour et le contre et à réussir.

Ces réunions ne doivent pas être exclusivement réservées à la recherche d'idées. Profitez-en pour parler des difficultés que vous avez pu rencontrer dans votre travail. Un conseil extérieur pourra vous être d'une grande utilité. Parlez de vos bons coups également. Échangez des idées au sujet des principes de la réussite. Parlez d'un livre que vous avez lu, au cours de la semaine. Discutez stratégie.

Si les gens prenaient quelques minutes pour faire le bilan de la plupart de leurs soirées, ils seraient en général ahuris de constater à quel point elles sont improductives: en fait, de pures pertes de temps. Télévision, discussions banales et oiseuses (lorsqu'il ne s'agit pas de disputes) soupers qui n'en finissent plus. Si vous voulez réussir, soyez différent. Faites l'expérience d'avoir, ne serait-ce qu'une fois par semaine ou par mois, une soirée productive et stimulante avec votre cerveau collectif. Vous serez étonné du résultat! Laissez la télévision aux autres. **Vous n'avez pas les moyens de regarder la télévision**. Ni le temps. Vous êtes occupé à vous enrichir, vous. Donc, disciplinez-vous. Au lieu de perdre trois heures de temps par jour devant le téléviseur, n'en perdez que deux et consacrez la nouvelle heure que vous avez ainsi sauvée à réussir.

Apprenez à communiquer

Nous vivons à l'ère de la communication. Celui qui veut réussir doit apprendre à s'exprimer. Clairement. Avec fermeté et conviction. Sur le chemin du succès, on est constamment appelé à persuader, à convaincre. Cela se fait en parlant. N'hésitez donc pas à prendre des cours d'art oratoire. Onassis l'a fait, qui parlait quatre langues. Getty a appris l'arabe en un mois avec une méthode sur disque. Faites donc l'expérience de sauter un soir de télévision par semaine, et, à la place, inscrivez-vous à un cours de langue. Possédez une langue seconde ou mieux encore une troisième langue constituera pour vous un atout considérable. Cela élargira du même coup le cercle de vos relations.

Suivez également des cours pour vous exprimer en public, même si vous avez déjà certaines dispositions. Tous les meneurs sont des orateurs. On admire ceux qui peuvent parler en public. Ce que les gens ignorent, c'est que pratiquement tout le monde peut y arriver. En suivant des leçons. Et en s'exerçant un peu. La faculté de parler en public, que ce soit dans une réunion d'administration ou devant un plus vaste auditoire, vous conférera une assurance nouvelle qui sera pour vous un atout inappréciable.

Faites un bon investissement: prenez un cours dans l'art de la vente

Pour réussir, il faut savoir vendre. Une idée. Un service. Une compétence. Ultimement, il faut savoir **se** vendre. Car c'est toujours soi que l'on vend, quoi qu'on en pense, les études les plus sérieuses ayant démontré que le succès de tout individu est redevable à 85% à sa personnalité.

Continuellement vous serez appelé à vendre, peu importe votre champ d'activité. L'avocat qui plaide sa cause vend son idée au juge. Le politicien qui prononce un discours, vend la politique de son gouvernement. Le gestionnaire qui défend son budget, le vend. Sans compter évidemment tous les métiers directement reliés à la vente dont il est inutile de faire ici l'énumération. Dans tous les domaines, savoir manipuler les techniques de la vente accroîtra rapidement votre performance.

Un des premiers principes de la vente: savoir écouter

Il est bien de savoir parler pour vendre. Mais il faut aussi savoir écouter. En général, les gens parlent trop et n'écoutent pas suffisamment. Et dans presque toutes les associations, c'est celui qui a su le mieux écouter **et qui a le moins parlé** qui tire le plus grand bénéfice. Plus votre interlocuteur parle, plus il s'ouvre, plus vous en apprenez sur ses motifs, ses besoins et sa personnalité même. Plus vous serez en mesure de repérer ses points faibles et la manière dont vous pourrez l'influencer. En outre, votre écoute attentive est une forme indirecte de flatterie. En écoutant attentivement une personne, vous lui signifiez qu'elle vous intéresse, donc, qu'elle est importante à vos yeux.

La plupart des gens aiment parler. Et leur sujet préféré, c'est eux-mêmes. Apprenez à poser les bonnes questions qui montreront à l'autre l'intérêt réel que vous lui manifestez. Observez-vous. Quel est votre ratio parole/écoute? Si vous parlez plus que vous n'écoutez, soyez prudent. Votre interlocuteur marque probablement plus de points que vous. Il en apprend davantage sur vous que vous n'en apprenez sur lui. Essayez de corriger cette tendance. Ce n'est qu'une habitude à prendre. Faites un premier essai. Ne dites que l'essentiel. Et écoutez. Votre interlocuteur sera probablement ravi d'avoir parlé avec vous et estimera que vous êtes un fin causeur... alors que vous n'avez pas dit un mot, mais que vous vous êtes contenté d'écouter, et de poser les bonnes questions, au bon moment.

Soignez votre apparence

Nous vivons dans un monde d'image. Certains pourront le déplorer, certes, mais le fait demeure. Dans toute relation humaine, la première impression joue un rôle primordial. Or, qu'est-ce qui est déterminant dans la formation de cette première impression? En général, les détails extérieurs. Un costume bien taillé. Un sourire chaleureux. Une coiffure soignée. Les gens jugent en général les autres sur leur apparence. Quelqu'un de négligé, à moins d'être une célébrité millionnaire, fait généralement mauvaise impression. Ne négligez pas les détails. Des chaussures mal cirées peuvent suffire à influencer négativement un interlocuteur. Surtout si lui-même attache de l'importance à de semblables détails.

Si vous voulez réussir, habillez-vous comme quelqu'un qui réussit. Si vous ne savez pas comment, observez ceux qui autour de vous réussissent. Demandez conseil. Et rappelez-vous que dans toute relation humaine, donc dans une relation professionnelle, il existe un rapport de séduction. Une tenue soignée (et surtout adaptée aux circonstances) entre forcément dans la séduction. L'habit ne fait pas le moine, dit-on. Mais en affaires, cela aide beaucoup. Souvenez-vous du soin qu'accordait à sa garde-robe Watson, un des plus grands vendeurs des U.S.A. Pouvez-vous vous permettre de négliger la vôtre?

Une âme saine dans un corps sain

Voici sans doute une des maximes les plus anciennes. Elle reste vraie aujourd'hui encore. Sur le chemin de la réussite, il est essentiel de conserver la bonne forme. Oxygénez-vous le cerveau. Vous aurez les idées claires. «Lorsque le corps est faible, il commande. Lorsqu'il est fort, il obéit», a dit Rousseau. Si votre corps est vigoureux, il sera le meilleur instrument de votre réussite. Il sera à votre service. Il vous obéira. Vous aurez plus d'énergie. Pas seulement physique mais aussi mentale.

Faites de l'exercice régulièrement. L'exercice détend votre corps tout autant que votre esprit. Choisissez de préférence un sport qui absorbe votre esprit, et vous permet d'oublier vos occupations professionnelles. C'est un peu la théorie des vases communicants qui s'applique dans ce cas. Pendant que vous vous efforcez, au tennis, de retourner la balle de votre adversaire, vous ne pensez à rien d'autre. De même, le golfeur qui tente de réussir un coup roulé est totalement absorbé même si l'enjeu n'est qu'un dollar, la gloire, ou un oiselet...

La plupart des hommes riches que nous avons étudiés se sont adonnés à une activité corporelle qui leur a permis de chasser les tensions formidables qui les confrontaient quotidiennement. Onassis recommandait la pratique du judo et du yoga. Et de fait, le premier conseil qu'il donna dans ses recettes de succès est de prendre soin de son corps. Il le faisait en se livrant fréquemment à de longues séances de natation. Jean-Paul Getty nageait régulièrement. À ses débuts, Walt Disney, surmené, et négligeant sa forme physique, fit une grave dépression nerveuse. Une fois guéri, il adopta pour le reste de sa vie un programme plus équilibré dans lequel il gardait une place pour les activités corporelles de détente.

La plupart des grands hommes se sont adonnés à l'activité physique. Le grand écrivain Goethe avait coutume de faire de longues promenades pour ressourcer son génie si fécond. Nietzsche prétendait qu'il avait toutes ses grandes idées en marchant, et en pensant à autre chose qu'à la philosophie... Le pape Jean-Paul II s'est fait construire une piscine à proximité de ses appartements de manière à pouvoir nager régulièrement. À un administrateur du Vatican qui rouspétait pour la dépense, il répliqua fort pertinemment que cela coûterait moins cher que de faire élire un nouveau pape... En outre, le pape pratique le ski. Et on le voit souvent jogger dans les jardins du Vatican. C'est sans doute là une des clés de sa résistance phénoménale.

Suivez l'exemple de ces grands hommes et faites de l'exercice régulièrement.

L'argent des autres

On a dit que le succès ne se faisait pas seul. Il ne se fait pas avec son seul argent, non plus. Il se fait bien souvent avec l'argent des autres (O.P.M.). Nous avons vu comment Onassis a eu recours au principe de l'O.P.M. pour financer ses activités d'armateur. «Derrière chaque milliardaire, a dit Onassis, se cache un emprunteur forcené.» Il savait naturellement de quoi il parlait. Hilton aussi a contracté des dettes. La plupart des hommes riches se sont enrichis en empruntant, c'est-à-dire avec l'argent des autres.

La question de l'emprunt est fort délicate. Pour certains, un emprunt, surtout s'il est trop important, peut s'avérer catastrophique. La fluctuation des taux d'intérêt des présentes années réserve souvent des surprises fâcheuses. Par contre, sans certains emprunts contractés au bon moment, bien des compagnies n'auraient pu prendre de l'expansion ou éviter la faillite. La compagnie Chrysler, sauvée de la faillite grâce à un formidable emprunt contracté par Iacocca en est un bon exemple. Par ailleurs, Honda n'aurait pu s'étendre sans l'appui de ses banquiers. À une échelle plus modeste, plusieurs petits investisseurs ont réalisé des gains intéressants en investissant 10 000$ pour acquérir une propriété de 100 000$ qu'ils ont revendue un an plus tard à 110 000$, doublant ainsi leur investissement en un an. Ce qui est loin d'être négligeable. Cependant, la vie des dix hommes riches que nous avons étudiés a montré que **la plupart n'ont pas emprunté au début**. Ils ont commencé petits, avec des moyens de fortune et quelques milliers si ce n'est quelques centaines de dollars et ont grossi lentement. **Ensuite seulement ils ont emprunté.**

On peut tirer une leçon de cet exemple. Il est peut-être préférable de ne pas contracter de gros emprunts au début. On doit toujours commencer sobrement, sans bureau luxueux et sans secrétaire. Ceux qui réussissent ont le souci de l'économie. Les bureaux sont toujours trop grands. Les banquiers et les créanciers ne veulent pas financer la prodigalité.

Doit-on ou non emprunter? Quelle somme? Et à quel moment? La question, on l'a dit, n'est pas facile à trancher. Une chose est certaine, cependant: si votre subconscient est bien programmé, vous **saurez** si oui ou non vous devez vous servir de l'argent des autres. La prudence est toujours de mise. Ceci dit, bien des gens n'osent jamais emprunté et passent leur vie à faire des économies de bout de chandelle et à se serrer la ceinture. Ils ratent ainsi de belles occasions. Tous les hommes riches se sont à un moment où à un autre de leur vie servi de l'argent des autres. Imitez-les. Mais faites-le de manière avisée. Une fois que vous avez évalué votre capacité de rembourser, fiez-vous à votre instinct et à votre subconscient. Et n'oubliez pas que la fortune sourit aux audacieux.

Vous avez un complexe d'infériorité? Tant mieux!

Au moins une personne sur deux est réputée souffrir, à un moment ou l'autre de sa vie, d'un complexe d'infériorité. Si c'est votre cas, tant mieux! Songez à l'exemple de Steven Spielberg et de Shoïchiro Honda. Ces hommes riches ont souffert dans leur jeunesse d'un grave complexe d'infériorité. Seulement, ils ont su en tirer profit. Ils n'ont pas passé leur vie à s'apitoyer sur leur sort. Ils ont su capitaliser, tirer profit de ce complexe. Si vous souffrez d'un complexe d'infériorité, vous pouvez vous aussi en tirer un grand bénéfice. Au lieu de vous complaire dans des délectations moroses, dites-vous, par exemple: c'est vrai, j'ai tels défauts physiques ou je n'ai pas la tête de Robert Redford, mais je peux devenir le meilleur dans tel domaine.

Découvrez les vertus de la frustration créatrice. Cette insatisfaction que vous ressentez, peu importe son origine, peut vous permettre d'aller très loin, de vous surpasser, et par le fait même, de vous métarphoser en l'être que vous avez toujours rêvé de devenir. D'une certaine façon, vous avez un avantage sur ceux qui ne sont pas complexés. Eux ne veulent pas changer, s'améliorer. Vous le désirez ardemment. Et ce que l'on désire ardemment, constamment, on l'obtient toujours, rappelez-vous-le. Convertissez votre frustration, votre complexe en victoire! Vous deviendrez un vainqueur! Les gens vous admireront. Et vous perdrez du même coup votre complexe!

La loi de la dîme

Une des lois les plus mystérieuses du succès consiste à redonner aux autres une partie de ses profits. Les dix hommes riches sont devenus un jour ou l'autre des philanthropes, comme l'a prouvé l'histoire de leur vie. Spielberg, le seul qui soit vivant, est encore trop jeune pour songer à une «Fondation Spielberg». Cependant, il connaît le principe de la dîme et il l'applique. Faites-en l'expérience dans votre vie. Vous serez surpris des bénéfices imprévues que vous en tirerez.

Dans *Le plus grand vendeur du monde*, un des principes fondamentaux consiste à **toujours** donner la moitié de ses gains à ceux qui sont moins heureux que soi. À l'époque à laquelle se situe l'histoire narrée dans cet ouvrage, il n'y avait pas d'impôt ou en tout cas, pas sous la même forme qu'aujourd'hui où chacun est obligé de donner une partie de ses gains. Donner la moitié de ses revenus paraît donc inconcevable. Mais c'est le principe qui compte. L'argent doit circuler, être redistribué. La dîme, par définition, consiste à donner le dixième de ses gains. Cela paraît plus raisonnable. Quoi qu'il en soit, comme ce principe est difficile à démontrer théoriquement, le mieux est que vous en fassiez l'expérience dans votre vie.

Choisissez un modèle

Tout homme admirable a commencé par être un être d'admiration. Victor Hugo a dit, lorsqu'il était jeune, à l'aube de sa prestigieuse carrière littéraire, lançant en quelque sorte un ultimatum à son subconscient, à son destin: «Je serai Lamartine ou rien du tout.» Il n'est pas devenu Lamartine, il est devenu... Victor Hugo! Telle est la puissance des modèles. Spielberg admirait Walt Disney. Honda vouait une admiration immense à Napoléon, tout comme d'ailleurs le génial Balzac qui déclara un jour: «Je ferai avec la plume ce que Napoléon a fait avec l'épée!» Il a tenu parole.

Comme les grands hommes, comme les hommes riches, choisissez des modèles qui vous inspireront et vous élèveront. Tous les grands hommes ont eu un idéal élevé. Ils ont visé haut. Vous aussi vous visez haut. Vous êtes donc en famille. L'exemple, dit-on, est le meilleur maître. C'est sans doute là le meilleur conseil d'éducation qu'on puisse donner aux parents. Le modèle tient lieu d'exemple.

Un modèle peut même vous aider d'une autre manière. Vous pouvez en fait vous constituer une sorte de *mastermind* imaginaire. Ainsi, lorsque vous êtes confronté à tel problème, demandez-vous ce qu'aurait fait tel de vos prestigieux devanciers. Ce modèle, vous pouvez d'ailleurs le choisir parmi les dix hommes riches dont nous avons exposé la vie et les principes. Vous serez sûrement surpris de la sagesse des réponses que vos conseillers imaginaires vous souffleront à l'oreille...

Lisez la vie des grands hommes. Essayez de découvrir ce qui les a menés au succès. Inspirez-vous de leur exemple. Il n'y a rien de honteux ou de naïf à cela. Souvenez-vous de la formule par laquelle nous avons commencé cette section: Tout homme admirable a commencé par être un homme d'admiration. Évidemment, votre admiration ne doit pas être béate ou passive. Elle doit vous pousser à l'action. À l'origine, la plupart de ces hommes vous ressemblaient, n'étaient pas différents des autres. Mais ils ont mis en pratique dans leur vie des principes que la plupart des gens ignorent ou dont ils ne se servent pas. Vous connaissez ces principes, vous, comme ces hommes illustres: il n'en tient qu'à vous de les appliquer pour devenir, vous aussi... un homme admirable!

Bibliographie sélective

BAILEY, Adrian. *Walt Disney's world of chartwell, book inc.*, 1982.

BOLTON, Whitney. *The Silver spade*, Farrar Straus and young, New York, 1954.

CAFARAKIS, Christian. *Le fabuleux Onassis*, éditions de l'Homme, Montréal, 1971.

CAPRIO, Frank S., Joseph R. BERGER, *Helping yourself with self-hypnosis,* Warner books, New York, 1968.

COLLIER, P. et HOROWITZ. «*Une dynastie américaine*», éditions Seuil, 1976.

COUÉ, Émile. *Oeuvres complètes*, éditions Astra, Paris, 1976.

CRAWLEY, Tony. *The Steven Spielberg Story,* Quill, New York, 1983.

FORD, Henry. *Ma vie et mon oeuvre*, Payot, Paris, 1925.

FRASER, N., Jacobson, P., Ottaway M., Lewis C., «*Onassis le Grand*», Robert Laffont, Paris, 1977.

FRISCHER, Dominique. *Les faiseurs d'argent, ou les mécanismes de la réussite*, éditions Pierre Belfond, Paris, 1983.

GAWAIN, Shakti. *Creative visualization,* Bantam Book, New York, 1982.

GETTY, Jean-Paul. *À quoi sert un milliardaire,* éditions Robert Laffont, 1976.

GETTY, Jean-Paul. *Devenir riche*, les éditions Un monde différent, 1984.

GETTY, Jean-Paul. *How to be a succesful executive*, Jove book, 1984.

GUNTHER, Max. *Les milliardaires, leur vie, leur histoire, leurs secrets*, Stanké éditeur, 1979.

GUNTHER, Max. *Le facteur chance*, éditions de l'Homme, Montréal, 1978.

HARVEY, Jacques. *Mon ami Onassis*, Albin Michel, Paris, 1975.

HILL, Napoléon. *Réfléchissez et devenez riches*, éditions du Jour, 1981.

HILL, Napoléon et STONE, W. Clément. *Le succès par la pensée constructive*, Éditions du Jour, 1981.

HILL, Napoléon. *The master key to riches*, Fawcett Crest, New York.

HILL, Napoléon. *Grow rich! with Peace of mind*, Fawcett Crest, New York, 1982.

HILL, Napoléon. *La puissance de votre subconscient*, les éditions du Jour, Montréal, 1973.

HONDA, Soïchiro. *Honda par Honda,* Stock, 1979.

IACOCCA, Lee. *Iacocca,* Robert Laffont, Paris, 1984.

KROC, Ray. *Pensez grand vous deviendrez grand,* Libre Expression, Montréal, 1985.

LAFRANCE, André, A. *Les clefs de la réussite*, les éditions Primeur, Montréal, 1984.

LAMURE, Pierre. *John D. Rockefeller*, Paris, éditions Plon, 1937.

«Les héros de l'économie», dans *Autrement*, n° 59, avril 1984.

LUNDBERG, Ferdinand. *Les riches et les supers riches*, Stock, 1969.

MALTZ, Maxwell. *Psycho-Cybernétique*, éditions Godefroy, La Ferrière, 1980.

MILLER, Disney Diana. *L'Histoire de Walt Disney*, Hachette, 1960.

MURPHY, Joseph, Dr., *Votre droit absolu à la richesse*, les éditions Un monde différent, 1981.

MURPHY, Joseph. *La puissance de votre subconscient*, le Jour éditeur, Montréal, 1980.

NAISBITT, John, *Megatrends*, Warner books, 1982.

PETERS, T. et WATERMAN, R. *Le prix de l'excellence,* Inter éditions, Paris, 1983.

SAMUEL, Yvon. *Les milliardaires*, éditions Carrère, 1985.

SARASVATI, Swami Sivananda. *La pratique de la méditation*, Albin Michel, Paris, 1970.

SCHREIBER, Charles. *Live and be free thru psycho-cybernetics*, Maxwell Maltz, Warner books, New York, 1976.

SCHWARTZ, David J. *La magie de voir grand*, les éditions Un monde différent, 1983.

SOBEL, Robert. *Histoire d'un empire: I.B.M.* éditions de l'Homme, Montréal, 1984.

STEWARD, Hold D. *Les secrets des millionnaires*, les éditions Un monde différent, 1976.

STONE, Clément W. *Le chemin infaillible du succès*, éditions du Jour, 1973.

THORNDIKE, Joseph Jr. *The very rich, a history of wealth,* Américain publishing Co, 1976.

TOCQUET, Robert. *Les pouvoirs de la volonté, clefs du succès*, éditions Godefroy, La Ferrière, 1984.

WINKLER, John K. *John D. Rockefeller*, Paris, Gallimard, 6e édition, 1983.